传递现象基础

梁文懂　肖时钧　编著
沈士德　　　　审

北　京
冶金工业出版社
2006

内 容 简 介

本书侧重介绍处理动量、能量、质量传递问题的科学方法,从传递现象的机理出发,论述了传递过程的基本原理、内在规律、数学模型的建立及其求解方法,阐明了三类传递过程的相互联系及其类似性。全书共 10 章,主要内容包括传递现象导论、传递现象基本方程、流体运动方程的应用、边界层流动、湍流流动、热传导、对流传热、质量传递过程概论、分子传质、对流传质等。

本书可作为工程类专业的基础教材,适用于化工、冶金、机械、热能、环境和生物工程等专业的高年级本科生和研究生学习基础知识的需要,也可作为上述专业的科研人员和其他工程技术人员的参考用书。

图书在版编目(CIP)数据

传递现象基础/梁文懂等编著 . —北京:冶金工业出版社,2006. 8
ISBN 7-5024-4008-9

Ⅰ. 传… Ⅱ. 梁… Ⅲ传递 – 现象 Ⅳ. TQ021.3

中国版本图书馆 CIP 数据核字(2006)第 066295 号

出 版 人　曹胜利(北京沙滩嵩祝院北巷 39 号,邮编 100009)
责任编辑　朱华英(联系电话 010-64027929　电子信箱　zhuhuaying 51@ sina. com)
美术编辑　李　心　责任校对　杨　力　李文彦　责任印制　丁小晶
北京百善印刷厂印刷;冶金工业出版社发行;各地新华书店经销
2006 年 8 月第 1 版,2006 年 8 月第 1 次印刷
787mm×1092mm　1/16;14 印张;336 千字;209 页;1—3000 册
29.00 元

冶金工业出版社发行部　电话:(010)64044283　传真:(010)64027893
冶金书店　地址:北京东四西大街 46 号(100711)　电话:(010)65289081
(本社图书如有印装质量问题,本社发行部负责退换)

前　言

动量、热量和质量的传递，普遍存在于自然界和各种工程领域。传递现象作为统一考察动量、热量和质量传递特性及其相互联系的学科，是装置设计和工程应用的基础。随着传递过程理论和实践的发展，传递现象的应用领域不断扩大。目前，传递现象像热力学、电子学等课程一样，被机械、环境、电力及冶金等类专业所接受，成为工科院校的公共课程。不同的学科有不同的侧重点，对同一问题或同一现象又可以从不同视角、用不同方法去认识、描述，因此，适应不同专业、不同层次教学的需要，国内外有多种《传递过程原理》或《传递现象》教材出版。

传递现象是一门数理解析较多的课程。内容较为抽象，数学推导繁杂。本书在编写过程中，避开了一些冗长而繁复的数学推导，力求在先行基础课程的基础上，做到由浅入深、简明扼要地阐明传递机理，介绍理论模型的建立和模型的解析方法，以及现象中由此及彼的类似概念，加强阐述过程中的系统性。编写时，首先针对不同的传递现象，建立统一的传递现象基本方程，注重物理概念和数学表达的一致性。然后分别按照动量、热量、质量传递的顺序进行阐述，并注意前后呼应，对三种既相互关联又各有特点的传递过程进行较为全面和系统的分析，强调了三种传递过程的共性。

本书由梁文懂主编，第1章和第8章由肖时钧编写，其余各章由梁文懂编写。童仕唐教授、颜家保教授对本书的编写提出了宝贵的建议。在文字录入工作中，得到了俞丹青老师、崔正威老师、毛磊老师、董志军老师以及研究生何水、管晶、宋合兴、风晓华等多位同学的大力协助，作者对他们的辛勤劳动表示感谢。承蒙沈士德教授审阅全稿，并且在内容的取舍和结构方面提出了宝贵意见，在此表示感谢。

本书的出版得到了武汉科技大学教育基金资助。在编写过程中，参考了多部国内外的有关教材和专著，在此，作者对这些编著者表示衷心的感谢。

由于作者水平有限，书中难免有欠妥之处，敬请读者和各位同仁批评指正。

作　者

2006 年 4 月

主 要 符 号 说 明

符　号	意　　义	SI 单位
A	面积、传热面积、传质面积	m^2
a	热扩散系数	m^2/s
	加速度	m/s^2
b	宽度	m
C	积分常数	无因次
C_D	阻力系数	无因次
c	物质的量浓度	$kmol/m^3$
c_{Aw}	壁面浓度	$kmol/m^3$
c_{A0}	流体主体浓度	$kmol/m^3$
c_A^*	无因次浓度	无因次
c_V	质量定容热容	$J/(kg \cdot K)$
c_p	质量定压热容	$J/(kg \cdot K)$
D	扩散系数	m^2/s
D_{AB}	组分 A 在组分 B 中的扩散系数	m^2/s
D_{AK}	纽特逊扩散系数	m^2/s
D_{ABS}	有效扩散系数	m^2/s
d	管径、孔径	m
d_e	当量直径	m
E	弹性模量	N/m^2
e	绝对粗糙度	m
F	力、外力	N
F_m	质量力或体积力	N
F_s	表面力	N
f	范宁摩擦系数	无因次
G_i	混合物中 i 组分的质量	kg
g	重力加速度	m/s^2
H	单位质量流体的焓	J/kg
I	湍动强度	无因次
J_A	相对于摩尔平均速度的组分 A 的摩尔通量	$kmol/(m^2 \cdot s)$
j_A	相对于质量平均速度的组分 A 的质量通量	$kg/(m^2 \cdot s)$
$j_{A\varepsilon}$	组分 A 的涡流质量通量	$kg/(m^2 \cdot s)$
k	对流传质系数	m/s

k_c^0	等分子反方向扩散时的气相对流传质系数	m/s
k_c	单向扩散时的气相对流传质系数	m/s
k_L^0	等分子反方向扩散时的液相对流传质系数	m/s
k_L	单向扩散时的液相对流传质系数	m/s
k_{cx}	局部对流传质系数	m/s
k_{cm}	平均对流传质系数	m/s
L	长度、流动距离	m
L_e	圆管流动边界层进口段长度	m
L_{eT}	圆管传热边界层进口段长度	m
L_{ec}	圆管传质边界层进口段长度	m
l	长度、普朗特混合长	m
M	相对分子质量	kg/kmol
M_i	组分 i 的相对分子质量	kg/kmol
m	质量	kg
N	相对于静止坐标的总摩尔通量	$kmol/(m^2 \cdot s)$
N_A	相对于静止坐标的组分 A 的摩尔通量	$kmol/(m^2 \cdot s)$
N_B	相对于静止坐标的组分 B 的摩尔通量	$kmol/(m^2 \cdot s)$
n	相对于静止坐标的总质量通量	$kg/(m^2 \cdot s)$
n_A	相对于静止坐标的组分 A 的质量通量	$kg/(m^2 \cdot s)$
n_B	相对于静止坐标的组分 B 的质量通量	$kg/(m^2 \cdot s)$
p	压力	Pa
p_A	组分 A 的分压	Pa
p_B	组分 B 的分压	Pa
p_d	动压力	Pa
p_s	静压力	Pa
Q	热流量	W
q	热通量（热流速率）	W/m^2
q_ε	涡流热通量	W/m^2
$\dot{q}$	单位体积、单位时间由内热源产生的热量	W/m^3
R	通用气体常数	$kJ/(kmol \cdot K)$
R_A	单位体积中组分 A 的生成摩尔速率	$kmol/(m^3 \cdot s)$
r_A	单位体积中组分 A 的生成质量速率	$kg/(m^3 \cdot s)$
r_i	半径	m
r_{max}	最大流速处距管中心的位置	m
$\bar{r}$	孔道的平均半径	m
S	表面更新率	s^{-1}

T	温度	K
T^*	无因次温度	无因次
T_{av}	定性温度	K
T_0	流体主体温度或物体初始温度	K
T_w	壁面温度	K
U	热力学能	J/kg
u	流速、质量平均流速	m/s
u_A	组分 A 相对于静止坐标的速度（绝对速度）	m/s
u_B	组分 B 相对于静止坐标的速度（绝对速度）	m/s
u_0	来流速度、边界层外的均匀流速	m/s
u_{yw}	壁面喷出速度	m/s
u_M	相对于静止坐标的摩尔平均流速	m/s
u_m	流体主体平均流速	m/s
u_{max}	最大流速	m/s
u^*	摩擦速度	m/s
u^+	无因次摩擦速度	无因次
V	体积	m^3
$\bar{v}$	分子平均运动速度	m/s
V_s	体积流率	m^3/s
υ	体积质量	m^3/kg
w	质量分数	无因次
X	作用在单位质量流体上的质量力在 x 方向的分量	N/kg
x	液相或固相中的摩尔分数	无因次
x_c	临界距离	m
Y	作用在单位质量流体上的质量力在 y 方向的分量	N/kg
y	气相中的摩尔分数	无因次
Z	作用在单位质量流体上的质量力在 z 方向的分量	N/kg
z	高度、轴向距离、扩散距离	m
α	对流传热系数	W/(m$^2 \cdot$ K)
δ	速度边界层厚度、液膜厚度	m
δ_T	温度边界层厚度	m
δ_c	浓度边界层厚度	m
ε	涡流黏度	m^2/s
ε_H	涡流热扩散系数	m^2/s
ε_M	涡流质量扩散系数	m^2/s
ξ	温度边界层厚度与速度边界层厚度之比（δ_T/δ）	无因次
θ	时间	s

θ'	曲线坐标系微分衡算方程中的时间	s
λ	热导率	$W/(m \cdot K)$
λ	摩擦系数	无因次
μ	（动力）黏度	$Pa \cdot s$
μ_s	有效黏度	$Pa \cdot s$
ν	运动黏度	m^2/s
ρ	密度	kg/m^3
ρ_B	质量浓度	kg/m^3
η	无因次位置	无因次
τ	剪应力、机械力（表面应力）	Pa
τ	曲折因数	无因次
τ_w	作用在壁面上的剪应力	Pa
τ_ε	涡流剪应力或雷诺应力	Pa
φ	速度势函数	m^2/s
ϕ	散逸热速率	$J/(m^2 \cdot s)$
ψ	流函数	m^2/s
Re	雷诺数	无因次
Bi	毕渥数	无因次
Fo	傅里叶数	无因次
Le	路易斯数	无因次
Pr	普朗特数	无因次
Nu	努塞尔数	无因次
Sc	施密特数	无因次
St	斯坦顿数	无因次
Sh	舍伍德数	无因次

目　　录

1 传 递 现 象 导 论

传递现象又称传递过程，或具体地称之为"动量、热量和质量传递"，简称"三传"。主要研究的是物体相内及相际间的传递现象，侧重于对物理量的传递速率和传递机理的探讨，有着鲜明的物理特征。传递现象作为定量把握自然过程的方法，涉及到很多工程领域。是一门从统一的观点出发，解析现象的变化和方向的重要应用理论学科。传递现象的理论为已有设备的改良和新设备的设计、操作和控制提供理论基础，对过程开发和设计、生产操作及控制优化、过程机理分析等都有着重要意义。

传递现象是在单元操作的基础上，以过程工业为研究对象综合三传的共同规律而发展起来的，是单元操作和反应工程的理论基础。作为一门独立的学科，传递现象理论形成于20世纪中期。随着化工"单元操作"被了解得更加深入，人们发现不同单元操作之间存在着共性。如过滤显然只是流体流动的一个特例；蒸发只不过是传热的一种形式；萃取和吸收操作中都包含有物质的转移或传递过程；蒸馏和干燥则是热量和质量传递同时进行的过程。可以说，单元操作只不过是热量传递、质量传递和动量传递的特例或特定的组合。对单元操作的任何进一步研究，最终都归结为对动量、质量和热量传递的研究。伯德（Bird）等首先在1958年出版了《Notes on Transport Phenomena》一书，作为威斯康星大学化工系的必修课教材，并于1960年出版了经典的《Transport Phenomena》，系统阐述了传递现象的基本原理，研究了动量传递、热量传递和质量传递之间的类似性。随着研究的不断深入，人们发现不同的传递现象不但可以用类似的数学模型描述，而且描述三者的一些物理量之间还存在某些定量关系，从而使研究得以简化。

传递现象研究三种传递的实质和变化规律，是化学工业及化学工程学科发展和进步的产物，它的形成标志着化学工程学科发展到了一个新的高度。目前，传递现象作为一门基础课程，不仅在化学工程专业开设，在冶金、机械、热能、环境等专业也均在开设，而且业已扩展到水利、航空等专业。

1.1 传递现象的分析和描述

传递现象是自然界和工业生产中普遍存在的现象，考察的是物系内某物理量从高强度区域自动地向低强度区域转移的过程。对于物系中每一个具有强度性质的物理量（如速度、温度、浓度）来说，都存在着相对平衡的状态。当物系偏离平衡状态时，就会发生物理量的这种转移过程，使物系趋向平衡状态，所传递的物理量可以是质量、能量、动量或电量等。现象的变化，遵从热力学第一定律和第二定律。在适当的坐标系下，可得非线性偏微分方程，根据初始条件和边界条件，可用以描述各种现象，实现对各种现象进行预测、并应用于装置设计、危险的预防和对策等领域。现象变化的方向，遵从热力学第二定律，换言之，也可以说现象总是向熵增的方向进行。例如物系内温度不均匀，则热量将由高温区向低温区传递。一般在工业生产中所涉及到的物理量只是动量、热量和质量，所发生的传递现象为动量传递、热量传递和质量传递。因具体过程不同，三种传递过程可能分别单独存在；也可能是其中任意两种或三种过程同时存在。

传递现象可以在三种不同的尺度上发生，即分子尺度、微团尺度和设备尺度。在不同尺度上运用守恒原理分析传递规律，就构成了传递现象研究的核心。

分子尺度上的传递，即考察由于分子运动所引起的动量、热量和质量的传递。以分子运动论的观点，借助统计方法，确立传递规律，如牛顿黏性定律、傅里叶定律和费克定律。与分子运动有关的物质的宏观传递特性表示为黏度、热扩散系数、分子扩散系数等。

微团尺度上的传递，即考察由大量分子所构成的流体微团运动所造成的动量、热量和质量的传递。微团又称流体质点，其尺寸远小于运动空间。微团常忽略流体由分子组成、内部存在空隙这一事实，而将流体视为连续介质，从而使用连续函数的数学工具，从守恒原理出发，以微分方程的形式建立描述传递规律的连续性方程、运动方程、能量方程和扩散方程，通过求解这些微分方程得到速度分布、温度分布和浓度分布。当流体做湍流运动时，与流体微团运动有关的传递特性表示为涡流黏度、涡流热扩散系数和涡流质量扩散系数，这些传递特性与流动状况、设备结构等有关，不是流体的物性。

设备尺度上的研究，通常考察流体在设备中的整体运动所导致的传递现象，以守恒原理为基础，就一定范围进行总体衡算。设备尺度上的传递特性表示为传热系数和传质系数等，这些传递特性与流动条件直接有关，同样也不是物系的物性。

三种尺度上的传递现象相互联系，彼此相关，一般小尺度上的传递规律是研究下一级更大尺度上的传递现象的基础。

传递过程的研究一般是从守恒定律求出相应的速度分布、温度分布、浓度分布，然后由这些分布相应求出摩擦阻力系数、传热系数和传质分系数。鉴于这些传递系数均是解析结果，因而一般形式较为复杂。由于这些解析解是在特定的边界条件、初始条件及简化假定下得到的，因而也可用这些解析解来界定与之相近的经验公式适用范围。传递现象之所以采用这样的步骤求解，是由于既然有传递发生，就应该有相应的推动力，而要形成推动力就必然要有对应的物理量分布。

研究传递现象的程序可归纳为：对传递现象进行物理分析，建立并化简数学模型，给定初始条件和边界条件（对于稳态传递过程，由于被传递的物理量不随时间变化，因此无须给出初始条件），通过数学运算解决实际问题。可见，给定初始条件和边界条件，对于传递现象的研究，是必不可少的环节。为解决某一个具体传递过程，必须用定解条件对方程组加以限制或约束，从而使具有普遍意义的方程转化为针对某一个具体问题的方程。因此，一个完整的数学模型，除了数学模型本身以外，还应当包括与之相适应的定解条件（包括初始条件和边界条件）。通过求解这些模型方程得到解析解或数值解，用以分析和解释物理现象，得出结论，并用来指导实践。传递现象的研究需要坚实的理论基础、先进的实验技术和现代的计算方法。

1.2　传递现象的基本研究方法

归纳起来，传递现象的研究方法主要有三种方法，即理论分析方法、实验研究方法和数值计算方法。

1.2.1 理论分析方法

理论分析方法一般分为三个阶段。

（1）确定简化的物理模型。这是理论研究方法最关键也是最困难的一步。建立模型的关键，并不在于无所不包地把各种因素都考虑和罗列进去。这不仅会使问题复杂化而得不到解决，而且也是不必要的。恰恰相反，应当努力做出尽可能合理的简化，使之易于求解而又符合实际。当然要能正确地做出这种简化，需要对过程实质有深切的认识，而这一点正是问题的关键。通过实验和观测对流体的物理性质及运动特性进行分析研究，抓住主要因素对流体或运动进行简化和近似，设计出合理的理论模型。模型既要反映问题的主导方面，又要便于理论处理。

简化是模型建立的重要特征，没有简化就不能称其为模型，模型的优劣也取决于对过程简化的合理性。要求做到简化而不失其真实性；使简化能满足应用要求并能适应当前的实验条件，以便能进行模型鉴别和参数估计。同时也要求简化能适应现有计算能力。

（2）建立数学模型。对于上述理论模型，建立描写流体传递规律的封闭方程组，及相应的初始条件和边界条件。数学模型建立之后，就将一个物理问题转变成了数学问题。数学模型法立足于对所研究过程的深刻理解，没有深刻的理解就不能做出恰如其分的简化。模型法是解决工程问题的重要手段，该方法的实质是用已知的模拟未知的，用可见的、规则的模拟不可见、不规则的，用简单的模拟复杂的。

（3）数学求解。利用各种数学工具（主要是偏微分方程、常微分方程、复变函数、近似计算等）准确或近似地解出上述问题，并将结果和试验或观察资料相对照，确定解的准确程度及其使用范围。

1.2.2 实验研究方法

实验研究方法在传递现象的研究中有着广泛的应用，它是研究问题不可缺少的一个方面。简化模型的提出，需要实验提供数据；计算结果的正确性和可靠性，需要实验来检验；当所研究的问题极其复杂，模型不容易建立，或虽有模型但因方程复杂或边界条件复杂难于求解时，实验研究就显得必要。依靠实验来确定过程变量之间的关系，一般是通过无因次数群（或称准数）构成的关系式来表达这种关系，这是一种工程上通用的基本方法。

实验研究能够在所研究的问题完全相同或大体相同的条件下进行观测，因此通过实验所得出的结果一般来说是可靠的。缺点是实验方法往往受到模型尺寸的限制、实验过程中边界影响不能全部满足等。

长期以来，化学工程的发展更多地依赖于实验研究。但实验研究的结果往往只包含一些个别数据和个别规律，主要反映的是在实验条件下各种现象所独有的特点。如欲将个别数据整理概括再加以推广应用，以达到由此及彼、以小见大的目的，就需要有一套完整的理论和方法。用于达到上述目的的实验研究方法主要有因次分析法和相似论方法，这两种方法主要用于传递过程和单元操作的实验研究，它们都是以无因次（无量纲）数群的形式来表达实验结果，可使实验工作大为简化。它们曾对化学工程学科的形成和发展起过重大作用，至今也仍有应用的价值。

1.2.3　数值计算方法

数值计算方法是在 20 世纪 60 年代初发展起来的。由于数学发展水平的制约，理论研究方法往往只能局限于比较简单的物理模型。生产技术的日益提高要求能研究更复杂更符合实际的过程。高速电子计算机的出现，以及一系列有效的近似计算方法（如有限差分法、有限元法等）的发展，使数值计算在传递现象的研究中成为与理论研究和实验研究具有同等重要意义的研究方法，由此产生了计算流体力学、计算传热学和计算流体混合等新的学科分支。在数值计算中所用的许多参数，有些不一定都需要实测。如某些物性数据及传递参数（如热导率、热扩散系数等）可从文献资料中查取，或用关联式加以估算。也有一些重要参数，如相界面积及相间传递系数等等，则常常由于缺乏可靠的计算方法而不得不通过实验来加以解决。数值方法的优点是能够解决理论研究无法解决的复杂流动问题，和实验相比，所需费用和时间都较少，但有较高精度，有些在实验室里无法实施的实验（例如星云演化过程、可控热核反应中的高温等离子体流动等）可采用数值方法来模拟。实验方法和理论分析为数值方法提供模式。

对某些复杂的工业过程，既不能利用因次分析和相似论方法来安排实验，也不能通过对过程的合理简化建立数学模型，往往只能求助于规模逐次放大的实验来摸索过程的规律，这种研究方法称为经验放大。在采用逐级的经验放大来开发工业过程时，通常首先进行小型的工艺试验，以确定优选的工艺条件；然后进行规模稍大的模型试验，以验证小型试验的结果；再建立规模更大（如中间工厂规模）的装置，进行逐级探索，最后才能设计工业规模的大型生产装置。这种放大规律的探索方法，通常需要经过多层次的中间试验，每次放大倍数很低，显然是相当费时费钱的，但目前这种方法还不能完全排除。

综上所述，理论、计算和实验这三种方法各有利弊，互相依托，互相补充。实验用于检验计算结果的正确性和可靠性，提供建立物理模型的依据；而理论则能指导计算和实验，使之能够进行得富有成效，并且可以把部分实验结果推广到没有做过实验的一类问题中去；计算则可以弥补理论和实验的不足。理论、计算和实验这样不断相互补充，使学科得以发展。

1.3　传递现象的物理机制及其数学描述

当所研究的系统中存在速度梯度、温度梯度和浓度梯度时，则会发生动量、热量和质量的传递。传递的方式有两类，一类是分子传递，另一类是湍流传递。层流流动、导热和分子扩散属于分子传递；湍流流动、湍流传扇和湍流传质则属于湍流传递。不仅分子传递与湍流传递相似，而且分子传递中的动量、热量和质量传递在传递机理、过程和结果等方面也是相似的。以下将着重讨论分子传递的机理，分析三种传递现象的共性规律，建立描述分子传递规律的物理模型和数学模型。

1.3.1　分子传递机理

分子传递，广义地说，是由于分子不规则热运动的结果。例如对于流体，由于分子的不规则热运动，引起分子在各流层之间进行交换，如果各流层的速度、温度和浓度不同，就会产生动量、热量和质量传递。这三种传递现象有着共同的物理本质。流体的黏性、热传导、质量分子扩散统称为流体的分子传递。下面分别讨论分子动量传递、分子传热（导热）和分子传质的机理。

1.3.1.1 分子动量传递机理

流体流动时的动量传递产生机理，可通过图 1-1 所给出的流体层流流动的动量传递现象示意图来说明。如图 1-1 所示，沿 x 方向流动的相邻两层流体 1 和 2，其流速分别对应为 u_1 和 u_2，假设 $u_2 > u_1$，则由于速度不同，它们在 x 方向上的动量也不同。在流体分子无规律的热运动过程中，流体层 2 中速度较快的流体分子有一些进入到速度较慢的流体层 1 中，这些快速运动的分子在 x 方向具有较大的动量，当它们与速度较慢的流体层内的分子相碰撞时，便把动量传递给后者并使其加速。同时，速度较慢的流体层 1 中也有同量的分子进入流速较快的流体层 2 中，从而使后者减速。于是，流体层之间分子的交换，使动量从高速层向低速层传递，其结果是产生阻碍流体相对运动的剪切力。这种传递一直达到固定的壁面，流体向壁面传递动量的结果，出现了壁面处的剪应力，成为壁面抑制流体运动的力。

由此可见，动量传递是由于流体内部速度不均所引起的，动量传递的方向是从流速大的区域传递到流速小的区域。

一般说来，气体和液体的动量传递有着不同的机理。伯德（R. B. Bird）认为，对于气体，其分子在两次碰撞之间经历的距离较长，动量主要是依靠分子的自由热运动而被传递；而对于液体，其分子在两次碰撞之间只经过一个很短的距离，动量传递机理主要是分子与分子的实在碰撞。

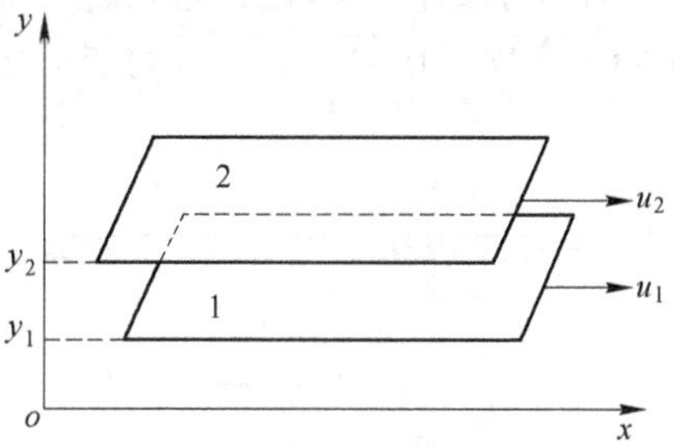

图 1-1 层流时的分子动量传递机理

1.3.1.2 分子传热（导热）机理

气体、液体和固体的导热机理不尽相同。

气体的导热是气体分子做不规则热运动时互相碰撞的结果。气体分子的动能与其温度有关，高温区的分子具有较大的动能，速度较大，当它们运动到低温区时，便与该区的分子发生碰撞，其结果是热量从高温区转移到低温区，从而实现以导热的方式进行热量传递。

液体的导热有两种理论。一种理论认为，液体的导热机理与气体的相同，差异在于液体分子间距较小，分子间的作用力对碰撞过程的影响较大，因而其机理变得更复杂。另一种理论则认为，液体的导热机理类似于非导电体的固体，即主要靠原子、分子在其平衡位置上振动，从而实现热量由高温区向低温区转移。

固体的导热方式是晶格振动和自由电子的迁移。在非导电的固体中，导热是通过晶格振动（即原子、分子在其平衡位置附近振动）来实现的。对于良好的导电体，类似气体的分子运动，自由电子在晶格之间运动，将热量由高温区传向低温区。由于自由电子数目多，因而它所传递的热量多于晶格振动所传递的热量，这就是良好的导电体一般都是良好的导热体的原因。

1.3.1.3 分子扩散机理

浓度差、温度差、压力差、电场或磁场等都可能导致分子扩散。一般把由温度差引起的分子传质称为热扩散；由压力差引起的分子传质称为压力扩散；由电场或磁场等外力导致混合物组分受力不均所引起的扩散称为强制扩散。本书只介绍由浓度差引起的分子扩散。分子扩散在气相、液相和固相中均可发生。其扩散机理与导热类似，从本质上说，它们都是依靠分子的随机运动而引起的转移行为，不同的是前者为质量转移，而后者则是热量转移。研究质量传递的方法与研究热量传递的方法相似。在质量浓度梯度比较小，质量交换率比较小的场合，传质现象的数学描述与传热现象是类似的。在一定条件下，可以通过类比，把由传热所得到的结果直接用于传质。

1.3.2 分子传递现象的数学描述

1.3.2.1 牛顿黏性定律

流体具有流动性，没有固定形状，在外力作用下，其内部可产生相对运动。另一方面，在运动的状态下，流体还有一种内在的抗拒向前运动的特性，称为黏性，黏性是流动性的反面。

流体的黏性只有在其运动时才显现出来，1867 年，牛顿首先对流体流动现象进行了实验，建立了切向应力和剪切变形之间的关系。

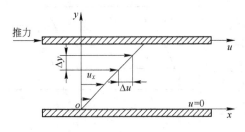

图 1-2 平板间的流体速度分布

如图 1-2 所示，设有上下两块平行放置、面积很大而相距很近的平板，板间充满了黏性流体。若将下板固定，而对上板施加一个恒定的外力，则上板会以恒定的速度 u 沿 x 方向运动。此时，两板间的流体就会分成无数平行的薄层而运动，由于黏性作用，紧贴在上板底面上的流体薄层将随上板一起以速度 u 运动，两板之间的各流体层的速度由上而下依次降低，紧贴下板表面的流体层的速度为零。

实验表明，对于层流流动，相邻流体层发生相对运动时所产生的内摩擦力 F 与两流体层的速度差 Δu 成正比，与两层之间的垂直距离 Δy 成反比，并正比于两层间的接触面积 A，即

$$F \propto A \frac{\Delta u}{\Delta y} \tag{1-1}$$

引入比例系数 μ，并用 τ 表示单位面积上的内摩擦力，τ 又称为剪应力或动量通量，于是上式可写成

$$\tau = -\mu \frac{du_x}{dy} \tag{1-2}$$

式中，τ 为剪应力，N/m^2；$\frac{du_x}{dy}$ 为速度梯度或剪切速率，表示与流动方向相垂直的 y 方向上流体速度的变化率；比例系数 μ 称流体黏度，$kg/(m \cdot s)$ 或 $N \cdot s/m^2$，涉及到动力学单位，故又称动力黏度。负号表示动量通量的方向与速度梯度的方向相反，即动量总是沿着速度降低的方向传递的。该式即为牛顿黏性定律的数学表达式。

黏度是流体的物理性质之一，是压力、温度和组成的状态参数，其值由实验测定。液

体的黏度随温度升高而减小，气体的黏度则随温度升高而增大。压强变化时，液体的黏度基本不变，气体的黏度随压强的增大而增加得很少，在一般工程计算中可予以忽略，只有在极高或极低的压强下，才需考虑压强对气体黏度的影响。

在工业生产中常遇到各种流体混合物。对于混合物的黏度，如缺乏实验数据时，可参阅有关资料，选用适当的经验公式进行估算。如对于常压气体混合物黏度，可采用下式计算

$$\mu_m = \frac{\Sigma y_i \mu_i M_i^{0.5}}{\Sigma y_i M_i^{0.5}} \tag{1-3}$$

式中，μ_m 为常压下混合气体的黏度；y 为气体混合物中组分的摩尔分数；μ_i 为与气体混合物同温度下组分的黏度；M 为气体混合物中组分的相对分子质量；下标 i 表示组分的序号。

对分子不缔合的液体混合物的黏度，可采用下式进行计算

$$\lg \mu_m = \Sigma x_i \lg \mu_i \tag{1-4}$$

式中，μ_m 为液体混合物的黏度；x_i 为液体混合物中 i 组分的摩尔分数；μ_i 为与液体混合物同温度下 i 组分的黏度。

定义动量扩散系数 $\nu = \dfrac{\mu}{\rho}$，其单位涉及到运动学，故 ν 又称运动黏度，单位为 m^2/s，则牛顿黏性定律亦可写成下述形式，即

$$\tau = -\nu \frac{d(\rho u_x)}{dy} \tag{1-5}$$

牛顿黏性定律中，τ 是相邻两流体层间由于速度不同而引起的剪切作用力，为相邻两流体间动量传递的表现，这是由于

$$\tau = \frac{F}{A} = \frac{ma}{A} = \frac{m}{A} \frac{du}{d\theta} = \frac{d(mu)}{Ad\theta} \tag{1-6}$$

因而 τ 可视为流体层间单位时间单位面积上的动量变化。由于黏度导致相邻两层流体间产生速度差，从而产生动量传递，这就是流体做层流运动时动量传递的特征。

服从牛顿黏性定律的流体统称为牛顿流体，气体和低分子量的大多数液体均可视为牛顿流体；不遵循牛顿黏性定律的流体则为非牛顿流体，如泥浆、聚合物溶液、油漆等，本书所涉及的流体只是牛顿流体。

应当指出，理想流体和静止流体在现象表现上，剪应力均为零，但两者有着不同的本质。对于理想流体，由于黏度为零，流体流动时速度梯度也为零，故剪应力 τ 表现为零；静止流体则不同，其黏度不为零，只不过是速度梯度为零，导致剪应力为零。

1.3.2.2 傅里叶定律

傅里叶定律系用于确定在物系内各点间存在温度差时，因热传导而导致的热流大小的定律。1822 年，法国数学物理学家傅里叶提出，在各向同性的均匀的一维温度场内，以导热方式传递的热通量可表示为

$$q = -\lambda \frac{dT}{dy} \tag{1-7}$$

式中，q 为热通量，$J/(m^2 \cdot s)$；λ 为热导率，$W/(m^2 \cdot K)$；$\dfrac{dT}{dy}$ 为温度梯度。式中负号表示热通量方向与温度梯度方向相反，即热量是沿着温度降度方向传递的。

热导率 λ 表示物质的导热能力，属于物质的物理性质。其大小和物质的组成、结构、密度、压力和温度等有关。对于同一物质，λ 主要受温度的影响，压力的影响可以忽略。但在高压或真空下，则不能忽略压力对气体热导率的影响。若 λ 与方向无关，则称为各向同性导热，否则为各向异性导热。

1.3.2.3　费克定律

混合物中各组分若存在浓度梯度时，则会产生分子扩散。对双组分系统，费克在1855 年首先提出了描述物质扩散质量通量的基本关系式。认为分子扩散所产生的质量通量，可用下式表示

$$j_{A} = - D_{AB} \frac{\mathrm{d}\rho_{A}}{\mathrm{d}y} \tag{1-8}$$

式中，j_A 表示组分 A 的扩散质量通量，$kg/(m^2 \cdot s)$；D_{AB} 为组分 A 在组分 B 中的扩散系数，m^2/s；$\frac{\mathrm{d}\rho_A}{\mathrm{d}y}$ 代表组分 A 的质量浓度梯度。式中负号表示质量通量的方向与质量浓度梯度的方向相反，即组分 A 总是沿着浓度降度的方向进行传递。扩散系数 D_{AB} 与组分的种类、温度、组成等因素有关。

由牛顿黏性定律、傅里叶定律和费克定律的数学表达式可以看出，动量、热量与质量传递过程的规律存在着许多类似性，各过程所传递的物理量都与其相应的强度因素的梯度成正比，并且都沿着负梯度（降度）的方向传递。各式中的系数只是状态函数，与传递的物理量及梯度无关。因此，通常将黏度、热导率和分子扩散系数均视为表达传递性质或速率的物性常数。由于式（1-2）、式（1-7）、式（1-8）中，传递的物理量与相应的梯度之间均存在线性关系，故上述这三个定律又常称为分子传递的线性现象定律。

1.3.3　现象定律的通量表达式

以下讨论三种传递现象方程的通量表达式。

1.3.3.1　动量通量

设流体为不可压缩，即密度 ρ 为常数，则牛顿黏性定律可写成如下形式

$$\tau = - \frac{\mu}{\rho} \frac{\mathrm{d}(\rho u_x)}{\mathrm{d}y} = - \nu \frac{\mathrm{d}(\rho u_x)}{\mathrm{d}y} \tag{1-9}$$

$$\nu = \frac{\mu}{\rho} \tag{1-10}$$

式中，τ 为剪应力或动量通量，$N/m^2 = \frac{kg \cdot m/s^2}{m^2} = \frac{kg \cdot m/s}{m^2 \cdot s}$；$\nu$ 为运动黏度或动量扩散系数，m^2/s；ρu_x 为动量浓度，$\frac{kg}{m^3} \cdot \frac{m}{s} = \frac{kg \cdot m/s}{m^3}$；$\mathrm{d}(\rho u_x)/\mathrm{d}y$ 为动量浓度梯度，$\frac{kg \cdot m/s}{m^3 \cdot m}$。

由式（1-9）及各量的单位可以看出，剪应力 τ 为单位时间（s）通过单位面积（m^2）的动量（$kg \cdot m/s$），故剪应力可表示动量通量，它等于运动黏度或动量扩散系数（m^2/s）乘以动量浓度 $\left(\frac{kg \cdot m/s}{m^3 \cdot m}\right)$ 的负值，该式的物理意义为

（动量通量）= -（动量扩散系数）×（动量浓度梯度）

1.3.3.2 热量通量

对于物性常数 λ、c_p（质量定压热容）和 ρ 均为恒值的导热问题，傅里叶定律可改写为

$$q = -\frac{\lambda}{\rho c_p}\frac{d(\rho c_p T)}{dy} = -a\frac{d(\rho c_p T)}{dy} \tag{1-11}$$

$$a = \frac{\lambda}{\rho c_p} \tag{1-12}$$

式中，q 为热量通量，$J/(m^2 \cdot s)$；a 为热量扩散系数，m^2/s；$\rho c_p T$ 为热量浓度，J/m^3；$d\rho c_p T/dy$ 为热量浓度梯度，$J/(m^3 \cdot m)$。

由式（1-11）以及各量的单位可以看出，傅里叶定律可理解为热量通量 $[J/(m^2 \cdot s)]$ 等于热量扩散系数（m^2/s）与热量浓度梯度 $[J/(m^3 \cdot m)]$ 乘积的负值，亦即该式的物理意义为

（热量通量）＝－（热量扩散系数）×（热量浓度梯度）

1.3.3.3 质量通量

同理，可对费克定律中各量的物理意义和单位直接进行分析

$$j_A = -D_{AB}\frac{d\rho_A}{dy} \tag{1-13}$$

式中，j_A 表示组分 A 的扩散质量通量，$kg/(m^2 \cdot s)$；D_{AB} 为组分 A 在组分 B 中的扩散系数，m^2/s；ρ_A 为组分 A 的密度或质量浓度，kg/m^3；$\frac{d\rho_A}{dy}$ 代表组分 A 的质量浓度梯度。

可见，费克定律式也可理解为组分 A 的质量通量 $[kg/(m^2 \cdot s)]$，等于质量扩散系数（m^2/s）与质量浓度梯度 $[kg/(m^3 \cdot m)]$ 乘积的负值，其物理意义可用下式表示

（质量通量）＝－（质量扩散系数）×（质量浓度梯度）

通过以上对于动量通量、热量通量和质量通量的分析，可以看出，通量为单位时间内通过与传递方向相垂直的单位面积上的动量、热量和质量。这三种不同领域的物理量的传递，具有相似的数学表达式，均等于各自量的扩散系数与各自量浓度梯度乘积的负值，故三种分子传递过程可用一个通用的方程来表述，即

（通量）＝－（扩散系数）×（浓度梯度）

方程中的扩散系数 ν、a、D_{AB} 具有相同的因次，m^2/s；浓度梯度则表示该通量传递的推动力，式中"负"号表示各量的传递方向均与该物理量的浓度梯度方向相反，即沿着浓度降度的方向进行。

通常将通量等于扩散系数乘以浓度梯度的方程称为现象方程，它是一种关联所观察现象的经验方程。可见动量、热量和质量传递过程有着统一的、类似的现象方程。

动量扩散系数（运动黏度）ν、热扩散系数（导温系数）a 和质量扩散系数 D_{AB} 可分别采用式（1-9）、式（1-11）和式（1-13）来定义，三者的定义式均为微分方程。

由于现象方程的类似性，导致这三种传递过程具有类似特性。上述现象方程的类似仅适用于一维系统，这是因为热量和质量都是标量，但它们的通量则为矢量，在直角坐标系中有三个方向的分量；而动量为矢量，其通量为张量，有9个分量。另外，还应注意到，质量传递涉及到物质的移动，需要占用空间；而动量和热量的传递则不需要占用空间，并

且热量可以通过间壁进行传递，质量和动量则不能。

1.3.3.4　现象中的动力学物性相似

在以上讨论中，介绍了描述分子传递的三个定律及其相应的表达式。亦即得到了现象定理和对应的现象方程，三个方程的扩散系数的单位相同，它们属于物质的动力学物性。对于气体，应用分子运动论可推导出三者之间的联系。

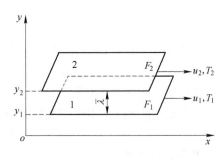

图 1-3　气体分子碰撞所导致的传递现象

如图 1-3 所示，取两相邻的流体层 1 及 2，其间的距离 $(y_2 - y_1)$ 等于分子平均自由程 $\overline{\lambda}$。假定一群分子沿上下、左右、前后三个方向上随机热运动的分子数相同并各为 $1/3$，平均速度为 $\overline{V}$，单位体积内的分子数为 n，气体分子的质量为 m，设图 1-3 中流体层的面积为 A，则时间 θ 内，在距离为分子平均自由程的流体层 1 与 2 间交换的分子总数为 $\frac{1}{3}\overline{V}\theta An$ 个，传递的动量共为

$$\frac{1}{3}\overline{V}\theta Anm(u_2 - u_1) \tag{1-14}$$

根据动量原理，作用于两流体层的剪切力 $F = F_1 = -F_2$ 可由式 (1-15a)、(1-15b) 计算

$$F\theta = \frac{1}{3}\overline{V}\theta Anm(u_1 - u_2) \tag{1-15a}$$

或

$$\tau = F/A = \frac{1}{3}\overline{V}nm(u_1 - u_2) \tag{1-15b}$$

式中，τ 为作用于两流体层上的剪应力即动量通量，Pa。

由牛顿黏性定律

$$\tau = -\mu\frac{\mathrm{d}u}{\mathrm{d}y}$$

根据图 1-3，速度梯度可表达为

$$\frac{\mathrm{d}u}{\mathrm{d}y} = \frac{u_2 - u_1}{y_2 - y_1} = \frac{u_2 - u_1}{\overline{\lambda}}$$

故

$$\tau = \mu(u_1 - u_2)/\overline{\lambda} \tag{1-16}$$

比较式 (1-15b) 与式 (1-16)，得

$$\mu = \frac{1}{3}\overline{\lambda}\,\overline{V}nM \tag{1-17}$$

由于单位体积中的分子数 n 乘以相对分子质量 M，即为气体的密度 ρ，故式 (1-17) 可改写为

$$\mu = \frac{1}{3}\rho\overline{\lambda}\,\overline{V} \tag{1-18}$$

则运动黏度或动量扩散系数可表达为

$$\nu = \frac{1}{3}\overline{V}\overline{\lambda} \tag{1-19}$$

对于分子运动所引起的热量、质量传递，也可以作类似的分析。

在图 1-3 中，若相邻流体层间存在温度差，对于流体层 1 及 2 间，同样有

$$\frac{\mathrm{d}T}{\mathrm{d}y} = \frac{T_2 - T_1}{y_2 - y_1} = \frac{T_2 - T_1}{\bar{\lambda}}$$

式中，T_1 及 T_2 分别为流体层 1 及 2 的温度。假设 $T_2 > T_1$，则由于流体层之间的气体分子交换，流体层 1 中温度较低、热运动较慢的分子，经过平均距离 $\bar{\lambda}$ 与流体层 2 中的分子碰撞后，热运动的平均速度将增大到流体层 2 中分子所具有的水平，即接受了热量。而流体层 2 中的分子运动到流体层 1 后，将传出热量。这就是宏观上静止或层流的流体层间的导热现象。

采用与式（1-18）的推导相似的方法，可以得到分子运动参数与热扩散系数 a 的关系，即

$$a = \frac{1}{3} \bar{V} \bar{\lambda} \tag{1-20}$$

如果在两流体层之间存在着某一组分的浓度梯度，则产生质量传递。同理可导出分子运动参数与扩散系数 D_{AB} 间的关系式

$$D_{AB} = \frac{1}{3} \bar{V} \bar{\lambda} \tag{1-21}$$

以上推导说明，对于气体，其动力学物性参数 ν、a 和 D_{AB} 在数值上相等。说明了动量、热量和质量传递现象之间存在着内在联系和相似性。归根结底，这三种分子传递现象，都是由于沿着某个量（即速度、温度或浓度）梯度的方向上，进行分子交换而引起，故传递速率及表征传递速率的物性参数 ν、a 和 D_{AB}，应与分子交换速率成正比，后者又与分子平均速度 $\bar{V}$ 成正比，这是分子三传的基本共性。

上面所介绍的模型虽然有助于对分子传递过程的理解，也能得到大致的定量关系，但缺点是过于简化，并没有考虑三种传递现象各自的特征，各个物性系数需由实验测定。为简便计，上面仅以流体层间分子的交换来说明传递现象，实际上很多情况下质点亦在流体层间交换，并且所引起的传递强度要大得多。

1.3.4 涡流传递

分子传递可以用现象方程来说明。这种传递过程仅存在于固体、静止流体或做层流运动的流体中。当流体做湍流运动时，由于存在大大小小的漩涡，流体微团的不规则混合运动会导致动量、质量和热量的传递，因此，此时不仅存在分子传递，还存在着由漩涡所进行的传递。由于流体微团的质量远远大于分子质量，因而会使传递过程大为强化。在湍动强烈的情况下，主要为涡流传递。

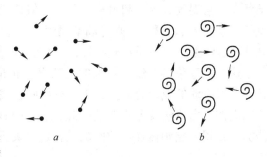

图 1-4　分子运动和漩涡运动的类似性
a—分子运动；b—漩涡运动

漩涡运动和分子运动具有一定的类似性，如图 1-4 所示。因此可仿照描述分子传递性

质的现象方程，对湍流流动做相似处理，得到涡流传递时传递通量的表达式。

如涡流动量通量可写成

$$\tau_\varepsilon = -\varepsilon \frac{\mathrm{d}(\rho u_x)}{\mathrm{d}y} \tag{1-22}$$

式中，τ_ε 为涡流剪应力，或称雷诺应力，Pa；ε 为涡流黏度，m^2/s。

涡流热量通量可表示为

$$q_\varepsilon = -\varepsilon_H \frac{\mathrm{d}(\rho c_p T)}{\mathrm{d}y} \tag{1-23}$$

式中，q_ε 为涡流热通量，$\mathrm{J}/(\mathrm{m}^2 \cdot \mathrm{s})$；$\varepsilon_H$ 为涡流热扩散系数，m^2/s。

对组分 A，涡流质量通量可写成

$$j_{A\varepsilon} = -\varepsilon_M \frac{\mathrm{d}\rho_A}{\mathrm{d}y} \tag{1-24}$$

式中，$j_{A\varepsilon}$ 为组分 A 的涡流质量通量，$\mathrm{kg}/(\mathrm{m}^2 \cdot \mathrm{s})$；$\varepsilon_M$ 为涡流质量扩散系数，m^2/s。

对于兼有分子传递和涡流传递的过程，其通量计算可做叠加处理。此时的通量表达式为

动量通量
$$\tau_s = -(\nu + \varepsilon) \frac{\mathrm{d}(\rho u_x)}{\mathrm{d}y} = -\mu_s \frac{\mathrm{d}(\rho u_x)}{\mathrm{d}y} \tag{1-25}$$

热量通量
$$q_s = -(a + \varepsilon_H) \frac{\mathrm{d}(\rho c_p T)}{\mathrm{d}y} = -a_s \frac{\mathrm{d}(\rho c_p T)}{\mathrm{d}y} \tag{1-26}$$

质量通量
$$j_{As} = -(D_{AB} + \varepsilon_M) \frac{\mathrm{d}\rho_A}{\mathrm{d}y} = -D_{ABS} \frac{\mathrm{d}\rho_A}{\mathrm{d}y} \tag{1-27}$$

上述表达式中，μ_s、a_s 和 D_{ABS} 可分别视为有效动力黏度、有效导温系数和有效质量扩散系数。其单位相同，m^2/s。在充分发展的湍流流动中，涡流扩散系数往往远远大于分子传递系数，此时可忽略分子传递的影响。

应当指出，ν、a 和 D_{AB} 属于物质的物理性质，为状态参数，其大小取决于物质的热力学状态，与温度、压力和组成有关。一般情况下，这些分子传递性质为各向同性的。而涡流扩散系数 ε、ε_H 和 ε_M 则与湍动程度、在流场中所处位置和边壁粗糙度等因素有关，其既非状态参数，也不属物质物性，并且多数情况下涡流扩散系数是各向异性的。

这些从表象出发建立起来的反映涡流扩散的公式，并没有从根本上解决湍流计算问题。湍流流动的理论分析至今仍没有彻底解决，仍然要通过实验研究的方法来进行。但由于它们在导出概念及形式上的一致性，可在一定的条件下，通过对比分析（即所谓的三传类比）得出宏观传递系数间的某种定量关系。

1.3.5　不同传递现象之间的准数关联

在传递现象的研究过程中，有时动量传递、热量传递和质量传递中的两种或三种传递同时存在，而又以其中的某一传递过程为主。这时，采用准数关联来描述不同传递过程之间的关系就显得必要。一般用普朗特数 Pr、施密特数 Sc 和路易斯数 Le 这三个无因次数群来表述这种关系。其物理意义分述如下

$$\text{普朗特数 } Pr = \frac{\text{动量传递的难易程度}}{\text{热量传递的难易程度}} = \frac{\nu}{a} = \frac{c_p\mu}{\lambda} \tag{1-28}$$

$$\text{施密特数 } Sc = \frac{\text{动量传递的难易程度}}{\text{质量传递的难易程度}} = \frac{\nu}{D_{AB}} = \frac{\mu}{\rho D_{AB}} \tag{1-29}$$

$$\text{路易斯数 } Le = \frac{\text{热量传递的难易程度}}{\text{质量传递的难易程度}} = \frac{a}{D_{AB}} = \frac{\lambda}{\rho\, c_p D_{AB}} \tag{1-30}$$

由式（1-28）~式（1-30）可见，Pr 关联了动量传递和热量传递；Sc 关联了动量传递和质量传递；而 Le 则关联了质量传递和热量传递。当三个准数中的某一个等于 1 时，就可以用其中的一类传递结果来推算另一类传递的结果。此时，准数所关联的两种传递的边界层是重合的，涉及到的物理量（速度、温度或浓度）分布相同，就可以用准数中的一个量来求取另一个量，从而简化计算求解过程。

习　题

1. 试说明传递现象所遵循的基本原理和基本研究方法。
2. 列表说明分了传递现象的数学模型及其通量表达式。
3. 阐述普朗特数、施密特数和路易斯数的物理意义。

2 传递现象基本方程

本章统一论述传递过程所遵循的基本规律，即质量守恒、动量守恒和能量守恒定律，由此得到连续性方程、运动方程、能量方程和扩散方程，用以描述流体的动量、热量和质量的传递过程。在此之前，作为衡算基础，首先介绍一些基本概念。

2.1 微分衡算基础

2.1.1 连续介质模型

传递现象所用到的许多物理定律，都需要假设传递介质是连续的。所谓连续即是指传递介质之间无间隙。实际上，由分子所组成的传递介质从微观上来看是有间隙的，但在一般情况下分子间的间隙与流体流动所涉及的设备尺寸相比可以完全忽略，从而可以把流体看做是由连续分布的物质质点所组成的连续介质。

物质由大量分子组成，分子间距尺度远大于分子本身。分子的无规则运动，导致相互间经常碰撞。因此物质的微观结构和运动无论在时间和空间上都充满着不均匀性、离散性和随机性。但其宏观结构和运动却都明显地表现出一定的均匀性、连续性和确定性。连续介质的引入是基于这样一种思想：由于所研究的对象是物体的宏观运动，即大量分子的平均行为，不必考虑单个分子的运动细节。当研究物体的变形、流动等宏观运动特征时，就可以将物体作为一种连续体对待，这样，传递介质的特性（如密度、压力及速度等）就可以表示为空间的连续函数。

根据连续介质模型，可将具有离散分子结构的流体，假设成一个紧凑连续分布的流体质点或微团所构成的连续介质。流体质点是大量流体分子的集合，其特征为微观上充分大、宏观上充分小，即要求流体质点的线尺度要比分子运动的线尺度（分子平均自由程）足够大，以保证质点中包含足够多的分子，对它们进行统计平均能取得稳定的宏观量质，不会因少量分子出入质点而影响该宏观量质。同时，又要求宏观上充分小，即要求质点的线尺度和流动范围线尺度（指所研究问题的特征长度，如管道直径）相比要充分小，以至可以把质点近似地看做在几何上没有维度的点。经宏观上这样选取尺度，进行连续介质假设后，在每个空间点、每个时刻，流体的流动都具有确定的密度、压力、温度、速度等物理参数，流体质点所具有的这些宏观物理量，在流域内是连续分布的，在一般情况下均为空间坐标和时间的连续函数。从而构成了各种物理量场，便于场论等数学工具的应用。

综上所述，连续介质假设可归纳为：宏观上连续的流体，微观上离散；质点在微观上充分大，宏观上是几何点；微团体积的选取要微观上足够大，宏观上足够小。

另外，一个给定的体积能否看成质点，还依赖于所研究问题的空间尺度。如对地球范围内的大气运动而言，测风气球就相当于流体质点。当然，对于研究对象的宏观尺度和物质结构的微观尺度量级相当的情况，连续介质假设不再适用。如在分析空间飞行器和高层稀薄大气的相互作用时，飞行器尺度与空气分子平均自由程尺度相当。此时分子运动的微观行为对宏观运动有直接的影响，分子运动论才是解决问题的正确方法。

除个别问题之外，一般情况下，在工业过程中所遇到的流体，基本上可以作为连续介质处理，相应地，与流体流动相关的物理量则可以用连续函数的数学工具加以描述。

2.1.2　流体的不可压缩性

流体的压缩性可用下式来描述

$$\frac{\Delta V}{V_0} = -\frac{p-p_0}{E} = -\frac{\Delta p}{E} \tag{2-1}$$

式中，ΔV 为压强从 p_0 变化到 p 时体积的变化量，m^3；V_0 为初始压强为 p_0 时的体积，m^3；E 为弹性模量，单位与压强相同，Pa，用来衡量流体的可压缩性；式中的"负号"表示随着压强的增加，流体体积减少。

一般说来，若 $\frac{\Delta V}{V_0} \ll 1$（多数情况下可取 $\frac{\Delta V}{V_0} < 0.05$），则流体可按不可压缩流体进行处理。液体的可压缩性很小，多数工业工程中所涉及到的气体，流速较小，所以均可视为不可压缩流体。当然，绝对不可压缩流体并不存在，这种处理只是实际流体在某种条件下的近似。

2.1.3　稳态过程和非稳态过程

在传递过程中，根据过程物理量随时间的变化特点，可分为定常过程和非定常过程，又称为稳态过程和非稳态过程。如果过程物理量不随时间而变化，即所谓的稳态过程。若随时间变化则为非稳态过程。如流体流动过程中，任意截面处的流速、压力、密度等有关物理量不随时间而变化，就称为稳态流动或定常流动。若有关物理量中只要有一个随时间而变，则称为非稳态流动或非定常流动。

稳态过程的物理量只是空间坐标 (x,y,z) 的函数，与时间 θ 无关。其数学特征为 $\frac{\partial \Phi}{\partial \theta} = 0$，这里 Φ 为物理量。非稳态过程的物理量则除了和空间位置 (x,y,z) 有关外，还与时间有关，即 $\Phi = \Phi(x,y,z,\theta)$。

根据相对运动原理，通过改变参考坐标系，在一定研究条件下可以将非稳态过程转换为稳态过程来处理，这样可使得过程问题的处理大大简化。

2.1.4　描述流体运动的两种观点

在进行动量、热量和质量衡算以及对流体的运动进行分析时，流体运动物理量的描述方法是研究流体运动首先要考虑的问题。通常采用拉格朗日观点和欧拉观点来描述流体的运动。

（1）拉格朗日观点。拉格朗日观点是以运动流体中每一个流体质点作为研究对象，着眼于每个流体质点的运动过程，探求每个流体质点的运动和状态参数随时间和空间位置的变化规律。综合流场所有流体质点的运动情况，从而得到整个流体的运动规律。

这种分析方法着眼于确定的流体质点，而不是空间的固定场点。设法描述出每个流体质点自始至终的运动过程，如果知道了所有流体质点的运动规律，那么整个流体的运动状况也就清楚了。

　　流体在运动中每一流体质点在每一瞬时都占有一个唯一确定的空间位置，因此对任一确定的质点，可以选择其初始坐标来标志：$\theta = \theta_0$ 时，$r_0 = (a, b, c)$，于是流体质点的运动方程可以表示为

$$r = r(a, b, c, \theta) \tag{2-2}$$

式中，r 为流体质点的位置向量；(a, b, c, θ) 称为拉格朗日变数。

　　可见，对于固定的质点 (a, b, c)，$r = r(a, b, c, \theta)$ 为该质点的运动方程，拉格朗日描述给出了流体质点在运动过程中，其物理量如速度 $u(a, b, c, \theta)$、密度 $\rho(a, b, c, \theta)$ 等变化的历史。质点的速度向量为 $u(a, b, c, \theta) = \dfrac{\partial r(a, b, c, \theta)}{\partial \theta}$，加速度向量 $a(a, b, c, \theta) = \dfrac{\partial^2 r(a, b, c, \theta)}{\partial \theta^2}$；对于固定的时间 θ，$r = r(a, b, c, \theta)$ 给出同一时刻不同流体质点的位置分布；拉格朗日方法所定义的函数并不表示场，因为其变量 (a, b, c) 是质点标号而不是场点坐标。

　　例如，由起始坐标 (a_1, b_1, c_1) 标志的流体质点，在空间运动时，其位置坐标是时间 θ 的函数，即

$$x = x(a_1, b_1, c_1, \theta) \tag{2-3a}$$
$$y = y(a_1, b_1, c_1, \theta) \tag{2-3b}$$
$$z = z(a_1, b_1, c_1, \theta) \tag{2-3c}$$

对于由起始坐标 (a_2, b_2, c_2) 标志的流体质点，同理可写出

$$x = x(a_2, b_2, c_2, \theta) \tag{2-4a}$$
$$y = y(a_2, b_2, c_2, \theta) \tag{2-4b}$$
$$z = z(a_2, b_2, c_2, \theta) \tag{2-4c}$$

这里，(a, b, c) 对不同流体质点具有不同的常数值。

　　若 (a, b, c) 为某一常数时，上式所描述的是某一流体质点的运动轨迹；若 θ 为某一常数时，上式表示的是在 θ 时刻所有流体质点在空间位置上的分布。由于 x、y、z 表示所有流体质点的运动轨迹的坐标，故可把它们对时间求导，得到任一流体质点的速度和加速度分量。不同质点的压力 p，温度 T 和密度 ρ 也同样是 (a, b, c, θ) 的函数，故有

$$p = p(a, b, c, \theta) \tag{2-5a}$$
$$T = T(a, b, c, \theta) \tag{2-5b}$$
$$\rho = \rho(a, b, c, \theta) \tag{2-5c}$$

　　显然，采用拉格朗日法可以直观地了解每个流体质点的来龙去脉，找到它的运动规律。但是跟踪观察每一个流体质点的运动轨迹，逐个去描述它的运动规律是很复杂的，而且对绝大多数的流体力学问题也是不必要的。在拉格朗日描述中，流体的质量不变，而位置和体积是随时间变化的，这是由于质点随流体一起运动，而流体在不同的位置其状态不同，因此，质点的体积也就随之受到压缩或膨胀。一般将上述流体质点称为微元系统，系统外的流体称为环境。拉格朗日观点常用于微分动量衡算方程、微分能量方程的推导，以及对连续性方程进行分析。

　　（2）欧拉观点。欧拉法并不研究每个流体质点的运动规律，而是把着眼点放在流场

中流体所通过的各个固定的空间点上，研究和探求流体质点在经过固定的空间点时，运动量和状态参数随时间的变化规律。而每一瞬时，在流体质点通过每个空间点时，还可以观察到运动量和状态参数在流场中的分布规律，综合上述两种规律，可以得到整个流场流体的运动规律。

用欧拉法研究流体运动，流场中的空间点是任选的，它的坐标位置不是时间的函数，而是独立变量。在同一瞬时不同空间点的位置，流体质点的运动和状态参数一般是不同的，它们是空间坐标的函数。在同一坐标位置上，不同瞬时所观察到的结果一般也不相同，它们又是时间 θ 的函数。(x,y,z,θ) 这 4 个独立变量称为欧拉变数。

例如，在流场中，任一空间点上流体质点的速度向量 $\boldsymbol{u}$ 及其在空间坐标上的分量可表示为

$$\boldsymbol{u} = \boldsymbol{u}(x,y,z,\theta) \tag{2-6a}$$

$$u_x = u_x(x,y,z,\theta) \tag{2-6b}$$

$$u_y = u_y(x,y,z,\theta) \tag{2-6c}$$

$$u_z = u_z(x,y,z,\theta) \tag{2-6d}$$

对状态参数也可表示为

$$p = p(x,y,z,\theta) \tag{2-7a}$$

$$T = T(x,y,z,\theta) \tag{2-7b}$$

$$\rho = \rho(x,y,z,\theta) \tag{2-7c}$$

欧拉观点常用于总衡算方程的推导和连续性方程的推导，也用于微分质量衡算。在采用欧拉观点进行微分衡算时，所选取的衡算范围是一微团范围的控制体（流体微元），其特点为体积、位置固定，输入和输出控制体的物理量则随时间而变。

在理论分析中常用的表述方法为欧拉方法。这是因为在表示基本物理定律的流体运动方程中，表示流体质量、动量和能量传递的项，总和这些物理量分布的瞬时梯度直接相关。故采用能表示瞬时流场的欧拉方法自然显得特别方便，而且也特别适合于运用场论等现成的数学工具。

无论采用哪种观点，所得结果都是相同的。但若采用的观点得当，在分析解决问题时，就会比较方便或简捷。在某些场合，两种观点同时并用，如推导连续性方程时，采用欧拉观点；但在对连续性方程进行分析时，则又采用拉格朗日观点；在处理流动问题时，常常需要采用拉格朗日的观点而却应用欧拉的方法进行分析。两种观点从不同角度完全地描述同一运动，因而是等效的，可唯一地相互转换。

2.1.5 常用的几种时间导数

与传递现象有关的诸多物理量（如温度、速度、浓度、压力和密度等）均是时间和空间的连续函数，这些物理量随时间的变化率，是传递过程的速率大小的量度。假设以 Φ 代表物理量，时间以 θ 表示，则其随时间和空间位置的变化可以表示为 $\Phi = \Phi(x,y,z,\theta)$。

该物理量的全微分为

$$d\Phi = \frac{\partial\Phi}{\partial\theta}d\theta + \frac{\partial\Phi}{\partial x}dx + \frac{\partial\Phi}{\partial y}dy + \frac{\partial\Phi}{\partial z}dz \tag{2-8}$$

将式（2-8）中的各项同除以 $d\theta$，则得到该物理量的全导数

$$\frac{d\Phi}{d\theta} = \frac{\partial\Phi}{\partial\theta} + \frac{\partial\Phi}{\partial x}\frac{dx}{d\theta} + \frac{\partial\Phi}{\partial y}\frac{dy}{d\theta} + \frac{\partial\Phi}{\partial z}\frac{dz}{d\theta} \qquad (2\text{-}9)$$

式中，若 $dx/d\theta = u_x$，$dy/d\theta = u_y$，$dz/d\theta = u_z$，即表示该物理量的全导数中，坐标位置随时间的变化率等于流体在空间的速度分量，则此时的全导数称为物理量 Φ 的随体导数，又称真实导数或拉格朗日导数，记为 $\frac{D\Phi}{D\theta}$。于是式（2-9）可改写为

$$\frac{D\Phi}{D\theta} = \frac{\partial\Phi}{\partial\theta} + \frac{\partial\Phi}{\partial x}u_x + \frac{\partial\Phi}{\partial y}u_y + \frac{\partial\Phi}{\partial z}u_z \qquad (2\text{-}10)$$

引入汉密尔顿算符 ∇，可将上式写成如下较为简捷的矢量形式

$$\frac{D\Phi}{D\theta} = \frac{\partial\Phi}{\partial\theta} + \boldsymbol{u}\,\nabla\,\Phi \qquad (2\text{-}11)$$

式中，$\boldsymbol{u}$ 为具有一定方向和大小的速度矢量。全导数除了与时间和位置有关之外，还与观察者的运动速度有关；随体导数则是全导数的一种特殊情况。

以下以温度为物理量，具体说明偏导数、全导数和随体导数的物理意义。

偏导数 $\frac{\partial\Phi}{\partial\theta}$ 表示空间某固定点处物理量 Φ 对时间的变化率。又称为局部导数或当地导数。如在气象观测站所设的测温点，记录下不同时刻的气象温度，此时温度作为物理量，所得到的即是测温点处温度随时间的变化，以 $\frac{\partial T}{\partial\theta}$ 表示，称为温度的偏导数。

全导数 $\frac{dT}{d\theta}$ 则表示测量温度时，测量点以任意速度 $dx/d\theta$，$dy/d\theta$，$dz/d\theta$ 运动所测得的温度随时间的变化率。如飞机上装有测量外围空气温度的测温探头，而飞机本身以一定的速度在空间飞行，此时所测得的温度随时间的变化用全导数 $dT/d\theta$ 表示，称之为温度 T 的全导数。

随体导数 $\frac{DT}{D\theta}$ 是全导数的一种特殊情况，表示当测温点随流体一起运动并且速度 $dx/d\theta = u_x$，$dy/d\theta = u_y$，$dz/d\theta = u_z$ 时，所测得的温度随时间的变化率。这种情况相当于用气象探空气球来测量大气温度，气球随空气一起飘动，其速度与周围大气的速度相同。因此，测量位置的变化与流体同步，故形象地称之为随体导数。

2.1.6　流体运动的几何描述

（1）迹线。迹线为同一流体质点在不同时刻的运动轨迹，与拉格朗日观点相对应，即该流体质点在不同时刻的运动位置的连线。流体是由无数的流体质点组成的，每一个流体质点都有一个确定的迹线，因此对运动流体来说，迹线是一个曲线族。它的特点是：不同的流体质点有不同的迹线，迹线和时间无关。

如果在迹线上取一个微元长度 dl，表示质点在微分时间 $d\theta$ 内的微小位移，则其速度可表示为 $u = dl/d\theta$，dl 在空间坐标上的投影分别用 dx、dy、dz 表示，则其速度可进一步表示为

$$u_x = \frac{dx}{d\theta} \qquad (2\text{-}12a)$$

$$u_y = \frac{\mathrm{d}y}{\mathrm{d}\theta} \qquad (2\text{-}12b)$$

$$u_z = \frac{\mathrm{d}z}{\mathrm{d}\theta} \qquad (2\text{-}12c)$$

由式（2-12a、2-12b、2-12c）可得

$$\frac{\mathrm{d}x}{u_x} = \frac{\mathrm{d}y}{u_y} = \frac{\mathrm{d}z}{u_z} = \mathrm{d}\theta \qquad (2\text{-}13)$$

该式即为迹线的微分方程，该方程给出了流体质点坐标位置与时间的函数关系，其几何表示便是迹线。

（2）流线。流线是用来描述流场中各点流动方向的曲线。它是某时刻速度场中的矢量线，即在线上任一点的切线方向与该点在该时刻的速度矢量方向一致。显然，流线的概念直接与欧拉描述相联系。对于非稳态流动由于不同瞬时每个空间点的速度大小和方向都是变化的，因此流线的分布情况也不同，流线具有瞬时的性质。对于稳态流动，流场中各空间点的速度不随时间变化，流线的形状也不随时间变化，这时每条流线就是流体质点在不同时间走过的轨迹，即流线和迹线重合。

由以上分析可知，流线仅仅代表了某一瞬时，处于该流线上的流体质点的运动情况，而并非某一个质点的运动轨迹。如果在该条曲线上取一个微元长度 $\mathrm{d}l$，该微元长度并不代表某个质点在该处的位移，也就不能据此求得速度表达式。但其总可以代表一个微元段，因而可以写出其在该点的方向余弦。设某一时刻空间点的流速为 u，其在 x 轴分量 u_x，y 轴分量 u_y，z 轴分量 u_z，$\mathrm{d}l$ 在空间坐标上的投影分别用 $\mathrm{d}x$、$\mathrm{d}y$、$\mathrm{d}z$ 表示，考察某一瞬时在该点处的速度方向余弦

$$\cos(u_x,u) = \frac{u_x}{u} = \frac{\mathrm{d}x}{\mathrm{d}l} \qquad (2\text{-}14a)$$

$$\cos(u_y,u) = \frac{u_y}{u} = \frac{\mathrm{d}y}{\mathrm{d}l} \qquad (2\text{-}14b)$$

$$\cos(u_z,u) = \frac{u_z}{u} = \frac{\mathrm{d}z}{\mathrm{d}l} \qquad (2\text{-}14c)$$

由式（2-14a、2-14b、2-14c）可写出

$$\frac{\mathrm{d}x}{u_x} = \frac{\mathrm{d}y}{u_y} = \frac{\mathrm{d}z}{u_z} = \frac{\mathrm{d}l}{u} \qquad (2\text{-}15)$$

或

$$\frac{\mathrm{d}x}{u_x} = \frac{\mathrm{d}y}{u_y} = \frac{\mathrm{d}z}{u_z} \qquad (2\text{-}16)$$

该式即为流线的微分方程。显然，由于式（2-15）中的 $\mathrm{d}l$ 并非位移，所以并不代表流场中某一个质点的运动轨迹。这种描述只是像照相一样，给出了在既定瞬时一簇流体质点的运动图像。

总的说来，由于流线并非迹线，所以式（2-13）和式（2-16）尽管形式相同，但本质不同。用流线的概念来描述流体运动是有一定困难的，但如果稳态流动情况下，流线和迹线重合，则可以克服这种困难。此时，就可以用欧拉观点来研究流体的运动。

2.2 传递过程通用微分衡算方程

在传递现象中处理动量、能量和质量传递时，尽管微分衡算及总衡算的依据因衡算内

容不同而不同，但三者均符合守恒定律。动量衡算的依据为牛顿第二定律，热量衡算的依据为热力学第一定律，质量衡算的依据则为质量守恒定律。本节概括性地采用统一的形式来表达传递过程的通量衡算方程，以期得到物理概念明确、具有较广的通用性的表达式。

令 X_e 代表流体的一种强度属性（单位体积流体中某一定属性的量或通过单位面积传递某一属性的量），根据守恒定律可得

$$（X_e 的积累）=（X_e 的收入）-（X_e 的支出）+（X_e 的产生）\qquad (2\text{-}17)$$

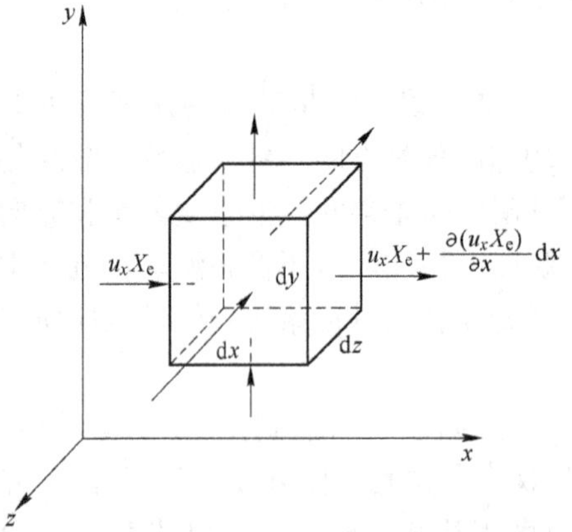

图 2-1　微元衡算示意图

以下以直角坐标为例进行讨论。对一个连续相中的微元流体体积 dxdydz 而言，X_e 可以是动量、质量或能量。

在微分时间 $d\theta$ 内，物理量 X_e 的积累量为 $\dfrac{\partial X_e}{\partial \theta}dxdydz$。$X_e$ 的产生和传递包括下面几种形式。

（1）对流传递。对流传递项系指由于质点运动而带入或带出该微元体的 X_e 的量。如图 2-1 所示，设 u_x 表示垂直于平面 dydz 的流体流速，则通过平面 dydz 流入微元 dxdydz 的 X_e 的量为 $u_x X_e dydz$，流出微元 dxdydz 的 X_e 的量为 $\left[u_x X_e + \dfrac{\partial(u_x X_e)}{\partial x}dx\right]dydz$，故可得在 x 方向 X_e 的净输入量为 $-\dfrac{\partial(u_x X_e)}{\partial x}dxdydz$。同理可得通过 dxdz 平面的净输入量为 $-\dfrac{\partial(u_y X_e)}{\partial y}dxdydz$；通过 dxdy 平面的净输入量为 $-\dfrac{\partial(u_z X_e)}{\partial z}dxdydz$。如此可得从空间三个方向以对流方式传入微元 dxdydz 的 X_e 的净输入量为

$$-\left[\frac{\partial(u_x X_e)}{\partial x}+\frac{\partial(u_y X_e)}{\partial y}+\frac{\partial(u_z X_e)}{\partial z}\right]dxdydz \qquad (2\text{-}18)$$

（2）分子传递。分子传递项又称为表面传递量，表示在空间三个方向上通过分子传递向微元传递的 X_e 的量。用 Γ_x、Γ_y、Γ_z 分别表示在 x、y、z 三个方向经单位面积向微元中传递的量，同样可以写出

$$-\left[\frac{\partial \Gamma_x}{\partial x}+\frac{\partial \Gamma_y}{\partial y}+\frac{\partial \Gamma_z}{\partial z}\right]dxdydz \qquad (2\text{-}19)$$

（3）微元体内的产生量。若微元内存在外源或化学反应，则 X_e 会有产生或消耗，以 r 表示单位体积中 X_e 的产生率，则在微元体积内 X_e 的生成量为 $rdxdydz$。

将以上分析结果代入衡算式（2-17），可得

$$\frac{\partial X_e}{\partial \theta}=-\left[\frac{\partial(u_x X_e)}{\partial x}+\frac{\partial(u_y X_e)}{\partial y}+\frac{\partial(u_z X_e)}{\partial z}\right]-\left[\frac{\partial \Gamma_x}{\partial x}+\frac{\partial \Gamma_y}{\partial y}+\frac{\partial \Gamma_z}{\partial z}\right]+r \qquad (2\text{-}20a)$$

向量形式为

$$\frac{\partial X_e}{\partial \theta}=-\nabla\cdot(\boldsymbol{u}X_e)-\nabla\cdot\boldsymbol{\Gamma}+r \qquad (2\text{-}20b)$$

该式即为关于流体某一强度属性 X_e 的通用衡算方程，称作传递过程通用微分衡算方程。由此方程可以推导出质量、动量和能量衡算方程。

2.3 质量微分衡算——连续性方程

对系统用质量守恒定律进行微分衡算后所得到的方程，称为连续性方程。

2.3.1 单组分系统的连续性方程

在质量微分衡算过程中，强度属性 X_e 则为单位体积中的质量，亦即密度 ρ 。对于连续的单一组分流动，式（2-20）中分子扩散项 Γ_x 、Γ_y 、Γ_z 为零，生成量 r 也等于零。故微分质量衡算的形式为

$$\frac{\partial \rho}{\partial \theta} = -\left[\frac{\partial(u_x\rho)}{\partial x} + \frac{\partial(u_y\rho)}{\partial y} + \frac{\partial(u_z\rho)}{\partial z}\right] \tag{2-21a}$$

将式（2-21a）写成向量形式，为

$$\frac{\partial \rho}{\partial \theta} + \nabla \cdot (\rho \boldsymbol{u}) = 0 \tag{2-21b}$$

式（2-21a、2-21b）即为流体流动的微分质量衡算方程，亦称为连续性方程。是研究传递现象的最基本、最重要的方程之一。由于推导时并没有引入限制性假设，所以适用于任何流体的流动，即对于稳态或非稳态流动、理想流体或实际流体、不可压缩流体或可压缩流体、牛顿流体或非牛顿流体均适用。

2.3.1.1 连续性方程的几种特殊形式

根据不同情况，可以将连续性方程加以简化，得到便于应用的形式。

将式（2-21a）的各项展开，可得

$$\rho\left(\frac{\partial u_x}{\partial x} + \frac{\partial u_y}{\partial y} + \frac{\partial u_z}{\partial z}\right) + \left(u_x\frac{\partial \rho}{\partial x} + u_y\frac{\partial \rho}{\partial y} + u_z\frac{\partial \rho}{\partial z} + \frac{\partial \rho}{\partial \theta}\right) = 0 \tag{2-22a}$$

可见，式中的后四项为密度的随体导数 $\dfrac{D\rho}{D\theta}$ ，故式（2-22a）又可写成

$$\rho \nabla \cdot \boldsymbol{u} + \frac{D\rho}{D\theta} = 0 \tag{2-22b}$$

密度的随体导数 $\dfrac{D\rho}{D\theta}$ 由两部分组成，其中的 $\dfrac{\partial \rho}{\partial \theta}$ 称为密度随时间的局部导数，表示密度在空间的固定点随时间的变化；$\left(u_x\dfrac{\partial \rho}{\partial x} + u_y\dfrac{\partial \rho}{\partial y} + u_z\dfrac{\partial \rho}{\partial z}\right)$ 则称作密度的对流导数，即由于对流所产生，表示质点由一个地方移动到另一地方时密度所发生的变化。因此随体导数 $\dfrac{D\rho}{D\theta}$ 的物理意义可以这样来理解：流体质点在 $\mathrm{d}\theta$ 时间内，由空间点 (x,y,z) 移动到 $(x + \mathrm{d}x, y + \mathrm{d}y, z + \mathrm{d}z)$ 处时，流体密度随时间的变化率。

假设流体微元的质量恒定，仅体积或密度随时间而变，用 v 表示流体的质量体积（比体积），则 $\rho v \equiv 1$ ，将该式对时间求随体导数，则有

$$\rho \frac{Dv}{D\theta} + v \frac{D\rho}{D\theta} = 0$$

或
$$\frac{1}{v} \frac{Dv}{D\theta} + \frac{1}{\rho} \frac{D\rho}{D\theta} = 0 \tag{2-23}$$

与式（2-22b）比较，可得

$$\frac{1}{v} \frac{Dv}{D\theta} = \nabla \cdot \boldsymbol{u} \tag{2-24}$$

式（2-24）左侧表示流体微元的体积膨胀速率或形变速率；右侧则表示速度向量的散度，即表示流体微元在空间坐标上的线性形变速率之和。故该式的物理意义为：流体运动时的体积膨胀速率等于速度向量的散度。针对不同情况，连续性方程还可进一步简化。

（1）稳态流动。此时 $\frac{\partial \rho}{\partial \theta} = 0$，连续性方程简化为

$$\frac{\partial(u_x\rho)}{\partial x} + \frac{\partial(u_y\rho)}{\partial y} + \frac{\partial(u_z\rho)}{\partial z} = 0 \tag{2-25}$$

（2）不可压缩流体。对不可压缩流体，$\rho =$ 常数，此时无论是稳态流动或是非稳态流动，连续性方程均可以简化为如下形式

$$\frac{\partial u_x}{\partial x} + \frac{\partial u_y}{\partial y} + \frac{\partial u_z}{\partial z} = \nabla \cdot \boldsymbol{u} = 0 \tag{2-26}$$

在传递现象的研究中，多数情况下可将流体看作是不可压缩流体。

2.3.1.2　柱坐标系和球坐标系的连续性方程

工业过程中，较为常见的是流体在圆形管路或容器中流动，此时若采用柱坐标来表达连续性方程，应用起来就比较方便。而在研究流体沿球体或球面的一部分的流动时，则宜采用球坐标来表述。

（1）柱坐标下的连续性方程。图 2-2a 给出了柱坐标和直角坐标的关系。由此可将直角坐标下的连续性方程转换为柱坐标下的表述形式

$$\frac{\partial \rho}{\partial \theta'} + \frac{1}{r} \frac{\partial(\rho r u_r)}{\partial r} + \frac{1}{r} \frac{\partial(\rho u_\theta)}{\partial \theta} + \frac{\partial(\rho u_z)}{\partial z} = 0 \tag{2-27a}$$

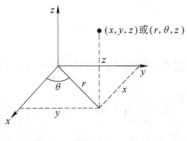

$x = r\cos\theta, y = r\sin\theta, z = z$
$0 \leqslant r \leqslant \infty, -\infty \leqslant z \leqslant \infty, 0 \leqslant \theta \leqslant \pi$

a

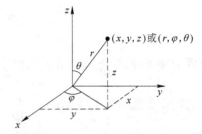

$x = r\sin\theta\cos\varphi, y = r\sin\theta\sin\varphi, z = r\cos\theta$
$0 \leqslant r \leqslant \infty, 0 \leqslant \varphi \leqslant 2\pi, 0 \leqslant \theta \leqslant \pi$

b

图 2-2　曲线坐标与直角坐标
a—柱坐标与直角坐标；b—球坐标与直角坐标

式中，θ' 表示时间；r 为矢径或径向坐标；z 为轴向坐标；θ 为方位角；u_r、u_θ 以及 u_z 则分别表示流速在柱坐标 (r,θ,z) 各方向的相应分量。

不可压缩流体的稳态流动，其连续性方程在柱坐标下可以简化为

$$\frac{1}{r}\frac{\partial(ru_r)}{\partial r} + \frac{1}{r}\frac{\partial u_\theta}{\partial \theta} + \frac{\partial u_z}{\partial z} = 0 \tag{2-27b}$$

对工业过程常见的管内流动，该式可以方便地直接应用。

（2）球坐标下的连续性方程。球坐标和直角坐标之间的转换关系见图 2-2b，进行坐标转换可以得到球坐标下连续性方程的表述形式

$$\frac{\partial \rho}{\partial \theta'} + \frac{1}{r^2}\frac{\partial}{\partial r}(\rho r^2 u_r) + \frac{1}{r\sin\theta}\frac{\partial}{\partial \theta}(\rho u_\theta \sin\theta) + \frac{1}{r\sin\theta}\frac{\partial}{\partial \varphi}(\rho u_\varphi) = 0 \tag{2-28a}$$

式中，θ' 为时间；r 为径向坐标；θ 为余纬度；φ 为方位角；u_r、u_φ 和 u_θ 分别为坐标 (r,φ,θ) 方向的速度分量。

对不可压缩流体的稳态流动，在球坐标下则可以简化为

$$\frac{1}{r^2}\frac{\partial}{\partial r}(r^2 u_r) + \frac{1}{r\sin\theta}\frac{\partial}{\partial \theta}(u_\theta \sin\theta) + \frac{1}{r\sin\theta}\frac{\partial}{\partial \varphi}u_\varphi = 0 \tag{2-28b}$$

2.3.2 多组分系统的质量传递微分方程

前面已经推导出了单组分流体的连续性方程。如果在多组分系统中，流体进行多维流动，当流动为非稳态并伴有化学反应时，就需要采用质量传递微分方程来描述这种条件下的传质过程。此时，微分质量衡算要考虑扩散的影响。对于这种广义条件下的传递现象，要求必须对系统中的每一组分进行微分质量衡算，其推导过程与前述的单组分系统相同。多组分系统的传质微分方程又称为多组分系统的连续性方程，但因多组分系统扩散问题较为复杂，在此，只考虑包括扩散影响的双组分系统的微分质量衡算，推导所得的结果称为双组分系统的连续性方程。

前面已经推导出了通用微分衡算方程式（2-20a）

$$\frac{\partial X_e}{\partial \theta} = -\left[\frac{\partial(u_x X_e)}{\partial x} + \frac{\partial(u_y X_e)}{\partial y} + \frac{\partial(u_z X_e)}{\partial z}\right] - \left[\frac{\partial \Gamma_x}{\partial x} + \frac{\partial \Gamma_y}{\partial y} + \frac{\partial \Gamma_z}{\partial z}\right] + r$$

式中，强度属性 X_e 则为单位体积中的质量，亦即密度 ρ。对于双组分且有化学反应的系统，式（2-20）中分子扩散项 Γ_x、Γ_y、Γ_z 不为零，生成量 r 也不等于零。则对组分 A，可写出其微分质量衡算方程为

$$\frac{\partial \rho_A}{\partial \theta} = -\left(\frac{\partial(u_x \rho_A)}{\partial x} + \frac{\partial(u_y \rho_A)}{\partial y} + \frac{\partial(u_z \rho_A)}{\partial z}\right) - \left[\frac{\partial \Gamma_{Ax}}{\partial x} + \frac{\partial \Gamma_{Ay}}{\partial y} + \frac{\partial \Gamma_{Az}}{\partial z}\right] + r_A \tag{2-29}$$

式中，r_A 表示在单位体积中，由于化学反应所导致的组分 A 的质量产生率。

在引起质量扩散的原因中，除了浓度梯度所造成的分子扩散之外，还有因压力梯度所造成的压力扩散、由于温度梯度所造成的热扩散和混合物中组分受力不均所形成的强制扩散等，在这里只考虑分子扩散，式中的分子扩散项 Γ 表示扩散通量，以 J_A 表示物质 A 的扩散通量，则式（2-29）可写成如下形式

$$\frac{\partial \rho_A}{\partial \theta} = -\left(\frac{\partial(u_x \rho_A)}{\partial x} + \frac{\partial(u_y \rho_A)}{\partial y} + \frac{\partial(u_z \rho_A)}{\partial z}\right) - \left[\frac{\partial j_{Ax}}{\partial x} + \frac{\partial j_{Ay}}{\partial y} + \frac{\partial j_{Az}}{\partial z}\right] + r_A \tag{2-30}$$

根据费克第一定律，有

$$j_{Ax} = -D_{AB}\frac{\partial \rho_A}{\partial x} \tag{2-31a}$$

$$j_{Ay} = -D_{AB}\frac{\partial \rho_A}{\partial y} \tag{2-31b}$$

$$j_{Az} = -D_{AB}\frac{\partial \rho_A}{\partial z} \tag{2-31c}$$

将式（2-31）分别对 x、y、z 对应求导，得

$$\frac{\partial j_{Ax}}{\partial x} = -D_{AB}\frac{\partial^2 \rho_A}{\partial x^2} \tag{2-32a}$$

$$\frac{\partial j_{Ay}}{\partial y} = -D_{AB}\frac{\partial^2 \rho_A}{\partial y^2} \tag{2-32b}$$

$$\frac{\partial j_{Az}}{\partial z} = -D_{AB}\frac{\partial^2 \rho_A}{\partial z^2} \tag{2-32c}$$

将式（2-32）代入式（2-30），则

$$\frac{\partial \rho_A}{\partial \theta} + \left(\frac{\partial(u_x\rho_A)}{\partial x} + \frac{\partial(u_y\rho_A)}{\partial y} + \frac{\partial(u_z\rho_A)}{\partial z} \right)$$
$$= D_{AB}\left(\frac{\partial^2 \rho_A}{\partial x^2} + \frac{\partial^2 \rho_A}{\partial y^2} + \frac{\partial^2 \rho_A}{\partial z^2} \right) + r_A \tag{2-33}$$

将式（2-33）左侧展开

$$\frac{\partial \rho_A}{\partial \theta} + u_x\frac{\partial \rho_A}{\partial x} + u_y\frac{\partial \rho_A}{\partial y} + u_z\frac{\partial \rho_A}{\partial z} + \rho_A\left(\frac{\partial u_x}{\partial x} + \frac{\partial u_y}{\partial y} + \frac{\partial u_z}{\partial z} \right)$$
$$= D_{AB}\left(\frac{\partial^2 \rho_A}{\partial x^2} + \frac{\partial^2 \rho_A}{\partial y^2} + \frac{\partial^2 \rho_A}{\partial z^2} \right) + r_A \tag{2-34}$$

式（2-34）中前 4 项可写为随体导数 $\dfrac{D\rho_A}{D\theta}$，于是有

$$\frac{D\rho_A}{D\theta} + \rho_A\left(\frac{\partial u_x}{\partial x} + \frac{\partial u_y}{\partial y} + \frac{\partial u_z}{\partial z} \right) = D_{AB}\left(\frac{\partial^2 \rho_A}{\partial x^2} + \frac{\partial^2 \rho_A}{\partial y^2} + \frac{\partial^2 \rho_A}{\partial z^2} \right) + r_A \tag{2-35a}$$

或写成

$$\frac{D\rho_A}{D\theta} + \rho_A \nabla \cdot \boldsymbol{u} = D_{AB} \nabla^2 \rho_A + r_A \tag{2-35b}$$

该式即为双组分系统的通用质量传递微分方程。同理可写出组分 B 的传质微分方程

$$\frac{D\rho_B}{D\theta} + \rho_B \nabla \cdot \boldsymbol{u} = D_{BA} \nabla^2 \rho_B + r_B \tag{2-35c}$$

与单组分系统连续性方程式（2-21）相比，方程右边多出了两项（$D_{AB} \nabla^2 \rho_A + r_A$），这是由于考虑了双组分系统所存在的扩散现象和化学反应现象。

设混合物的质量总浓度 ρ 恒定（$\rho = \rho_A + \rho_B$），且流体不可压缩，则式（2-35c）中 $\nabla \cdot \boldsymbol{u} = 0$，方程（2-35b）可简化为

$$\frac{D\rho_A}{D\theta} = D_{AB} \nabla^2 \rho_A + r_A \tag{2-36a}$$

该式即为双组分系统的质量传递微分方程，又称对流扩散方程或组分 A 的连续性方程。它适用于总浓度恒定、伴有化学反应的传质过程。

若混合物浓度采用物质的量浓度来表达，改用摩尔平均速度 u_M 和摩尔扩散通量来推导时，则可得到混合物总浓度 c（$c = c_A + c_B$）为常数、伴有化学反应时，组分 A 的质量传递微分方程

$$\frac{Dc_A}{D\theta} = D_{AB}\nabla^2 c_A + \dot{R}_A \tag{2-36b}$$

式中，$\dot{R}_A$ 为单位体积中 A 组分的摩尔生成速率，$kmol/(m^3 \cdot s)$。

传质微分方程在特定条件下，可以进一步简化成较为简单的形式。

2.3.2.1 传质微分方程的特定形式

不可压缩流体在传质过程中，若不存在化学反应，则 $r_A = 0$，$\dot{R}_A = 0$。此时，式（2-36）可简化为如下形式

$$\frac{D\rho_A}{D\theta} = D_{AB}\nabla^2\rho_A \tag{2-37a}$$

$$\frac{Dc_A}{D\theta} = D_{AB}\nabla^2 c_A \tag{2-37b}$$

若参与传质的介质不运动（如固体或静止流体），则式（2-37）中随体导数的全部速度项为零，随体导数变为偏导数，式（2-37）可简化为

$$\frac{\partial\rho_A}{\partial\theta} = D_{AB}\nabla^2\rho_A \tag{2-38a}$$

$$\frac{\partial c_A}{\partial\theta} = D_{AB}\nabla^2 c_A \tag{2-38b}$$

式（2-38）即为费克第二定律的数学表达式。其与非稳态热传导方程形式类似，在数学上又称作传导方程。

若满足以上约定条件，且为稳态传质过程，则上述方程可进一步简化为

$$\nabla^2\rho_A = 0 \tag{2-39a}$$

$$\nabla^2 c_A = 0 \tag{2-39b}$$

式（2-39a）和式（2-39b）分别为以组分 A 的质量浓度和组分 A 的物质的量浓度表示的拉普拉斯方程。

2.3.2.2 曲线坐标中的对流扩散方程

适应解决工程实际问题的需要，下面给出在柱坐标和球坐标下，无化学反应时质量传递微分方程的形式。

柱坐标系中的质量传递微分方程可表示为

$$\frac{\partial\rho_A}{\partial\theta'} + u_r\frac{\partial\rho_A}{\partial r} + \frac{u_\theta}{r}\frac{\partial\rho_A}{\partial\theta} + u_z\frac{\partial\rho_A}{\partial z} = D_{AB}\left[\frac{1}{r}\frac{\partial}{\partial r}\left(r\frac{\partial\rho_A}{\partial r}\right) + \frac{1}{r^2}\frac{\partial^2\rho_A}{\partial\theta^2} + \frac{\partial^2\rho_A}{\partial z^2}\right] \tag{2-40}$$

球坐标系中的质量传递微分方程为

$$\frac{\partial\rho_A}{\partial\theta'} + u_r\frac{\partial\rho_A}{\partial r} + \frac{u_\theta}{r}\frac{\partial\rho_A}{\partial\theta} + \frac{u_\varphi}{r\sin\theta}\frac{\partial\rho_A}{\partial z}$$

$$= D_{AB}\left[\frac{1}{r^2}\frac{\partial}{\partial r}\left(r^2\frac{\partial\rho_A}{\partial r}\right) + \frac{1}{r^2\sin\theta}\frac{\partial}{\partial\theta}\left(\sin\theta\frac{\partial\rho_A}{\partial\theta}\right) + \frac{1}{r^2\sin^2\theta}\frac{\partial^2\rho_A}{\partial\varphi^2}\right] \tag{2-41}$$

方程式（2-40）、方程式（2-41）在特定条件下，同样可以化简。

2.4　微分动量衡算——运动方程

通过微分动量衡算，可以得到流体的运动微分方程，又称奈维-斯托克斯方程。作为动量定律在流体运动现象中的表述，是解决动量、能量和质量传递问题的基础。

进行动量衡算时，式（2-20）中的强度属性 X_e 为单位体积中流体的动量，以 $\rho\,u$ 表示。为具体说明该方程如何用于动量衡算，下面用欧拉方法从动量守恒定律出发来推导运动方程。

对于在惯性坐标系中任意选定的控制体而言，动量守恒定律可表达为：控制体内的动量对时间的变化率等于作用于控制体内流体上的合力与单位时间内经过控制体净流入流体的动量之和。

2.4.1　运动流体所受力之间的关系

动量衡算遵循动量定律即牛顿第二定律，流体的动量随时间的变化率等于作用在流体上诸外力之和，其定义式为

$$F = \frac{\mathrm{d}(m\,u)}{\mathrm{d}\theta} \tag{2-42}$$

式中，F 为作用于运动流体上诸外力的向量和；m 为运动流体的质量；u 为运动流体的速度向量。

从力学角度分析，合外力即为惯性力。合外力的每一个分量 $\mathrm{d}F_x$，$\mathrm{d}F_y$，$\mathrm{d}F_z$ 由两部分组成，其一是作用于整个流体微元上的质量力（或称体积力）F_M；其二是作用于流体微元各表面、由与流体微元相邻的流体所提供的表面力（或称机械力）F_S。表面力又包含法向应力和切向应力。法向应力由两种应力提供，一部分是使流体微元受到压缩应力、产生体积形变的静压力 p，另一部分是使流体微元在法线方向受到拉伸和压缩、产生线形形变的黏性应力；切向应力则是使流体微元产生面形变（体积形变）。

2.4.2　用应力表示的运动微分方程

在流场中选取某一固定质量的流体微元，采用拉格朗日观点分析该微元系统随环境中流体一起流动时的情况。设在某一时刻 θ，在直角坐标中微元体积为 $\mathrm{d}x\mathrm{d}y\mathrm{d}z$，按照拉格朗日观点，该微元的体积和位置随时间而改变，因此，可以将式（2-42）写成随体导数的形式

$$F = m\frac{D\,u}{D\theta}$$

设流体微元的密度为 ρ，则其质量 $m = \rho\mathrm{d}x\mathrm{d}y\mathrm{d}z$，因而上式可写成

$$\mathrm{d}F = \rho\mathrm{d}x\mathrm{d}y\mathrm{d}z\frac{D\,u}{D\theta} \tag{2-43}$$

式中，$\frac{D\,u}{D\theta}$ 为流体的加速度。该向量方程在直角坐标中的分量分别为

$$\mathrm{d}F_x = \rho\mathrm{d}x\mathrm{d}y\mathrm{d}z\frac{Du_x}{D\theta} \tag{2-44a}$$

$$\mathrm{d}F_y = \rho\mathrm{d}x\mathrm{d}y\mathrm{d}z\frac{Du_y}{D\theta} \tag{2-44b}$$

$$\mathrm{d}F_z = \rho\mathrm{d}x\mathrm{d}y\mathrm{d}z\frac{Du_z}{D\theta} \tag{2-44c}$$

根据前述分析，外力 = 质量力 + 表面力，因此，x 方向上的外力可写成

$$dF_x = dF_{mx} + dF_{sx} \tag{2-45}$$

只要求出 x 方向上的质量力和表面力，然后代入式（2-44a）中，就可以求出用应力表示的 x 方向的运动微分方程。下面逐一进行分析。

2.4.2.1　质量力

质量力又称体积力，是指作用在所考察对象中每一个质点上的外力，本质上为一种非接触力。如静电力、地球引力、电磁力等。在流体力学中，一般在不考虑外场作用下强化传递过程的研究时，只考虑重力场的作用。以 X 表示单位质量流体所受的质量力在 x 方向的分量，则 x 方向的质量力可以用式（2-46）描述

$$dF_{mx} = X\rho dxdydz \tag{2-46}$$

同样，y、z 方向上的质量力分别为

$$dF_{my} = Y\rho dxdydz \tag{2-47}$$

$$dF_{mz} = Z\rho dxdydz \tag{2-48}$$

以 α、β、γ 分别表示 x、y、z 方向与重力方向之间的夹角，则

$$X = g\cos\alpha \tag{2-49a}$$

$$Y = g\cos\beta \tag{2-49b}$$

$$Z = g\cos\gamma \tag{2-49c}$$

若 x 方向为水平，则该方向的质量力分量为零。

2.4.2.2　表面力

表面力是指所考察的流体微元表面因流动所受到的外力。运动着的流体微元与其周围的环境之间（包括流体和固体壁面）会产生相互作用，又称机械力。其本质上为一种接触力。单位面积上的表面力称为机械应力或表面应力，又可分解为法向应力和切向应力（剪应力），用符号 τ 表示。为区分切向应力、法向应力及其正负关系，将 τ 附加两个下标，写成 τ_{ab} 的形式。规定两个下标相同的表示法向应力；两个下标不同的表示切向应力。法向应力拉伸方向为正，压缩方向为负。在空间坐标中，第一个下标字符 a 表示与应力分量作用面相垂直的坐标轴，即表示表面应力作用面的外法线方向，第二个下标 b 表示应力分量的作用方向。如 τ_{xx}、τ_{yy}、τ_{zz} 等，具有相同下标，表示法向应力；具有混合下标的应力分量表示切向应力，如 τ_{xy}、τ_{yx}、τ_{xz} 等。以 τ_{xy} 为例，下标第一个字符 x 表示应力分量的作用面与 x 轴垂直，第二个字符 y 则表示应力的作用方向与 y 轴平行。

图 2-3 画出了 x 方向的 6 个表面应力分量，包括 y、z 两个方向上共有 18 个应力分量。对于流体微元而言，两个相对表面上的应力应该是大小相等，方向相反的。也就是说，独立的应力分量只有 9 个。因此，在流场中任何一处，流体微

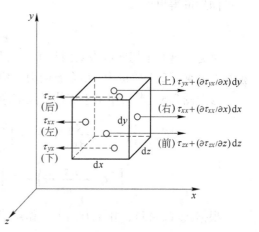

图 2-3　流体微元 x 方向所受的表面力

元所受到的表面应力，用 9 个应力分量就可以表述完全。这样，流场中任何一个流体微元所承受的表面应力状态，在空间 x、y、z 方向上只要 3 个法向应力分量和 6 个切向应力分量即可完全描述。这几个应力分量具体为

$$\begin{bmatrix} \tau_{xx} & \tau_{xy} & \tau_{xz} \\ \tau_{yx} & \tau_{yy} & \tau_{yz} \\ \tau_{zx} & \tau_{zy} & \tau_{zz} \end{bmatrix}$$

流体微元受上述 6 个切向应力分量作用，将会发生旋转。切向应力分量中只有 3 个切向应力分量是独立的。图 2-4 中表示微元体在 z 平面上的一个截面，且 z 轴通过该横截面的形心 o 点。这时，4 个切向应力所产生的力矩会使此流体微元发生旋转。规定力矩逆时针方向为正，顺时针方向为负。则根据转动定律，有

$$\Sigma \text{力矩} = \Sigma(\text{力} \times \text{旋转距离})$$

$$= \tau_{xy} \mathrm{d}y\mathrm{d}z \left(\frac{\mathrm{d}x}{2}\right) + \left(\tau_{xy} + \frac{\partial \tau_{xy}}{\partial x}\mathrm{d}x\right)\mathrm{d}y\mathrm{d}z \left(\frac{\mathrm{d}x}{2}\right)$$

$$- \tau_{yx}\mathrm{d}x\mathrm{d}z \left(\frac{\mathrm{d}y}{2}\right) - \left(\tau_{yx} + \frac{\partial \tau_{yx}}{\partial y}\mathrm{d}y\right)\mathrm{d}x\mathrm{d}z \left(\frac{\mathrm{d}y}{2}\right)$$

$$= (\tau_{xy} - \tau_{yx})\mathrm{d}x\mathrm{d}y\mathrm{d}z + \left(\frac{\partial \tau_{xy}}{\partial x}\mathrm{d}x - \frac{\partial \tau_{yx}}{\partial y}\mathrm{d}y\right)\frac{\mathrm{d}x\mathrm{d}y\mathrm{d}z}{2} \tag{2-50}$$

又因为 Σ 力矩 = 转动惯量 × 转动角加速度；转动惯量 = 质量 ×（回转半径）= $\rho\mathrm{d}x\mathrm{d}y\mathrm{d}z \cdot r^2$。设 a 为转动角加速度，则

$$\Sigma \text{力矩} = \rho\mathrm{d}x\mathrm{d}y\mathrm{d}z \cdot r^2 \cdot a \tag{2-51}$$

式（2-50）应与式（2-51）相等，消去等式中的 $\mathrm{d}x\mathrm{d}y\mathrm{d}z$，可得

$$\tau_{xy} - \tau_{yx} + \frac{1}{2}\left(\frac{\partial \tau_{xy}}{\partial x}\mathrm{d}x - \frac{\partial \tau_{yx}}{\partial y}\mathrm{d}y\right) = \rho\, r^2 a \tag{2-52}$$

现对式（2-52）进行分析，当微元体积趋于零时，r、$\mathrm{d}x$、$\mathrm{d}y$ 和 $\mathrm{d}z$ 均趋于零，因而有

$$\tau_{xy} = \tau_{yx} \tag{2-53a}$$

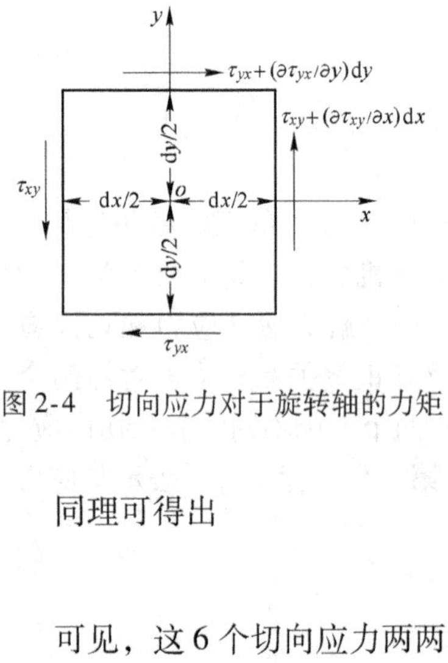

图 2-4　切向应力对于旋转轴的力矩

同理可得出

$$\tau_{xz} = \tau_{zx} \tag{2-53b}$$

$$\tau_{yz} = \tau_{zy} \tag{2-53c}$$

可见，这 6 个切向应力两两相等。因此，在流场中流体微元的受力情况，可以用 9 个独立的分量（3 个质量力，6 个表面力）完全表述。

参照图 2-3，考察作用于流体微元的净表面力。x 方向的净表面力分量 $\mathrm{d}F_{sx}$ 为

$$\mathrm{d}F_{sx} = \left[\left(\tau_{xx} + \frac{\partial \tau_{xx}}{\partial x}\mathrm{d}x\right) - \tau_{xx}\right]\mathrm{d}y\mathrm{d}z + \left[\left(\tau_{yx} + \frac{\partial \tau_{yx}}{\partial y}\mathrm{d}y\right) - \tau_{yx}\right]\mathrm{d}x\mathrm{d}y$$

$$+ \left[\left(\tau_{zx} + \frac{\partial \tau_{zx}}{\partial z}\mathrm{d}z\right) - \tau_{zx}\right]\mathrm{d}x\mathrm{d}y = \left(\frac{\partial \tau_{xx}}{\partial x} + \frac{\partial \tau_{yx}}{\partial y} + \frac{\partial \tau_{zx}}{\partial z}\right)\mathrm{d}x\mathrm{d}y\mathrm{d}z \tag{2-54}$$

根据式（2-45），在 x 方向上，作用于微分控制体的外力为该方向上的质量力分量和表面力分量之和，即有

$$dF_x = dF_{mx} + dF_{sx}$$

将式（2-44a）、式（2-46）和式（2-54）代入式（2-45），可得

$$\rho dxdydz \frac{Du_x}{D\theta} = \rho X dxdydz + \left(\frac{\partial \tau_{xx}}{\partial x} + \frac{\partial \tau_{yx}}{\partial y} + \frac{\partial \tau_{zx}}{\partial z} \right) dxdydz$$

即

$$\rho \frac{Du_x}{D\theta} = \rho X + \frac{\partial \tau_{xx}}{\partial x} + \frac{\partial \tau_{yx}}{\partial y} + \frac{\partial \tau_{zx}}{\partial z} \tag{2-55a}$$

同理可得 y 方向和 z 方向用应力表示的运动微分方程分别为

$$\rho \frac{Du_y}{D\theta} = \rho Y + \frac{\partial \tau_{xy}}{\partial x} + \frac{\partial \tau_{yy}}{\partial y} + \frac{\partial \tau_{zy}}{\partial z} \tag{2-55b}$$

$$\rho \frac{Du_z}{D\theta} = \rho Z + \frac{\partial \tau_{xz}}{\partial x} + \frac{\partial \tau_{yz}}{\partial y} + \frac{\partial \tau_{zz}}{\partial z} \tag{2-55c}$$

式（2-55）即为用应力表示的黏性流体运动微分方程式。在式（2-55）的 3 个方程中，有 3 个已知量，即 X、Y 和 Z，而独立的变量却有 10 个，即 ρ、u_x、u_y、u_z、τ_{xx}、τ_{yy}、τ_{zz}、$\tau_{xy}(\tau_{yx})$、$\tau_{yz}(\tau_{zy})$、$\tau_{xz}(\tau_{zx})$。显然采用 3 个微分方程解 10 个未知量是不可能的，所以方程是不闭合的。要求解该方程组，需要找出上述这些未知量之间、未知量与已知量之间的关系，以减少独立变量的数目，必要时还要补充若干个关系式，使未知量的数目与关系式的数目相等。

实际流体在运动过程中，由于流体本身具有黏性，当流层间发生相对运动时，表面应力的作用将导致流体发生形变，通过一定的假设，可将牛顿型流体应力与形变速率之间的关系通过黏度表述出来。

2.4.2.3 应力与形变速率

（1）切向应力。先讨论较简单的一维流动。黏性流体流动时，由于黏性力的作用，会使平行于 x 轴的两个相对平面产生相对运动。图 2-5 给出了这种形变的几何表述。流体微元的两条边长分别为 dx 和 dy，夹角为 ϕ（$\phi = \frac{\pi}{2}$），经时间 $d\theta$ 后，原有矩形平面变为平行四边形。上层流体比下层流体多移动的距离是 $\frac{du_x}{dy}dyd\theta$，夹角也改变了 $d\phi$。$d\phi$ 角的

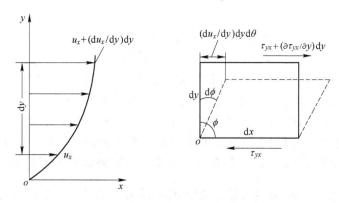

图 2-5 切向应力使平面产生形变（一维流动）

正切可表示为

$$\mathrm{tand}\phi = -\left(\frac{\mathrm{d}u_x}{\mathrm{d}y}\mathrm{d}y\mathrm{d}\theta\right)\Big/\mathrm{d}y \tag{2-56}$$

式中，$\dfrac{\mathrm{d}u_x}{\mathrm{d}y}$ 为 x 方向的剪切速率（或形变速率）；$\mathrm{d}\theta$ 为时间；$\mathrm{d}\phi$ 为旋转角，rad（弧度）；负号表示上层流体移动了 $\dfrac{\mathrm{d}u_x}{\mathrm{d}y}\mathrm{d}y\mathrm{d}\theta$ 距离后，ϕ 减少了 $\mathrm{d}\phi$，即 $\mathrm{d}\phi$ 为负值，由于 $\mathrm{d}\phi$ 角很小，因此 $\mathrm{tand}\phi \approx \mathrm{d}\phi$，即

$$\mathrm{d}\phi = -\left(\frac{\mathrm{d}u_x}{\mathrm{d}y}\mathrm{d}y\mathrm{d}\theta\right)\Big/\mathrm{d}y$$

或
$$\frac{\mathrm{d}\phi}{\mathrm{d}\theta} = -\frac{\mathrm{d}u_x}{\mathrm{d}y} \tag{2-57}$$

式（2-57）两端同乘以流体的黏度 μ，可得

$$\mu\frac{\mathrm{d}\phi}{\mathrm{d}\theta} = -\mu\frac{\mathrm{d}u_x}{\mathrm{d}y} \tag{2-58}$$

根据牛顿黏性定律，上式的右端大小应当等于剪应力分量 τ_{yx}，因此牛顿内摩擦定律可写成

$$\tau_{yx} = -\mu\frac{\mathrm{d}u_x}{\mathrm{d}y} = -\mu\frac{\mathrm{d}\phi}{\mathrm{d}\theta} \tag{2-59}$$

式中，$\mathrm{d}\phi/\mathrm{d}\theta$ 称作角形变速率（或角剪切速率）。

对三维流动的情况，表面应力会导致流体微元产生体积形变，如图 2-6 所示。

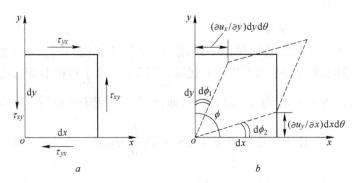

图 2-6   切向应力使平面产生形变（三维流动）
a—变形前；b—变形后

流体微元体积为 $\mathrm{d}x\mathrm{d}y\mathrm{d}z$。由力分析可知，它在流动过程中会发生体积形变，即由原来的长方形六面微元体变为一个菱形六面微元体。对于 xy 平面而言，起作用的切向应力分量有 4 个，其中 τ_{xy} 和 τ_{yx} 分别作用在与 xy 平面相垂直的 4 个平面上。相对应边上的两个应力等值反向。经过微分时间 $\mathrm{d}\theta$ 后，原来的长方形变为菱形（如图 2-6b 中虚线所示），相邻两条边线的夹角 ϕ 也由 $\pi/2$ 变得小于 $\pi/2$。上层流体比下层流体多移动的距离是 $\dfrac{\partial u_x}{\partial y}\mathrm{d}y\mathrm{d}\theta$，图中 $\mathrm{d}\phi_1$ 和 $\mathrm{d}\phi_2$ 均为负值，由于 $\mathrm{d}\phi$ 角很小，按正切函数的定义，有

$$\tan{\rm d}\phi_1 = -\left(\frac{\partial u_x}{\partial y}{\rm d}y{\rm d}\theta\right)\bigg/ {\rm d}y \approx {\rm d}\phi_1 \qquad (2\text{-}60a)$$

右层流体比左层流体多移动 $\dfrac{\partial u_y}{\partial x}{\rm d}x{\rm d}\theta$ 的距离，因而

$$\tan{\rm d}\phi_2 = -\left(\frac{\partial u_y}{\partial x}{\rm d}x{\rm d}\theta\right)\bigg/ {\rm d}x \approx {\rm d}\phi_2 \qquad (2\text{-}60b)$$

由于 ${\rm d}\phi = {\rm d}\phi_1 + {\rm d}\phi_2$，因此，存在如下关系

$$\frac{{\rm d}\phi}{{\rm d}\theta} = \frac{{\rm d}\phi_1}{{\rm d}\theta} + \frac{{\rm d}\phi_2}{{\rm d}\theta} = -\left(\frac{\partial u_x}{\partial y} + \frac{\partial u_y}{\partial x}\right) \qquad (2\text{-}61)$$

将式（2-61）代入式（2-59），则

$$\tau_{xy} = \tau_{yx} = \mu\left(\frac{\partial u_x}{\partial y} + \frac{\partial u_y}{\partial x}\right) \qquad (2\text{-}62a)$$

同理可得 yz 和 zx 平面的表面力的表述形式

$$\tau_{yz} = \tau_{zy} = \mu\left(\frac{\partial u_y}{\partial z} + \frac{\partial u_z}{\partial y}\right) \qquad (2\text{-}62b)$$

$$\tau_{xz} = \tau_{zx} = \mu\left(\frac{\partial u_x}{\partial z} + \frac{\partial u_z}{\partial x}\right) \qquad (2\text{-}62c)$$

式（2-62）描述了在三维情况下，剪应力与剪切应变速度之间的关系，为牛顿内摩擦定律的广义形式。

（2）法向应力。法向应力有两种类型，其一为静压力，它使流体微元体承受压缩应力，产生体积形变；其二是流体流动时的黏性应力，其结果是使流体微元体在法线方向上承受拉伸或压缩应力，发生线性形变。法向应力与压力和黏性应力的关系为

$$\tau_{xx} = -p + \sigma_x \qquad (2\text{-}63a)$$

$$\tau_{yy} = -p + \sigma_y \qquad (2\text{-}63b)$$

$$\tau_{zz} = -p + \sigma_z \qquad (2\text{-}63c)$$

式中，τ_{xx}、τ_{yy} 和 τ_{zz} 为法向应力；p 为压力；规定其方向压缩为正；σ_x、σ_y 和 σ_z 为黏性应力。

对于静止流体或理想流体，因黏性应力为零，故存在下述关系

$$\tau_{xx} = -p \qquad (2\text{-}64a)$$

$$\tau_{yy} = -p \qquad (2\text{-}64b)$$

$$\tau_{zz} = -p \qquad (2\text{-}64c)$$

或写成

$$p = -\frac{1}{3}(\tau_{xx} + \tau_{yy} + \tau_{zz}) \qquad (2\text{-}65)$$

对于实际流体，尽管各个方向的黏性应力均不为零，但式（2-65）仍成立，则对于式（2-63a），有

$$\sigma_x = \tau_{xx} + p = \tau_{xx} - \frac{1}{3}(\tau_{xx} + \tau_{yy} + \tau_{zz}) \qquad (2\text{-}66a)$$

或

$$\sigma_x = \tau_{xx} + p = \frac{2}{3}\tau_{xx} - \frac{1}{3}(\tau_{yy} + \tau_{zz}) \qquad (2\text{-}66b)$$

为方便讨论，把式（2-66b）改写为如下形式

$$\sigma_x = \frac{1}{3}(\tau_{xx} - \tau_{yy}) - \frac{1}{3}(\tau_{zz} - \tau_{xx}) \qquad (2\text{-}67)$$

将式（2-67）代入式（2-63a），得

$$\tau_{xx} = -p + \frac{1}{3}(\tau_{xx} - \tau_{yy}) - \frac{1}{3}(\tau_{zz} - \tau_{xx}) \qquad (2\text{-}68a)$$
$$\qquad\quad (a) \qquad\quad (b) \qquad\qquad (c)$$

同理，可得出 y、z 方向的法向应力分量

$$\tau_{yy} = -p - \frac{1}{3}(\tau_{xx} - \tau_{yy}) - \frac{1}{3}(\tau_{yy} - \tau_{zz}) \qquad (2\text{-}68b)$$
$$\qquad\quad (a) \qquad\quad (b) \qquad\qquad (d)$$

$$\tau_{zz} = -p + \frac{1}{3}(\tau_{zz} - \tau_{xx}) - \frac{1}{3}(\tau_{yy} - \tau_{zz}) \qquad (2\text{-}68c)$$
$$\qquad\quad (a) \qquad\quad (b) \qquad\qquad (d)$$

公式下面的对应编号（a）、（b）、（c）和（d）是为后续讨论的方便而加入的。

首先讨论 x 方向的法向应力分量 τ_{xx}，其作用是使微元体在 x 方向发生形变，形变速率用 $\frac{\partial u_x}{\partial x}$ 表示，则

$$\tau_{xx} = -p + \frac{1}{3}(\tau_{xx} - \tau_{yy}) - \frac{1}{3}(\tau_{zz} - \tau_{xx}) \qquad (2\text{-}68d)$$

$$\frac{\partial u_x}{\partial x} = \left(\frac{\partial u_x}{\partial x}\right)_a + \left(\frac{\partial u_x}{\partial x}\right)_b + \left(\frac{\partial u_x}{\partial x}\right)_c \qquad (2\text{-}69)$$

式中，$(\partial u_x/\partial x)_a$，$(\partial u_x/\partial x)_b$，$(\partial u_x/\partial x)_c$ 分别表示编号为（a），（b），（c）的三项对形变速率的影响，以下分别进行分析。

式（2-68）中，（a）项为压力对形变速率的影响，用 $(\partial u_x/\partial x)_a$ 表示，压力项的作用是使微元体承受压缩应力，产生体积形变。

前已推导出，固定质量的流体微元的体积形变速率等于其在 3 个坐标方向上的线性形变速率之和，由于压力 p 在 3 个坐标方向均相等，故在 x 方向上压力对形变速率的影响只有体形变速率的 1/3，结合式（2-24），可得

$$\left(\frac{\partial u_x}{\partial x}\right)_a = \frac{1}{3}\left(\frac{1}{v}\frac{Dv}{D\theta}\right) = \frac{1}{3}\left(\frac{\partial u_x}{\partial x} + \frac{\partial u_y}{\partial y} + \frac{\partial u_z}{\partial z}\right) = \frac{1}{3}\nabla \cdot \boldsymbol{u} \qquad (2\text{-}70)$$

如图 2-7a 所示，规定压缩应力为负，张应力为正。对于（b）项，x 方向表现为张应力，在 y 方向表现为压缩应力。（b）项对形变速率的影响用 $(\partial u_x/\partial x)_b$ 表示，其结果如图 2-7b、c 所示。若边长分别用 h、h 和 $\sqrt{2}h$（对角线）表示，垂直纸面取 1 单位长，则有

$$\frac{1}{3}(\tau_{xx} - \tau_{yy})\,(\sqrt{2}h \times 1) = 2\,\tau\cos45°(h \times 1) \qquad (2\text{-}71a)$$

即

$$\frac{1}{3}(\tau_{xx} - \tau_{yy}) = \tau \qquad (2\text{-}71b)$$

由此可见，（b）项即为 45°平面上所受的纯剪应力。将 $\tau = -\mu(d\phi/d\theta)$ 代入式(2-71b)，得

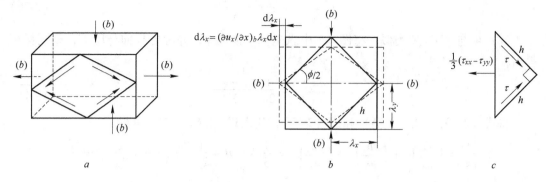

图 2-7 法向应力的推导

$$\frac{1}{3}(\tau_{xx} - \tau_{yy}) = -\mu\frac{\mathrm{d}\phi}{\mathrm{d}\theta} \qquad (2\text{-}71c)$$

由图 2-7b，设想边长为 h 的平面，其在 x、y 方向上的对角线半长为 λ_x、λ_y，则

$$\tan(\phi/2) = \lambda_y/\lambda_x \qquad (2\text{-}72)$$

对式（2-72）微分，可得

$$\frac{1}{2}\sec^2\left(\frac{\phi}{2}\right)\mathrm{d}\phi = \frac{\lambda_x\mathrm{d}\lambda_y - \lambda_y\mathrm{d}\lambda_x}{\lambda_x^2} \qquad (2\text{-}73)$$

因沿边长 h 仅受剪应力的作用，所以 h 的长度不变

$$h^2 = \lambda_x^2 + \lambda_y^2 = 常数 \qquad (2\text{-}74a)$$

对式（2-74a）微分，则

$$2\lambda_x\mathrm{d}\lambda_x + 2\lambda_y\mathrm{d}\lambda_y = 0 \qquad (2\text{-}74b)$$

设 $\lambda_x = \lambda_y$，则由上式可得 $\mathrm{d}\lambda_x = -\mathrm{d}\lambda_y$；又因 $\phi = 90°$，故 $\sec^2\left(\dfrac{\phi}{2}\right) = \sec^2 45° = \left(\sqrt{2}\right)^2 = 2$。将以上关系代入式（2-73），得

$$\mathrm{d}\phi = \frac{\lambda_x(-\mathrm{d}\lambda_x) - \lambda_x\mathrm{d}\lambda_x}{\lambda_x^2} = -\frac{2\mathrm{d}\lambda_x}{\lambda_x} \qquad (2\text{-}74c)$$

式中，$\mathrm{d}\lambda_x$ 为在 $\mathrm{d}\theta$ 时间内，由于（b）项的作用，即由于流动时剪应力分量的作用，使微元流体在 x 方向产生拉伸形式的线性形变，因而有

$$\mathrm{d}\lambda_x = \left(\frac{\partial u_x}{\partial x}\right)_b\lambda_x\mathrm{d}\theta \qquad (2\text{-}75a)$$

将式（2-75a）代入式（2-74c），得

$$\frac{\mathrm{d}\phi}{\mathrm{d}\theta} = -2\left(\frac{\partial u_x}{\partial x}\right)_b \qquad (2\text{-}75b)$$

将式（2-75b）代入式（2-71c）中，则

$$\frac{1}{3}(\tau_{xx} - \tau_{yy}) = -\mu\frac{\mathrm{d}\phi}{\mathrm{d}\theta} = 2\mu\left(\frac{\partial u_x}{\partial x}\right)_b \qquad (2\text{-}75c)$$

将式（2-75c）移项整理，得

$$\left(\frac{\partial u_x}{\partial x}\right)_b = \frac{1}{2\mu}\frac{\tau_{xx} - \tau_{yy}}{3} \tag{2-76}$$

（c）项与（b）项类似，将图 2-7 中纵坐标 y 换成 z，并考虑拉伸与压缩，则同样可以得出

$$\left(\frac{\partial u_x}{\partial x}\right)_c = \frac{1}{2\mu}\frac{\tau_{xx} - \tau_{zz}}{3} \tag{2-77}$$

将式（2-70）、式（2-76）和式（2-77），代入式（2-69）中，可得

$$\frac{\partial u_x}{\partial x} = \left(\frac{\partial u_x}{\partial x}\right)_a + \left(\frac{\partial u_x}{\partial x}\right)_b + \left(\frac{\partial u_x}{\partial x}\right)_c = \frac{1}{3}\nabla\cdot\boldsymbol{u} + \frac{1}{2\mu}\frac{\tau_{xx} - \tau_{yy}}{3} + \frac{1}{2\mu}\frac{\tau_{xx} - \tau_{zz}}{3}$$

$$= \frac{1}{3}\nabla\cdot\boldsymbol{u} + \frac{\tau_{xx}}{2\mu} - \frac{1}{2\mu}\frac{\tau_{xx} + \tau_{yy} + \tau_{zz}}{3} = \frac{1}{3}\nabla\cdot\boldsymbol{u} + \frac{\tau_{xx}}{2\mu} - \frac{P}{2\mu} \tag{2-78}$$

即

$$\tau_{xx} = -p + 2\mu\left(\frac{\partial u_x}{\partial x}\right) - \frac{2\mu}{3}\nabla\cdot\boldsymbol{u} \tag{2-79a}$$

同理可得

$$\tau_{yy} = -p + 2\mu\left(\frac{\partial u_y}{\partial y}\right) - \frac{2\mu}{3}\nabla\cdot\boldsymbol{u} \tag{2-79b}$$

$$\tau_{zz} = -p + 2\mu\left(\frac{\partial u_z}{\partial z}\right) - \frac{2\mu}{3}\nabla\cdot\boldsymbol{u} \tag{2-79c}$$

式（2-62）与式（2-79）分别表述了切向应力与形变速率、法向应力与形变速率之间的关系，又称本构关系。

2.4.3　黏性流体的运动微分方程

式（2-55）给出了用应力项表示的黏性流体运动微分方程。式中的各项是以应力形式表示的。把式（2-62a）、式（2-62c）和式（2-79a）代入式（2-55a），即可得到下列 x 方向的完全运动微分方程

$$\rho\frac{Du_x}{D\theta} = \rho X - \frac{\partial p}{\partial x} + 2\mu\left(\frac{\partial^2 u_x}{\partial x^2}\right) - \frac{2}{3}\mu\left(\frac{\partial^2 u_x}{\partial x^2} + \frac{\partial^2 u_y}{\partial y^2} + \frac{\partial^2 u_z}{\partial z^2}\right)$$

$$+ \mu\left(\frac{\partial^2 u_x}{\partial y^2} + \frac{\partial^2 u_y}{\partial x\partial y}\right) + \mu\left(\frac{\partial^2 u_x}{\partial z^2} + \frac{\partial^2 u_z}{\partial x\partial z}\right)$$

整理上式得

$$\rho\frac{Du_x}{D\theta} = \rho X - \frac{\partial p}{\partial x} + \mu\left(\frac{\partial^2 u_x}{\partial x^2} + \frac{\partial^2 u_y}{\partial y^2} + \frac{\partial^2 u_z}{\partial z^2}\right) + \frac{\mu}{3}\frac{\partial}{\partial x}\left(\frac{\partial u_x}{\partial x} + \frac{\partial u_y}{\partial y} + \frac{\partial u_z}{\partial z}\right) \tag{2-80a}$$

同理可得 y、z 方向的运动方程

$$\rho\frac{Du_y}{D\theta} = \rho Y - \frac{\partial p}{\partial y} + \mu\left(\frac{\partial^2 u_x}{\partial x^2} + \frac{\partial^2 u_y}{\partial y^2} + \frac{\partial^2 u_z}{\partial z^2}\right) + \frac{\mu}{3}\frac{\partial}{\partial y}\left(\frac{\partial u_x}{\partial x} + \frac{\partial u_y}{\partial y} + \frac{\partial u_z}{\partial z}\right) \tag{2-80b}$$

$$\rho\frac{Du_z}{D\theta} = \rho Z - \frac{\partial p}{\partial z} + \mu\left(\frac{\partial^2 u_x}{\partial x^2} + \frac{\partial^2 u_y}{\partial y^2} + \frac{\partial^2 u_z}{\partial z^2}\right) + \frac{\mu}{3}\frac{\partial}{\partial z}\left(\frac{\partial u_x}{\partial x} + \frac{\partial u_y}{\partial y} + \frac{\partial u_z}{\partial z}\right) \tag{2-80c}$$

将式（2-80a）、式（2-80b）、式（2-80c）三式写成向量形式，则

$$\rho \frac{\mathrm{D}\boldsymbol{u}}{\mathrm{D}\theta} = \rho \boldsymbol{F}_{\mathrm{M}} - \nabla p + \mu \nabla^2 \boldsymbol{u} + \frac{\mu}{3} \nabla(\nabla \cdot \boldsymbol{u}) \qquad (2\text{-}80d)$$

式（2-80d）即为黏性流体的运动微分方程，亦称奈维-斯托克斯方程，简称 N-S 方程。奈维（Navirer）在 1827 年根据分子间作用力首先推导出了该方程，1831 年斯托克斯（Stokes）在假定剪切应力和法向应力与形变速率为线性关系的条件下，推导出了该方程。以上所介绍的方法即为斯托克斯方法。

若流体不可压缩，且动力黏度 $\mu =$ 常数，由不可压缩流体的连续性方程式（2-26）

$$\frac{\partial u_x}{\partial x} + \frac{\partial u_y}{\partial y} + \frac{\partial u_z}{\partial z} = \nabla \cdot \boldsymbol{u} = 0$$

则可得到不可压缩流体的奈维-斯托克斯方程

$$\rho \frac{\mathrm{D}\boldsymbol{u}}{\mathrm{D}\theta} = \rho \boldsymbol{F}_{\mathrm{M}} - \nabla p + \mu \nabla^2 \boldsymbol{u} \qquad (2\text{-}81a)$$

或写成

$$\frac{\mathrm{D}\boldsymbol{u}}{\mathrm{D}\theta} = \boldsymbol{F}_{\mathrm{M}} - \frac{1}{\rho} \nabla p + \nu \nabla^2 \boldsymbol{u} \qquad (2\text{-}81b)$$

式中，$\rho \dfrac{\mathrm{D}\boldsymbol{u}}{\mathrm{D}\theta}$ 为单位体积流体所受的惯性力；$\rho \boldsymbol{F}_{\mathrm{M}}$ 为作用在单位体积流体上的质量力；$- \nabla p$ 为作用在单位体积流体表面上的压力的合力；$\mu \nabla^2 \boldsymbol{u}$ 则表示作用在单位体积流体表面上的黏性力；ν 为运动黏度（m^2/s）。

2.4.4　N-S 方程在曲线坐标中的表述

2.4.4.1　柱坐标系中的 N-S 方程

r 分量

$$\rho\left(\frac{\partial u_r}{\partial \theta'} + u_r \frac{\partial u_r}{\partial r} + \frac{u_\theta}{r} \frac{\partial u_r}{\partial \theta} - \frac{u_\theta^2}{r} + u_z \frac{\partial u_r}{\partial z} \right)$$

$$= -\frac{\partial p}{\partial r} + \mu \left[\frac{\partial}{\partial r}\left(\frac{1}{r} \frac{\partial(ru_r)}{\partial r} \right) + \frac{1}{r^2} \frac{\partial^2 u_r}{\partial \theta^2} - \frac{2}{r^2} \frac{\partial u_\theta}{\partial \theta} + \frac{\partial^2 u_r}{\partial z^2} \right] + \rho X_r \qquad (2\text{-}82a)$$

θ 分量

$$\rho\left(\frac{\partial u_\theta}{\partial \theta'} + u_r \frac{\partial u_\theta}{\partial r} + \frac{u_\theta}{r} \frac{\partial u_\theta}{\partial \theta} + \frac{u_r u_\theta}{r} + u_z \frac{\partial u_\theta}{\partial z} \right)$$

$$= -\frac{1}{r} \frac{\partial p}{\partial \theta} + \mu \left[\frac{\partial}{\partial r}\left(\frac{1}{r} \frac{\partial(ru_\theta)}{\partial r} \right) + \frac{1}{r^2} \frac{\partial^2 u_\theta}{\partial \theta^2} + \frac{2}{r^2} \frac{\partial u_r}{\partial \theta} + \frac{\partial^2 u_\theta}{\partial z^2} \right] + \rho X_\theta \qquad (2\text{-}82b)$$

z 分量

$$\rho\left(\frac{\partial u_z}{\partial \theta'} + u_r \frac{\partial u_z}{\partial r} + \frac{u_\theta}{r} \frac{\partial u_z}{\partial \theta} + u_z \frac{\partial u_z}{\partial z} \right) + \frac{\partial p}{\partial z}$$

$$= \mu \left[\frac{1}{r} \frac{\partial}{\partial r}\left(r \frac{\partial u_z}{\partial r} \right) + \frac{1}{r^2} \frac{\partial^2 u_z}{\partial \theta^2} + \frac{\partial^2 u_z}{\partial z^2} \right] + \rho X_z \qquad (2\text{-}82c)$$

式中，u_r、u_θ 和 u_z 分别表示速度在 r、θ 和 z 方向的分量；X_r、X_θ 和 X_z 分别表示单位质量流体的质量力在 r、θ 和 z 方向的分量；θ' 表示时间。

2.4.4.2　球坐标系中的 *N-S* 方程

r 分量

$$\rho\left(\frac{\partial u_r}{\partial \theta'} + u_r\frac{\partial u_r}{\partial r} + \frac{u_\theta}{r}\frac{\partial u_r}{\partial \theta} + \frac{u_\varphi}{r\sin\theta}\frac{\partial u_r}{\partial \varphi} - \frac{u_\theta^2 + u_\varphi^2}{r}\right)$$

$$= \rho X_r - \frac{\partial p}{\partial r} + \mu\left(\nabla^2 u_r - \frac{2}{r^2}u_r - \frac{2}{r^2}\frac{\partial u_\theta}{\partial \theta} - \frac{2}{r^2}u_\theta\cot\theta - \frac{2}{r^2\sin\theta}\frac{\partial u_\varphi}{\partial \varphi}\right) \quad (2\text{-}83a)$$

θ 分量

$$\rho\left(\frac{\partial u_\theta}{\partial \theta'} + u_r\frac{\partial u_\theta}{\partial r} + \frac{u_\theta}{r}\frac{\partial u_\theta}{\partial \theta} + \frac{u_\varphi}{r\sin\theta}\frac{\partial u_\theta}{\partial \varphi} + \frac{u_r u_\theta}{r} - \frac{u_\varphi^2\cot\theta}{r}\right)$$

$$= \rho X_\theta - \frac{1}{r}\frac{\partial p}{\partial \theta} + \mu\left(\nabla^2 u_\theta + \frac{2}{r^2}\frac{\partial u_r}{\partial \theta} - \frac{u_\theta}{r^2\sin^2\theta} - \frac{2\cos\theta}{r^2\sin^2\theta}\frac{\partial u_\varphi}{\partial \varphi}\right) \quad (2\text{-}83b)$$

φ 分量

$$\rho\left(\frac{\partial u_\varphi}{\partial \theta'} + u_r\frac{\partial u_\varphi}{\partial r} + \frac{u_\theta}{r}\frac{\partial u_\varphi}{\partial \theta} + \frac{u_\varphi}{r\sin\theta}\frac{\partial u_\varphi}{\partial \varphi} + \frac{u_r u_\varphi}{r} + \frac{u_\theta u_\varphi}{r}\cot\theta\right)$$

$$= \rho X_\varphi - \frac{1}{r\sin\theta}\frac{\partial p}{\partial \varphi} + \mu\left(\nabla^2 u_\varphi - \frac{u_\varphi}{r^2\sin^2\theta} + \frac{2}{r^2\sin\theta}\frac{\partial u_r}{\partial \varphi} + \frac{2\cos\theta}{r^2\sin^2\theta}\frac{\partial u_\theta}{\partial \varphi}\right) \quad (2\text{-}83c)$$

式中，u_r、u_θ 和 u_φ 分别表示在 r、θ 和 φ 方向的速度分量；X_r，X_θ，X_φ 分别表示单位质量流体的质量力在 r、θ 和 φ 方向的分量；θ' 表示时间；$\nabla^2 u_r$、$\nabla^2 u_\theta$ 和 $\nabla^2 u_\varphi$ 的具体表达式为：

$$\nabla^2 u_i = \frac{1}{r^2}\frac{\partial}{\partial r}\left(r^2\frac{\partial u_i}{\partial r}\right) + \frac{1}{r^2\sin\theta}\frac{\partial}{\partial \theta}\left(\sin\theta\frac{\partial u_i}{\partial r}\right) + \frac{1}{r^2\sin^2\theta}\frac{\partial^2 u_i}{\partial \varphi^2}, (i = r, \theta, \varphi)。$$

N-S 方程共有 5 个未知量，即 u_x、u_y、u_z、ρ 和 p。方程式也有 5 个，即 3 个方向的 *N-S* 方程、连续性方程和流体的状态方程 $f(\rho, p) = 0$。因此，方程是闭合的，只要满足边界条件和初始条件（初始条件仅对非稳态传递才需要给出），理论上该方程是可以求出通解的。但是，由于方程中存在非线性项，如 $u_x\dfrac{\partial u_x}{\partial x}$ 等，导致方程本身非线性，在数学上一般无法求出其通解，至今只在某些特殊场合才有精确解或近似解。由于在推导方程时引用了广义牛顿黏性定律，方程仅适用于层流和牛顿型流体。对于湍流流动，要经过雷诺转换后方能适用。

工业过程中所遇到的流体流动现象，大多数可按不可压缩流体流动来处理，因此式（2-81）较为常用。但即使如此，方程式的形式仍十分复杂，目前尚无法求得该方程的普遍精确解。多数工程问题实际上可以应用一维或二维的方程来解决，并可以根据具体条件进行适当简化，从而能够获得精确解。

2.5　微分能量衡算——能量方程

在描述流体与壁面、流体内部、固体内部的热量传递现象时，需要利用微分能量衡算，能量衡算的依据是热力学第一定律。

2.5.1　能量方程的推导

推导能量方程时，可以采用欧拉观点或拉格朗日观点来进行。一般说来，拉格朗日方法较为简明。按照拉格朗日观点，选定某个流体质点（微元）作为控制体，随着控制体运动来考察其能量传递特性。在整个过程中，流体质点的质量是固定的，没有流体质量的流入与流出，只有体积与密度的变化，流体微元对外做膨胀功和摩擦功，改变自己的形状，产生膨胀和收缩。同时，微元的表面与周围流体进行能量传递，在不考虑辐射影响时，可以认为能量传递仅仅是由于分子扩散传递所引起的热传导。另外，根据拉格朗日观点，由于观察者是追随运动着的流体微元，所以没有位能的变化，同时流体微元与观察者之间没有相对运动，其动能的变化亦为零。因此，此时应用热力学第一定律时，所选定的流体质点的总能量中，只有热力学能产生变化。

按照拉格朗日观点，对于选定的流体微元（微分控制体），热力学第一定律可表达为

$$\Delta U = Q - W \tag{2-84}$$

该式表明，流体在流动过程中热力学能的变化，等于以热传导方式从环境中得到的热量减去对周围环境流体所作的有用功。

流体在流动过程中所做的功可用下式表示

$$W = \int_{v_1}^{v_2} p \mathrm{d}v - l_w \tag{2-85}$$

式中，v_1、v_2 为质量体积（比体积），m^3/kg；$\int_{v_1}^{v_2} p \mathrm{d}v$ 为可逆膨胀功，l_w 为摩擦功，将式（2-85）代入式（2-84），得

$$\Delta U = Q - \left(\int_{v_1}^{v_2} p \mathrm{d}v - l_w \right) \tag{2-86}$$

即

$$\mathrm{d}U = \delta Q - (p \mathrm{d}v - \delta l_w) \tag{2-87}$$

用随体导数的形式表达则为

$$\frac{\mathrm{D}U}{\mathrm{D}\theta} = \frac{\mathrm{D}Q}{\mathrm{D}\theta} - p \frac{\mathrm{D}v}{\mathrm{D}\theta} + \frac{\mathrm{D}l_w}{\mathrm{D}\theta} \tag{2-88}$$

式中，$\frac{\mathrm{D}U}{\mathrm{D}\theta}$ 为单位质量运动流体的热力学能变化速率；$\frac{\mathrm{D}Q}{\mathrm{D}\theta}$ 表示单位质量运动流体由周围流动流体以热传导方式从表面传入的热量速率；$p \frac{\mathrm{D}v}{\mathrm{D}\theta}$ 为单位时间内对外界所做的可逆膨胀功；$\frac{\mathrm{D}l_w}{\mathrm{D}\theta}$ 表示单位质量运动流体由于摩擦而损耗的功率。式中各项单位均为 $\mathrm{J}/$（$\mathrm{kg} \cdot \mathrm{s}$）。

取微元六面体作为微分控制体来进行研究，微元体的体积为 $\mathrm{d}x\mathrm{d}y\mathrm{d}z$，按照拉格朗日观点，其质量不变，若某一时刻流体微元的密度为 ρ，则其质量为 $\rho\mathrm{d}x\mathrm{d}y\mathrm{d}z$，现将式（2-88）各项均乘以微元体的质量，则

$$\rho \frac{\mathrm{D}U}{\mathrm{D}\theta}\mathrm{d}x\mathrm{d}y\mathrm{d}z = \rho \frac{\mathrm{D}Q}{\mathrm{D}\theta}\mathrm{d}x\mathrm{d}y\mathrm{d}z - p\rho \frac{\mathrm{D}v}{\mathrm{D}\theta}\mathrm{d}x\mathrm{d}y\mathrm{d}z + \rho \frac{\mathrm{D}l_w}{\mathrm{D}\theta}\mathrm{d}x\mathrm{d}y\mathrm{d}z \tag{2-89}$$

式中，等号左侧为微元体的热力学能变化速率；等号右侧第一项 $\rho \frac{\mathrm{D}Q}{\mathrm{D}\theta}\mathrm{d}x\mathrm{d}y\mathrm{d}z$，表示单位体积流体所吸收热量的速率。

由于不考虑热辐射，只是周围流体对微元体的热传导，则按照傅里叶定律，对应于空

间坐标，有 $q_x = -\lambda_x \dfrac{\partial T}{\partial x}$，$q_y = -\lambda_y \dfrac{\partial T}{\partial y}$，$q_z = -\lambda_z \dfrac{\partial T}{\partial z}$。假设流体微元是各向同性的，则 $\lambda_x = \lambda_y = \lambda_z$，于是由式（2-19），将式中的表面传递项 Γ 用热通量 q 代替，可得到进入微元体的净热量速率为：$-\left[\dfrac{\partial q_x}{\partial x} + \dfrac{\partial q_y}{\partial y} + \dfrac{\partial q_z}{\partial z}\right]\mathrm{d}x\mathrm{d}y\mathrm{d}z$，即 $\lambda\,\nabla^2 T \cdot \mathrm{d}x\mathrm{d}y\mathrm{d}z$。令 $\rho\dfrac{\mathrm{D}l_w}{\mathrm{D}\theta} = \phi$，称为散逸热速率。将以上两项代入式（2-89），得

$$\rho\frac{\mathrm{D}U}{\mathrm{D}\theta} + p\rho\frac{\mathrm{D}\upsilon}{\mathrm{D}\theta} = \lambda\,\nabla^2 T + \phi \tag{2-90a}$$

或写成

$$\rho\frac{\mathrm{D}U}{\mathrm{D}\theta} - \frac{p}{\rho}\frac{\mathrm{D}\rho}{\mathrm{D}\theta} = \lambda\,\nabla^2 T + \phi \tag{2-90b}$$

对单位质量流体，其热力学能与焓之间的关系为 $H = U + p/\rho$，将该式对时间取随体导数，则

$$\frac{\mathrm{D}H}{\mathrm{D}\theta} = \frac{\mathrm{D}U}{\mathrm{D}\theta} + \frac{1}{\rho}\frac{\mathrm{D}p}{\mathrm{D}\theta} - \frac{p}{\rho^2}\frac{\mathrm{D}\rho}{\mathrm{D}\theta} \tag{2-91a}$$

式（2-91a）两边同乘以 ρ，得

$$\rho\frac{\mathrm{D}H}{\mathrm{D}\theta} = \rho\frac{\mathrm{D}U}{\mathrm{D}\theta} + \frac{\mathrm{D}p}{\mathrm{D}\theta} - \frac{p}{\rho}\frac{\mathrm{D}\rho}{\mathrm{D}\theta} \tag{2-91b}$$

代入式（2-90b）中，则

$$\rho\frac{\mathrm{D}H}{\mathrm{D}\theta} = \frac{\mathrm{D}p}{\mathrm{D}\theta} + \phi + \lambda\,\nabla^2 T \tag{2-91c}$$

若考虑内热源的存在，以 $\dot{q}$ 表示单位时间内、单位体积中由内热源生成的热量，则式（2-91c）可写成如下形式

$$\rho\frac{\mathrm{D}H}{\mathrm{D}\theta} = \frac{\mathrm{D}p}{\mathrm{D}\theta} + \lambda\,\nabla^2 T + \phi + \dot{q} \tag{2-92a}$$

或展开为

$$\rho\frac{\mathrm{D}H}{\mathrm{D}\theta} = \frac{\mathrm{D}p}{\mathrm{D}\theta} + \lambda\left(\frac{\partial^2 T}{\partial x^2} + \frac{\partial^2 T}{\partial y^2} + \frac{\partial^2 T}{\partial z^2}\right) + \phi + \dot{q} \tag{2-92b}$$

式（2-92）即为能量方程的普遍形式，方程中各项均表示单位体积流体的能量速率，J/（m³·s）。

2.5.2　能量方程的分析与简化

在一定条件下，能量方程中的某些项将不存在或可以忽略，从而得到较为简化的形式。

2.5.2.1　无耗损热

能量方程中的 ϕ，除在高黏度或高速下运动的流体外，其值一般很小，在能量方程中可以忽略不计，即 $\phi \approx 0$，则能量方程可简化为

$$\rho\frac{\mathrm{D}H}{\mathrm{D}\theta} = \frac{\mathrm{D}p}{\mathrm{D}\theta} + \lambda\,\nabla^2 T + \dot{q} \tag{2-93}$$

2.5.2.2 不可压缩流体的能量方程

对不可压缩流体，由于 $\rho = \text{const}$，$\nabla \cdot \boldsymbol{u} = 0$，故随体导数 $\dfrac{D\rho}{D\theta} = 0$，则式（2-91$b$）化为

$$\rho \frac{DH}{D\theta} - \frac{Dp}{D\theta} = \rho \frac{DU}{D\theta}$$

对不可压缩流体，其质量定压热容 c_p 与质量定容热容 c_V 大体相等，假设其值为常量，则有 $DU = c_V DT \approx c_p DT$，这里 T 为流体的温度。于是

$$\rho \frac{DH}{D\theta} - \frac{Dp}{D\theta} = \rho c_p \frac{DT}{D\theta}$$

如果无内热源，或者参与导热物质虽然发生化学反应，但热效应不大，此时可近似视为 $\dot{q} = 0$，并且假设无耗损热，$\phi = 0$，将以上分析结果代入式（2-93），则

$$\frac{DT}{D\theta} = \frac{\lambda}{\rho c_p} \nabla^2 T = a \nabla^2 T \tag{2-94}$$

式中，$a = \lambda / (\rho c_p)$，称为热扩散系数（导温系数），m^2/s。

将该方程在直角坐标系中展开，则得能量方程在直角坐标系中的表达式为

$$\frac{\partial T}{\partial \theta} + u_x \frac{\partial T}{\partial x} + u_y \frac{\partial T}{\partial y} + u_z \frac{\partial T}{\partial z} = a \left(\frac{\partial^2 T}{\partial x^2} + \frac{\partial^2 T}{\partial y^2} + \frac{\partial^2 T}{\partial z^2} \right) \tag{2-95}$$

2.5.2.3 固体或静止流体内的热传导

固体或静止流体中的导热过程，由于不存在流体微元的运动，速度分量 $u_x = 0$；$u_y = 0$；$u_z = 0$，或写成 $\boldsymbol{u} = 0$。此时随体导数变为偏导数，并设 $\phi = 0$，则式（2-95）变为

$$\frac{\partial T}{\partial \theta} = a \nabla^2 T \tag{2-96}$$

该式称为傅里叶第二定律，为不稳定热传导方程。

对于无内热源的固体稳态导热，因 $\partial T / \partial \theta = 0$，则

$$\nabla^2 T = 0 \tag{2-97}$$

该式即为用温度表示的拉普拉斯方程，为传递现象中少数能够求得解析解的方程之一。

对有均匀发热源和不可压缩流体的情况，由式（2-94）可得

$$\rho c_p \frac{DT}{D\theta} = \lambda \nabla^2 T + \dot{q} \tag{2-98}$$

在固体或静止流体内稳态导热时，则有

$$a \nabla^2 T + \frac{\dot{q}}{\rho c_p} = 0$$

或写成

$$\nabla^2 T = -\frac{\dot{q}}{\lambda} \tag{2-99}$$

式（2-99）称为泊松方程。

2.5.3 曲线坐标系的能量方程

实际工程问题的处理过程中，有时用能量方程的曲线表达形式比较方便。不可压缩流

体、$\phi = 0$ ，且无内热源时，与式（2-95）相对应的能量方程在柱坐标和球坐标系的表达式可分别表示如下。

柱坐标系中，能量方程的形式为

$$\frac{\partial T}{\partial \theta'} + u_r \frac{\partial T}{\partial r} + \frac{u_\theta}{r} \frac{\partial T}{\partial \theta} + u_z \frac{\partial T}{\partial z} = a \left[\frac{1}{r} \frac{\partial}{\partial r} \left(r \frac{\partial T}{\partial r} \right) + \frac{1}{r^2} \frac{\partial^2 T}{\partial \theta^2} + \frac{\partial^2 T}{\partial z^2} \right] \tag{2-100}$$

式中，u_r、u_θ 和 u_z 分别表示速度在 r、θ 和 z 方向的分量；θ' 表示时间。

球坐标系中的能量方程可表示为

$$\frac{\partial T}{\partial \theta'} + u_r \frac{\partial T}{\partial r} + \frac{u_\theta}{r} \frac{\partial T}{\partial \theta} + \frac{u_\varphi}{r\sin\theta} \frac{\partial T}{\partial z}$$

$$= a \left[\frac{1}{r^2} \frac{\partial}{\partial r} \left(r^2 \frac{\partial T}{\partial r} \right) + \frac{1}{r^2\sin\theta} \frac{\partial}{\partial \theta} \left(\sin\theta \frac{\partial T}{\partial \theta} \right) + \frac{1}{r^2 \sin^2\theta} \frac{\partial^2 T}{\partial \varphi^2} \right] \tag{2-101}$$

式中，u_r、u_θ 和 u_φ 分别表示速度在 r、θ 和 φ 方向的分量；θ' 表示时间。

2.6　传递现象基本方程的类比

在速度场、温度场和浓度场中分别进行微元衡算，得到了描述传递现象的基本方程。在本章 2.2 节中，已经给出了描述传递现象的通用微分方程组，为了更清楚地看出上述这些微分衡算方程之间的类似性质，以下采用直角坐标下的传递现象基本方程做进一步说明。

在重力场当中，不可压缩黏性流体的运动方程的形式为

$$\rho \left(\frac{\partial u_x}{\partial \theta} + u_x \frac{\partial u_x}{\partial x} + u_y \frac{\partial u_x}{\partial y} + u_z \frac{\partial u_x}{\partial z} \right) = \mu \left(\frac{\partial^2 u_x}{\partial x^2} + \frac{\partial^2 u_x}{\partial y^2} + \frac{\partial^2 u_x}{\partial z^2} \right) - \frac{\partial p}{\partial x} + \rho g_x \tag{2-102a}$$

$$\rho \left(\frac{\partial u_y}{\partial \theta} + u_x \frac{\partial u_y}{\partial x} + u_y \frac{\partial u_y}{\partial y} + u_z \frac{\partial u_y}{\partial z} \right) = \mu \left(\frac{\partial^2 u_y}{\partial x^2} + \frac{\partial^2 u_y}{\partial y^2} + \frac{\partial^2 u_y}{\partial z^2} \right) - \frac{\partial p}{\partial y} + \rho g_y \tag{2-102b}$$

$$\rho \left(\frac{\partial u_z}{\partial \theta} + u_x \frac{\partial u_z}{\partial x} + u_y \frac{\partial u_z}{\partial y} + u_z \frac{\partial u_z}{\partial z} \right) = \mu \left(\frac{\partial^2 u_z}{\partial x^2} + \frac{\partial^2 u_z}{\partial y^2} + \frac{\partial^2 u_z}{\partial z^2} \right) - \frac{\partial p}{\partial z} + \rho g_z \tag{2-102c}$$

式中，g_x、g_y、g_z 分别为重力加速度在 x、y、z 方向上的分量。

将式（2-102）写成随体导数形式，则为

$$\rho \frac{\mathrm{D}\boldsymbol{u}}{\mathrm{D}\theta} = -\nabla p + \mu \nabla^2 \boldsymbol{u} + \rho \boldsymbol{g} \tag{2-103a}$$

或写成

$$\frac{\mathrm{D}\boldsymbol{u}}{\mathrm{D}\theta} = -\frac{1}{\rho} \nabla p + \nu \nabla^2 \boldsymbol{u} + \boldsymbol{g} \tag{2-103b}$$

在流速不很高的系统中可不考虑黏性损耗，则包含内热源的不可压缩黏性流体的能量方程为

$$\frac{\partial T}{\partial \theta} + u_x \frac{\partial T}{\partial x} + u_y \frac{\partial T}{\partial y} + u_z \frac{\partial T}{\partial z} = a \left(\frac{\partial^2 T}{\partial x^2} + \frac{\partial^2 T}{\partial y^2} + \frac{\partial^2 T}{\partial z^2} \right) + \dot{q} \tag{2-104a}$$

将上式写成随体导数形式，则

$$\frac{\mathrm{D}T}{\mathrm{D}\theta} = a \nabla^2 T + \dot{q} \tag{2-104b}$$

以摩尔浓度表示的组分 A 的扩散方程为

$$\frac{\mathrm{D}c_A}{\mathrm{D}\theta} = D_{AB} \nabla^2 c_A + \dot{R}_A \tag{2-105}$$

比较式（2-103b）、式（2-104b）和式（2-105），可以看出，它们在形式上是完全类似的。分别反映了质量传递过程、动量传递过程和能量传递过程的普遍特性。

实际上，在本章一开始就推导出了传递现象的通用微分方程。它们都由非定常项、对流项、分子扩散项和源项组成。由于温度和浓度同为标量，因而在现象方程的表述形式上完全一致。

既然这些方程是类似的，那么质量传递过程、动量传递过程和能量传递过程必然具有类似的普遍特性，而且求解方法也必然是类似的。

一般说来，方程与物理现象相对应。若一个方程同时表述了几种物理现象，则该几个物理现象之间就必然有一定联系。若本质相同，称现象相似；若本质不同，称现象类似。这样，通过类似，可以推出另一现象的关系，如用传热系数求传质系数。但因物理现象本质不同，可能与实际结果相差很大，或者只能在一定条件下才能进行类比。

一般三维传热和传质机理相似，均为矢量表达公式，二维、三维的动量传递表达为张量公式。因此传热问题和传质问题的相似性更强，这点将在以后讨论。另外，关于传热的结果在文献上可以找到很多，而关于传质的结果则相对较少，因此，利用这种类似性可以为理论研究或实验分析提供方便。

2.7　传递现象基本方程的分析和求解

一个封闭的微分方程组，加上适当的初始条件和边界条件，才可能确定具体的解，从而构成一个定解问题。一个定解问题是否符合实际情况，可以从三个方面加以检验。

（1）解的存在性，即看所归结出来的定解问题是否有解。

（2）解的唯一性，即看是否只有一个解。

（3）解的稳定性，即看当定解条件有微小变动时，解是否相应地只有微小的变动，如果确实如此，则称此解是稳定的。

如果一个定解问题存在唯一且稳定的解，则此问题称为适定的。

2.7.1　定解条件

传递现象基本方程均是根据普遍的物理定律推导出来的。这些方程均是泛定方程，表述的是传递现象所遵循的共同规律，是描述过程的模型方程。千差万别的传递过程都必须满足这些通用方程。它们全然没有涉及过程的具体特点，其中除 N-S 方程组由于应用了牛顿黏性定律而只限用于牛顿流体外，其他方程均没有限定适用范围。即使 N-S 方程仅限于牛顿流体，由于未界定应用几何条件，可用于管内流动、平面流、绕流等各种流动。所有这些流动过程都必须满足上述通用方程。因此为了描述某一个物理现象必须对这些方程列出定解条件，即对方程加以限制，使其只描述某一个具体传递过程的物理现象。通用的基本方程组加上相应的定解条件就构成了描述具体传递过程的完整的数学模型。

一般说来，传递现象基本方程的定解类型可分三类，第一类是所谓初值问题，即只有初始条件而无边值条件的定解问题，也称柯西问题；第二类则是所谓边值问题，即只有边界条件而无初始条件的定解问题；第三类为混合问题，即既有初始条件又有边值条件的定解问题。定解问题的分类关系到求解方法的选择，如拉普拉斯法只能求解初值问题，在数值解法中初值问题和边值问题所采用的计算方法是不同的。

定解条件包括初始条件和边界条件。

2.7.1.1 初始条件

初始条件就是初始时刻传递现象应该满足的初始状态。即在过程的初始时刻，$\theta = \theta_0 = 0$ 时，各物理量的分布情况。可具体表述如下

$$\begin{cases} \boldsymbol{u}(x,y,z,\theta_0) = \boldsymbol{u}_1(x,y,z) \\ p(x,y,z,\theta_0) = p_1(x,y,z) \\ \rho(x,y,z,\theta_0) = \rho_1(x,y,z) \\ T(x,y,z,\theta_0) = T_1(x,y,z) \end{cases} \tag{2-106}$$

式中，右边函数都是给定的已知函数，即 $\boldsymbol{u}$、p、ρ、T 等在 $\theta_0 = 0$ 时的值。其所给出的是整个系统的状态，而非某个局部的状态。显然对于稳态过程，没有初始条件，也不需要给定初始条件。

2.7.1.2 边界条件

边界条件指的是在空间边界上传递现象方程应当满足的条件。它的形式是多种多样的，需要结合具体场合进行具体分析。例如，当黏性流体沿不透壁（不可穿透的静止固体壁面）表面运动时，紧贴壁面处的流体速度为零；当壁面运动时，近壁面处流体速度与壁面运动速度相等。边界条件多种多样，需要结合具体问题进行具体分析而定。

A 固体壁面处的速度条件

对于黏性流体，由于流体粘附于固体壁面上，所以壁面上某一点流体的速度就是壁面上该点的速度。如果固体壁面是静止的，则粘附于此固体壁上流体的速度处处为零。将这种情况称作粘附条件或无滑脱条件。

如果固体壁面是由多孔介质组成的（例如固体催化剂、分子筛和某些膜），流体可穿过介质的孔进行渗透，此时，流体在壁面处的切向速度分量等于零，而与固体壁面相垂直的法向速度分量等于流体穿过壁面的速度。

理想流体的黏性力为零，因此，流体与固定壁面之间不存在切向应力。另外，理想流体是沿固体壁面做绕流运动，而绕流运动相对于壁面的法向速度等于零。

B 固体壁面处的温度条件

固体壁面处的温度条件，常见的有下列几种形式。

（1）若固体表面是绝热的，则在固体壁面处，流体的法向温度梯度为零，即 $\partial T/\partial n = 0$。

（2）若固体壁面是等温的，则在固体壁面处，流体温度等于壁面温度。

（3）对于由多孔介质组成的固体壁面，如果是由流体主体通过壁面向其内部扩散，此时流体温度与壁面温度相等；如果是通过壁面扩散至流体，则流体温度与固体壁面温度不一定相等。

（4）非稳态导热时的初始条件和边界条件。对于固体物质的非稳态导热，需同时给出初始条件和边界条件。如前所述，初始条件是导热开始瞬间的物体内部的温度分布，即

$$\theta = \theta_0 = 0, T(x,y,z,\theta_0) = T_0(x,y,z)$$

以下结合物体边界处温度随时间的变化情况，来具体说明该情况下的边界条件。

1）第一类边界条件。已知函数在边界上的值，又称狄黎科莱条件。如给出任意时刻物体两端的温度，即

$$\begin{cases} T(x,\theta) \Big|_{x=0} = T_1(\theta) \\ T(x,\theta) \Big|_{x=L} = T_2(\theta) \end{cases} \tag{2-107}$$

式中，$T_1(\theta)$ 和 $T_2(\theta)$ 表示在导热进行的时间 $(0,\theta)$ 内已知的温度函数，最简单的情况为两端均恒温，且分别为 T_A 和 T_B，即

$$\begin{cases} T(x,\theta) \Big|_{x=0} = T_A \\ T(x,\theta) \Big|_{x=L} = T_B \end{cases} \tag{2-108}$$

上述边界条件适用于物体与周围流体之间的对流传热热阻很小的情况。

2）第二类边界条件。给出任意时刻物体两端的热通量，即已知函数在边界上的导数值，称为诺曼条件。如具体针对温度梯度，有

$$\begin{cases} \lambda \dfrac{\partial T}{\partial x} \Big|_{x=0} = \varphi_1(\theta) \\ \lambda \dfrac{\partial T}{\partial x} \Big|_{x=L} = \varphi_2(\theta) \end{cases} \quad \text{或} \quad \begin{cases} \dfrac{\partial T}{\partial x} \Big|_{x=0} = f_1(\theta) \\ \dfrac{\partial T}{\partial x} \Big|_{x=L} = f_2(\theta) \end{cases} \tag{2-109}$$

式中，$f_1(\theta)$、$f_2(\theta)$ 为已知函数，即给出了两个端点处的温度梯度随时间变化的关系。

3）第三类边界条件。给出某边界条件上因变量与因变量导数之间的关系。常见的为线性关系，称为混合边界条件。如物体两端与周围介质进行对流传热，且任意时刻各端面的导热热通量均等于表面与流体之间的对流传热通量，即

$$\begin{cases} \lambda \dfrac{\partial T}{\partial x} \Big|_{x=0} = \alpha(T_{w0} - T_b) = q \Big|_{x=0} \\ \lambda \dfrac{\partial T}{\partial x} \Big|_{x=L} = -\alpha(T_{wL} - T_b) = q \Big|_{x=0} \end{cases} \tag{2-110}$$

式中，λ 为热导率，α 为物体表面与流体之间的对流传热系数，二者均为定值；T_{w0} 和 T_{wL} 分别表示在两端面 $x=0$ 和 $x=L$ 处的温度，它们均随时间而变化；T_b 表示周围介质温度。式中正负号是因为两个端面的温度梯度方向相反。式（2-110）还可写为

$$\left[\dfrac{\partial T}{\partial x} - \dfrac{\alpha}{\lambda}(T_{w0} - T_b) \right]_{x=0} = 0$$

$$\left[\dfrac{\partial T}{\partial x} - \dfrac{\alpha}{\lambda}(T_{wL} - T_b) \right]_{x=L} = 0$$

如果物体内部某处（如 $x=0$ 处）为温度分布曲线对称点，由于温度梯度在该处改变方向，故有

$$\dfrac{\partial T}{\partial x} \Big|_{x=0} = 0$$

从传递现象方面讲，也可认为是给出了界面上的现象公式。

C　两种介质界面处的边界条件

两种介质的界面可以是气、液、固三相中任意两相的界面，也可以是同一相中的两个不同组分介质的界面。例如气-固界面、气-液界面、液-液界面等。上述固体壁面处的边界条件，就是两种介质界面处边界条件的特例。以下讨论相界面处的速度、温度和浓度条件。

如果界面处两介质互不渗透，而且在运动过程中界面恒定不变，即满足界面不发生分离的连续条件，则在界面处的法向速度分量应当连续。此时存在如下关系

$$(u_n)_{介质1} = (u_n)_{介质2} \tag{2-111}$$

则两相界面处切向速度分量和温度应当满足的条件为

$$\begin{cases} \boldsymbol{u}_{介质1} = \boldsymbol{u}_{介质2} \\ T_{介质1} = T_{介质2} \end{cases} \tag{2-112}$$

式中，$\boldsymbol{u}$ 包含了法向速度分量和切向速度分量，m/s。式（2-112）对理想流体是不成立的，此时 $\boldsymbol{u}$ 和 T 在界面上是间断的。

密度或浓度在两介质界面上一般是间断的。由式（2-111）可知，若介质 1 和介质 2 不相混合，即若

$$\begin{cases} \rho_{介质1} \neq \rho_{介质2} \\ c_{介质1} \neq c_{介质2} \end{cases} \tag{2-113}$$

式中，c 为介质的物质的量浓度，$kmol/m^3$，则在相界面处，密度（浓度）必须是间断的。当两介质之间存在着温度梯度时，除了在界面处温度连续外，通过界面的热通量也应该相等，即

$$\left(\lambda \frac{\partial T}{\partial n} \right)_{介质1} = \left(\lambda \frac{\partial T}{\partial n} \right)_{介质2} \tag{2-114}$$

D　无穷远处的边界条件

无穷远处的边界条件可表示为

$$\begin{cases} \boldsymbol{u} \Big|_{r \to \infty} = \boldsymbol{u}_{\infty} \\[2mm] p \Big|_{r \to \infty} = p_{\infty} \\[2mm] \rho \Big|_{r \to \infty} = \rho_{\infty} \\[2mm] T \Big|_{r \to \infty} = T_{\infty} \end{cases} \tag{2-115}$$

E　自由表面处的边界条件

气-液相界面是两种介质界面情况的一个特例。由于气-液相界面处的切应力是连续的，因此有

$$\mu_{液} \frac{\partial u_x}{\partial y} = \mu_{气} \frac{\partial u_x}{\partial y} \tag{2-116}$$

在式（2-116）中，假设 $\mu_{气} / \mu_{液} \approx 0$，则在自由表面上 $\mu_{液} \frac{du_x}{dy} = 0$，切向应力 $\tau_{yx} = 0$。

化工过程及设备千变万化，如何正确选用边界条件，进而正确简化方程是传递现象中的一大难题，也是传递过程的学习中应注意的重点内容之一。

2.7.2 奈维-斯托克斯方程组的适定性和适用性分析

奈维-斯托克斯方程组定解问题的适定性非常复杂，一般只能从流动的实际表现来描述这一问题。

解的存在性没有任何问题，因为任何初边值条件下实际的物理流动总是存在的，所以如果承认奈维-斯托克斯方程组是能正确反映实际流动的数学模型，而且定解条件规定得正确，则解应是存在的。

解的唯一性和稳定性应分不同的流态来讨论。其中低雷诺数对应于层流运动。对这种流动，若规定正确的定解条件，则解是唯一的，稳定的。实验和理论均可证实这一结论。实验还进一步发现，对于同样的边界条件，若有两种不同的初始扰动，且扰动能量不大，对于足够低的雷诺数，这些初始扰动会逐渐衰减而最终消失，而整个流场则趋于完全相同的稳态流动。

高雷诺数的流动就不完全一样了，方程可以有多种解，解的非唯一性是其特征。从数学上说，给定的初始条件和边界条件与给定了系数的奈维-斯克托斯方程组构成了一个确定性的动力学系统，这个系统应给出一个确定性的过程。但在雷诺数高时，这种过程对初始条件极其敏感，它会仅由于初始条件的微小差别而发展成完全不同的流动。所以，从物理上看，这种确定性系统也可能得到类似于随机的、非确定性的结果。这些现象都与奈维-斯托克斯方程组的非线性有关，它们涉及分叉、混沌、稳定性和湍流理论，难以归入定解条件适定性的经典理论范畴。

奈维-斯托克斯方程组是根据普遍的物理定律建立起来的，但推导过程中引入了一些假设。方程组的适用性问题实质上就是这些假设是否正确的问题。所引入的假设，主要有两个，即广义牛顿黏性定律和连续介质假设。对于工业过程常见的流体，如水和空气，牛顿黏性定律有很宽的适用范围，只要不用于研究激波厚度内的结构等特殊问题，该公式总是可以用的。

关于连续介质的假设，许多流体力学方面的研究和实验已论证了它通常是可用的。但它是否可用于湍流呢？研究和实验表明，只要最小漩涡的尺度大大超过分子平均自由行程，这个假设就是可用的。

总之，除了稀薄空气和个别特殊情况，奈维-斯托克斯方程组能够适用于水和空气一类流体，无论是层流状态还是湍流状态。

2.7.3 方程的数学性质及其解析方法

2.7.3.1 方程的数学性质

在前面我们已经推导出黏性流体流动的基本方程组，方程组是二阶非线性偏微分方程。对于非线性偏微分方程，除了在少数特定条件下能够简化得出其解析解之外，一般情况下需要应用数值分析方法来求解。对于一个具体的问题，哪个数值分析方法最适用，取决于控制此流动的偏微分方程的类型。

根据偏微分方程理论，可按方程组的数学性质将其分为不同的类型。这是因为定解条件的提法、解的性质以及数值求解过程的基本方式都是由方程的类型决定的。

数学上，一般的二阶偏微分方程可表示为

$$A \frac{\partial^2 \Phi}{\partial x^2} + B \frac{\partial^2 \Phi}{\partial x \partial y} + C \frac{\partial^2 \Phi}{\partial y^2} = D \tag{2-117}$$

式中，系数 A、B、C 和 D 可能是 x、y、Φ、$\frac{\partial \Phi}{\partial x}$、$\frac{\partial \Phi}{\partial y}$ 的非线性函数，但不包含 Φ 的二阶偏导数。此方程的类型可由判别式 $\Delta = (B^2 - 4AC)$ 来初步判定。

（1）若 $\Delta = (B^2 - 4AC) < 0$，则方程为椭圆形。

（2）若 $\Delta = (B^2 - 4AC) = 0$，则方程为抛物线形。

（3）若 $\Delta = (B^2 - 4AC) > 0$，则方程为双曲线形。

由此可以看出，拉普拉斯方程 $\frac{\partial^2 \Phi}{\partial x^2} + \frac{\partial^2 \Phi}{\partial y^2} = 0$，属椭圆形方程；波动方程 $\frac{\partial^2 \Phi}{\partial x^2} - \frac{\partial^2 \Phi}{\partial y^2} = 0$，属双曲形方程；扩散方程 $\frac{\partial \Phi}{\partial \theta} = A \frac{\partial^2 \Phi}{\partial x^2}$ 则属抛物形方程。

若用特征线理论分析上述三种方程，则双曲形方程具有一对实特征曲线；抛物形方程的一对实特征曲线退化为一条特征曲线；椭圆形方程没有特征曲线。

奈维-斯托克斯方程组的分类和数学性质虽然原则上可以偏微分方程组的特征理论来研究，但具体分析很复杂，目前还没有完全解决。

2.7.3.2　传递现象微分方程的解析方法

应用理论解析方法处理非线性问题是十分复杂和困难的，至今还没有一般的理论方法适合于处理各种形式的非线性问题，而处理线性问题的方法则较多。对一些具体问题，可以通过分析，简化方程，略去方程中的某些次要项，然后进行解析求解。以下简单介绍几种常见的理论解析方法。

（1）变量置换法。变量置换法是将含 n 个自变量的偏微分方程经适当的变量置换转变为常微分方程进行求解，同时，边界条件也相应减少，用以置换的变量一般可由偏微分方程的因次分析得出。这种方法通常应用于求解无限空间的非稳态传递问题。

（2）分离变量法。分离变量法是引入（$n - 1$）个分离常数，使含有 n 个自变量的偏微分方程分离成 n 个常微分方程，然后进行求解。

（3）拉普拉斯变换法。拉普拉斯变换法是从偏微分方程中除去对时间的偏导数，使方程简化成只含空间变量的常微分方程进行求解，然后将所得到的解进行逆变换。拉普拉斯变换对于求解常系数线性偏微分方程极为方便，因此在非稳态传递问题中被广泛采用。

（4）积分变换法。积分变换法是消去偏微分方程中对空间变量的偏导数，使方程简化为常微分方程，由变换后的初始条件，将所得解逐次进行逆变换，进行齐次或非齐次线性偏微分方程求解的一种直接方法。

上述理论解析方法又称作精确解法。除此之外，对于精确解法不能解决的一些复杂问题，需要采用近似求解的方法，如数值计算法、图解法等。

习　　题

1. 试写出质量浓度 ρ 对时间的全导数和随体导数，并由此说明全导数和随体导数的物理意义。

2. 对于下述各种运动情况，试采用适当坐标系的一般化连续性方程描述，并结合下述具体条件将一般化连续性方程加以简化，指出简化过程的依据。

（1）在矩形截面管道内，可压缩流体做稳态一维流动；

（2）在平板壁面上不可压缩流体做稳态二维流动；

（3）在平板壁面上可压缩流体做稳态二维流动；

（4）不可压缩流体在圆管中做轴对称的轴向稳态流动；

（5）不可压缩流体做球心对称的径向稳态流动。

3. 加速度向量可表示为 $\dfrac{\mathrm{D}\boldsymbol{u}}{\mathrm{D}\theta}$，试写出直角坐标系中加速度分量的表达式，并指出何者为局部加速度的项，何者为对流加速度的项。

4. 某一流场的速度向量可以下式表述

$$\boldsymbol{u}(x,y) = 5x\boldsymbol{i} - 4y\boldsymbol{j}$$

试写出该流场随体加速度向量 $\dfrac{\mathrm{D}\boldsymbol{u}}{\mathrm{D}\theta}$ 的表达式。

5. 试参照以应力分量形式表示的 x 方向的运动方程（2-55a）

$$\rho \frac{\mathrm{D}u_x}{\mathrm{D}\theta} = \rho X + \frac{\partial \tau_{xx}}{\partial x} + \frac{\partial \tau_{yx}}{\partial y} + \frac{\partial \tau_{zx}}{\partial z}$$

的推导过程，导出 y 方向和 z 方向的运动方程（2-55b）和（2-55c），即

$$\rho \frac{\mathrm{D}u_y}{\mathrm{D}\theta} = \rho Y + \frac{\partial \tau_{xy}}{\partial x} + \frac{\partial \tau_{yy}}{\partial y} + \frac{\partial \tau_{zy}}{\partial z}$$

$$\rho \frac{\mathrm{D}u_z}{\mathrm{D}\theta} = \rho Z + \frac{\partial \tau_{xz}}{\partial x} + \frac{\partial \tau_{yz}}{\partial y} + \frac{\partial \tau_{zz}}{\partial z}$$

3 流体运动方程的应用

N-S 方程组描述了传递现象的普适规律，给出了通用的微分方程数学模型。但由于方程的非线性特征，一般情况下，无法在数学上求得其解析解。在附加一定条件或假设的情况下，通过简化 N-S 方程，可获得方程的解析解。本章将结合具体问题，讨论不可压缩流体层流运动时流体运动方程简化求解的方法。

动量传递速率亦即流体流动阻力，是研究黏性流体动量传递的主要内容之一。要计算流动阻力的大小，首先必须确定阻力系数。流体流动的方式有两种类型，即流体在封闭通道内的流动和围绕浸没物体的流动（绕流流动）。前者如流体在管路中的流动，后者则如流体在平壁上的流动、喷洒塔和填充床内的流动、粒子沉降等。对应于不同的流动类型，阻力系数的定义也不同。

绕流流动时，壁面将受到流体施加的曳力，相应地，流体将受到壁面的阻力。二者大小相等，方向相反。定义阻力系数 C_D 为

$$C_D = \frac{2F_d}{\rho u_0^2 A} \tag{3-1a}$$

式中，F_d 为绕流体对流体施加的总阻力，包括形体阻力和摩擦阻力；u_0 是远离绕流体表面的流体主体流速；A 为绕流体表面的受力面积。阻力系数 C_D 又称曳力系数。

流体在封闭的通道中流动时，黏性摩擦阻力所导致的能量消耗，表现为沿程压力降。工程上常常表达为

$$-\Delta p = \lambda \frac{L}{d} \frac{\rho u_m^2}{2}$$

式中，$-\Delta p$ 为压力降；λ 称为摩擦阻力系数；u_m 为流体的平均流速；d 为流道直径；L 为流道长度。

定义范宁摩擦系数 f

$$f = \frac{2\tau_w}{\rho u_m^2} \tag{3-1b}$$

式中，τ_w 为流道壁面剪应力，$\tau_w = -\frac{\Delta p}{4L} d$。

可见，λ 和 f 的关系为：$f = \frac{1}{4}\lambda$。C_D 和 f 均为雷诺数的函数，是在计算动量传递过程速率时首先需要确定的传递系数。

3.1 不可压缩流体稳态层流时运动方程的解析解

对于静止流体，直角坐标系下奈维-斯托克斯方程可进一步简化为

$$\frac{\partial p}{\partial x} = \rho X, \quad \frac{\partial p}{\partial y} = \rho Y, \quad \frac{\partial p}{\partial z} = \rho Z \tag{3-2a}$$

在重力场中可写成

$$\frac{\partial p}{\partial x} = \rho g_x, \frac{\partial p}{\partial y} = \rho g_y, \frac{\partial p}{\partial z} = \rho g_z \qquad (3-2b)$$

式（3-2b）即为流体平衡微分方程，又称欧拉平衡微分方程。式中的压力项 p 即为流体的静压力，亦即所谓的表面力 p_s。

流体运动过程中，其压力包括静压力和动压力两部分，静压力系流体静止时呈现的压力，是由外力场所造成的；而动压力则是在流体流动时所产生的，动压梯度是流体流动的推动力。N-S 方程中压力项 $p = p_s + p_d$，p_d 代表动压力。将式（3-2b）代入不可压缩流体的 N-S 方程（2-102）中，可得

$$\rho \left(\frac{\partial u_x}{\partial \theta} + u_x \frac{\partial u_x}{\partial x} + u_y \frac{\partial u_x}{\partial y} + u_z \frac{\partial u_x}{\partial z} \right) = \mu \left[\frac{\partial^2 u_x}{\partial x^2} + \frac{\partial^2 u_x}{\partial y^2} + \frac{\partial^2 u_x}{\partial z^2} \right] - \frac{\partial p_d}{\partial x} \qquad (3-3a)$$

$$\rho \left(\frac{\partial u_y}{\partial \theta} + u_x \frac{\partial u_y}{\partial x} + u_y \frac{\partial u_y}{\partial y} + u_z \frac{\partial u_y}{\partial z} \right) = \mu \left[\frac{\partial^2 u_y}{\partial x^2} + \frac{\partial^2 u_y}{\partial y^2} + \frac{\partial^2 u_y}{\partial z^2} \right] - \frac{\partial p_d}{\partial y} \qquad (3-3b)$$

$$\rho \left(\frac{\partial u_z}{\partial \theta} + u_x \frac{\partial u_z}{\partial x} + u_y \frac{\partial u_z}{\partial y} + u_z \frac{\partial u_z}{\partial z} \right) = \mu \left[\frac{\partial^2 u_z}{\partial x^2} + \frac{\partial^2 u_z}{\partial y^2} + \frac{\partial^2 u_z}{\partial z^2} \right] - \frac{\partial p_d}{\partial z} \qquad (3-3c)$$

写成向量形式为

$$\frac{\mathrm{D}\boldsymbol{u}}{\mathrm{D}\theta} = -\frac{1}{\rho} \nabla p_d + \nu \nabla^2 \boldsymbol{u} \qquad (3-3d)$$

式（3-3）即为以动压力表示的流体运动方程。动压力的引入，可以使方程中不再出现重力项，从而使得方程的求解变得容易。一般说来，只有在问题的边界条件中仅含速度时，采用动压力表示的运动方程求解才是有效的。通常对于封闭通道中的流体流动问题均可以采用该方程求解，但对于有自由表面的流动则不宜采用该式。上述公式仅适用于不可压缩流体。

3.1.1　具有封闭界面的流体流动

3.1.1.1　流体在两平行平板间的流动

如图 3-1 所示，设两无限大静止平板，间距为 $2b$，不可压缩流体在其间沿 x 方向流动，此时可方便的采用直角坐标下的 N-S 方程。z 轴过原点垂直于纸面，z 方向为无穷大，在该方向不发生流体流动。

A　运动微分方程的化简

第 2 章式（2-26）给出了稳定流动下不可压缩流体的连续性方程

$$\frac{\partial u_x}{\partial x} + \frac{\partial u_y}{\partial y} + \frac{\partial u_z}{\partial z} = \nabla \cdot \boldsymbol{u} = 0$$

对不可压缩流体一维稳定的层流流动，因 $u_y = 0$，$u_z = 0$，故连续性方程简化为 $\frac{\partial u_x}{\partial x} = 0$，或写为 $\frac{\mathrm{d} u_x}{\mathrm{d} x} = 0$。即在充分发展的区域内，

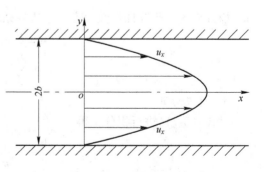

图 3-1　平壁间的稳态层流

$\dfrac{\partial u_x}{\partial x} = 0$（沿 x 方向流速不变）。相应地，$\dfrac{\partial^2 u_x}{\partial x^2} = 0$。

直角坐标系中，以动压力表示的不可压缩流体 x 方向的 N-S 方程式（3-3a）为

$$\rho\left(\frac{\partial u_x}{\partial \theta} + u_x\frac{\partial u_x}{\partial x} + u_y\frac{\partial u_x}{\partial y} + u_z\frac{\partial u_x}{\partial z}\right) = \mu\left[\frac{\partial^2 u_x}{\partial x^2} + \frac{\partial^2 u_x}{\partial y^2} + \frac{\partial^2 u_x}{\partial z^2}\right] - \frac{\partial p_d}{\partial x}$$

以下结合具体流动情况对式（3-3a）进行简化。不可压缩流体，$\rho =$ 常数；一维稳定流动，$\dfrac{\partial u_x}{\partial \theta} = 0$，$u_y = 0$，$u_z = 0$；连续性方程为 $\dfrac{\partial u_x}{\partial x} = 0$。在上述条件下，$N$-$S$ 方程简化为

$$\frac{\partial^2 u_x}{\partial^2 y} + \frac{\partial^2 u_x}{\partial^2 z} = \frac{1}{\mu}\frac{\partial p_d}{\partial x} \tag{3-4}$$

由于设定流道在 z 向是无限宽的，故可以认为 u_x 不随流道的宽度方向而改变。即 $\dfrac{\partial u_x}{\partial z} = 0$，所以有 $\dfrac{\partial^2 u_x}{\partial^2 z} = 0$，这样，式（3-4）又可以简化为

$$\frac{\partial^2 u_x}{\partial^2 y} = \frac{1}{\mu}\frac{\partial p_d}{\partial x} \tag{3-5}$$

该式为二阶线性偏微分方程。以下讨论如何化为常微分方程以便求解。

稳态流动，u_x 仅为空间坐标的函数，与时间无关。又因 $\dfrac{\partial u_x}{\partial x} = 0$，$\dfrac{\partial u_x}{\partial z} = 0$，所以，$u_x$ 只是 y 的函数。上式中的偏导数可以写成常导数，即 $\dfrac{\partial^2 u_x}{\partial^2 y}$ 可以写成 $\dfrac{d^2 u_x}{d^2 y}$。

对动压力 p_d 可做同样分析。y 方向和 z 方向有 $\dfrac{\partial p_d}{\partial y} = 0 = \dfrac{\partial p_d}{\partial z}$，故动压力梯度 $\dfrac{\partial p_d}{\partial x}$ 可以写成常导数形式，即式（3-5）可以写成

$$\frac{d^2 u_x}{d^2 y} = \frac{1}{\mu}\frac{dp_d}{dx} \tag{3-6}$$

分析式（3-6），可知，方程左侧 u_x 仅为 y 的函数，方程右侧 p 只是 x 的函数。而 x、y 又是两个独立变量。故欲使该方程成立，方程两侧必须等于同一常数。即有

$$\frac{d^2 u_x}{d^2 y} = \frac{1}{\mu}\frac{dp_d}{dx} = 常数 \tag{3-7}$$

该方程为二阶线性常微分方程。边界条件为

$$y = \pm b, u_x = 0（壁面） \tag{3-8a}$$

$$y = 0, \frac{du_x}{dy} = 0（对称面） \tag{3-8b}$$

B   速度分布

对式（3-7）进行积分，得

$$\frac{du_x}{dy} = \frac{1}{\mu}\frac{dp_d}{dx}y + C_1 \tag{3-9}$$

利用边界条件（3-8b），可得 $C_1 = 0$，则式（3-9）变为

$$\frac{\mathrm{d}u_x}{\mathrm{d}y} = \frac{1}{\mu}\frac{\mathrm{d}p_d}{\mathrm{d}x}y \tag{3-10}$$

对式（3-10）积分

$$\int_0^{u_x} \mathrm{d}u_x = \frac{1}{\mu}\frac{\mathrm{d}p_d}{\mathrm{d}x}\int_b^y y\mathrm{d}y$$

则可得到速度分布

$$u_x = -\frac{1}{2\mu}\frac{\mathrm{d}p_d}{\mathrm{d}x}(b^2 - y^2) \tag{3-11}$$

可见，不可压缩流体在平壁间稳态层流时，速度分布为抛物线形。

C 最大流速 u_{max} 和平均流速 u_m

由式（3-11）可见，在两平壁中心处，即当 $y = 0$ 时，速度最大，由此可得

$$u_{max} = -\frac{1}{2\mu}\frac{\mathrm{d}p_d}{\mathrm{d}x}b^2 \tag{3-12}$$

比较式（3-11）和式（3-12），可以得到流速和最大流速之间的关系为

$$u_x = u_{max}\left[1 - \left(\frac{y}{b}\right)^2\right] \tag{3-13}$$

式（3-13）亦称为速度分布式。因 u_{max} 较易求取，该式应用较为方便。

一般用平均流速来代表流体流动的主体流速。在流动方向上，取单位宽度，流道截面积为 $A = 2b \times 1$，则通过该流通截面的体积流率为

$$V_s = 2\int_0^b u_x\mathrm{d}y \tag{3-14}$$

将式（3-11）代入式（3-14）积分，得

$$V_s = -\frac{2}{3\mu}\frac{\mathrm{d}p_d}{\mathrm{d}x}b^3 \tag{3-15}$$

由平均速度的定义可得

$$u_m = \frac{V_s}{A} = \frac{V_s}{2b} = -\frac{1}{3\mu}\frac{\mathrm{d}p_d}{\mathrm{d}x}b^2 = \frac{b^2}{3\mu}\left(-\frac{\mathrm{d}p_d}{\mathrm{d}x}\right) \tag{3-16}$$

比较式（3-12）和式（3-16），可知平均速度与最大速度之间的关系为

$$u_m = \frac{2}{3}u_{max} \tag{3-17}$$

若以平均速度为参考值，则速度分布为

$$\frac{u_x}{u_m} = \frac{3}{2}\left[1 - \left(\frac{y}{b}\right)^2\right] \tag{3-18}$$

由式（3-16）还可求得 x 方向压力梯度的表达式，即

$$\frac{\mathrm{d}p_d}{\mathrm{d}x} = -\frac{3}{b^2}\mu u_m \tag{3-19a}$$

由于流道水平，设流道长度为 L，则可直接得到计算流动阻力的表达式

$$-\frac{\Delta p}{L} = -\frac{\mathrm{d}p_d}{\mathrm{d}x} = \frac{3}{b^2}\mu u_m \tag{3-19b}$$

实际应用时，应注意对于矩形流动断面，判别流动状态时应采用当量直径。

若上板以一定速度平行于固定的下板做匀速运动，同时带动两板之间的流体运动，并且流体为牛顿流体，具有这种特点的流动一般称为库特流。此时仍然可以用式（3-7）来描述这种运动现象。请读者自行分析。

例 3.1　10℃ 的水以 4m³/h 的流率流过一宽 1m、高 0.1m 的矩形水平管道。假定流动为已经充分发展的一维流动，试求截面上的速度分布及通过单位长度管道的压力降。

已知 10℃ 时，水的黏度为 $1.307 \times 10^{-3} Pa \cdot s$。

解： 主体平均流速 $u_m = \dfrac{4}{1 \times 0.1 \times 3600} = 0.0111 m/s$

首先判断此情况下流体的流型。因流道为矩形，故 Re 中的几何尺寸应采用当量直径 d_e 替代，d_e 的值为

$$d_e = \frac{4 \times 1 \times 0.1}{2 \times (1 + 0.1)} = 0.182 m$$

$$Re = \frac{d_e u_m \rho}{\mu} = \frac{(0.182 \times 0.0111 \times 1000)}{1.307 \times 10^{-3}} = 1546$$

故流动为层流，可采用式（3-18）确定速度分布方程，即

$$u_x = u_{max}\left(1 - \frac{y^2}{b^2}\right) = \frac{3}{2}u_m\left(1 - \frac{y^2}{b^2}\right)$$

$$= \frac{3}{2} \times 0.0111 \times \left[1 - \frac{y^2}{(0.05)^2}\right] = 6.66 \times (0.0025 - y^2)$$

每米长管道的压力降可利用式（3-19b）计算，结果为

$$-\Delta p/L = -\frac{\mathrm{d}p_d}{\mathrm{d}x} = \frac{3\mu u_m}{b^2} = \frac{3 \times 1.307 \times 10^{-3} \times 0.0111}{0.05^2} = 0.0174 N/(m^2 \cdot m)$$

3.1.1.2　圆管内的轴向稳态层流流动

考察黏性不可压缩流体在水平圆管内的稳态层流流动，流体在远离管路进出口位置做稳态层流动。管内流动属于轴对称流动，采用柱坐标系下的方程较为方便。

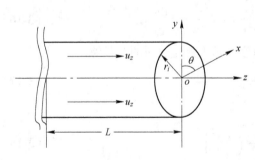

如图 3-2 所示，已知圆管直径为 d（半径为 r_i），某两个相距为 L 的截面上的压力分别为 p_1 和 p_2，以下求算速度分布、流量及管道中的阻力系数。

对于封闭管道内的流动，属于无自由表面的情况，所以采用以动压力表示的运动方程来求解较为方便。为便于表示，在以下各表达式中省去 p 的下标 d。此时基本方程组在柱坐标系中的表达式可表示如下。

图 3-2　圆管中的稳态层流

连续性方程

$$\frac{1}{r}\frac{\partial(ru_r)}{\partial r} + \frac{1}{r}\frac{\partial u_\theta}{\partial \theta} + \frac{\partial u_z}{\partial z} = 0 \tag{2-27b}$$

r 分量

$$\frac{\partial u_r}{\partial \theta'} + u_r \frac{\partial u_r}{\partial r} + \frac{u_\theta}{r} \frac{\partial u_r}{\partial \theta} + u_z \frac{\partial u_r}{\partial z} - \frac{u_\theta^2}{r} = -\frac{1}{\rho} \frac{\partial p}{\partial r} + \nu \left(\nabla^2 u_r - \frac{u_r}{r^2} - \frac{2}{r^2} \frac{\partial u_\theta}{\partial \theta} \right) \quad (3\text{-}20a)$$

θ 分量

$$\frac{\partial u_\theta}{\partial \theta'} + u_r \frac{\partial u_\theta}{\partial r} + \frac{u_\theta}{r} \frac{\partial u_\theta}{\partial \theta} + u_z \frac{\partial u_\theta}{\partial z} + \frac{u_r u_\theta}{r} = -\frac{1}{\rho r} \frac{\partial p}{\partial \theta} + \nu \left(\nabla^2 u_\theta + \frac{2}{r^2} \frac{\partial u_r}{\partial \theta} - \frac{u_\theta}{r^2} \right) \quad (3\text{-}20b)$$

z 分量

$$\frac{\partial u_z}{\partial \theta'} + u_r \frac{\partial u_z}{\partial r} + \frac{u_\theta}{r} \frac{\partial u_z}{\partial \theta} + u_z \frac{\partial u_z}{\partial z} = -\frac{1}{\rho} \frac{\partial p}{\partial z} + \nu \nabla^2 u_z \quad (3\text{-}20c)$$

其中

$$\nabla^2 = \frac{1}{r} \frac{\partial}{\partial r} \left(r \frac{\partial}{\partial r} \right) + \frac{1}{r^2} \frac{\partial^2}{\partial \theta^2} + \frac{\partial^2}{\partial z^2}$$

A 运动微分方程的化简

对如图 3-2 所示的流体沿 z 方向的一维流动，$u_r = u_\theta = 0$，所以连续性方程可以写为

$$\frac{\partial u_z}{\partial z} = 0 \quad (3\text{-}21)$$

考察 z 方向的运动方程。稳定流动，式（3-20c）中的 $\partial u_z / \partial \theta' = 0$；$u_r = u_\theta = 0$；由于在所选坐标系中速度的方向处处与 z 轴平行，即流动是轴对称的，所以 $\partial u_z / \partial \theta = 0$，进而 $\partial^2 u_z / \partial^2 \theta = 0$，将以上分析结果及式（3-21）代入式（3-20c），化简可得

$$\frac{\partial p}{\partial z} = \mu \left[\frac{1}{r} \frac{\partial}{\partial r} \left(r \frac{\partial u_z}{\partial r} \right) \right] \quad (3\text{-}22a)$$

同理，对 r、θ 方向的运动方程式（3-20a）和式（3-20b）化简，则有

$$\frac{\partial p}{\partial r} = 0 \quad (3\text{-}22b)$$

$$\frac{\partial p}{\partial \theta} = 0 \quad (3\text{-}22c)$$

由式（3-22）可知，动压力不依赖于 r 与 θ，仅是 z 的函数，即 $p = p(z)$。同时，由式（3-22a），因 $\partial u_z / \partial \theta = 0$，$\partial u_z / \partial z = 0$（连续性方程），故 u_z 只是 r 的函数。这样，式（3-22a）可写成常微分形式，并令 $u = u_z$，则此时运动方程为

$$\frac{\mathrm{d}p}{\mathrm{d}z} = \mu \left[\frac{1}{r} \frac{\mathrm{d}}{\mathrm{d}r} \left(r \frac{\mathrm{d}u}{\mathrm{d}r} \right) \right] \quad (3\text{-}23)$$

该式为二阶线性偏微分方程。并且方程右侧 u 仅与 r 有关，左侧 p 只是 z 的函数，而 r 和 z 又是两个相互独立的自变量，故该式两侧只有同等于某一常数时方程才能成立。可将式（3-23）进一步写为

$$\frac{\mathrm{d}p}{\mathrm{d}z} = \mu \left[\frac{1}{r} \frac{\mathrm{d}}{\mathrm{d}r} \left(r \frac{\mathrm{d}u}{\mathrm{d}r} \right) \right] = 常数 \quad (3\text{-}24)$$

该式的边界条件为

$$r = 0, \frac{\mathrm{d}u}{\mathrm{d}r} = 0 \quad (3\text{-}25a)$$

$$r = r_i, u = 0 \quad (3\text{-}25b)$$

B　速度分布

对式（3-24）两侧积分可得方程的通解

$$u = \frac{1}{4\mu}\frac{dp}{dz}r^2 + C_1\ln r + C_2$$

由边界条件式（3-25）可确定积分常数 C_1 和 C_2

$$C_1 = 0, C_2 = -\frac{1}{4\mu}\frac{dp}{dz}r_i^2$$

由此可得速度分布式为

$$u = \frac{1}{4\mu}\frac{dp}{dz}(r^2 - r_i^2) = -\frac{1}{4\mu}\frac{dp}{dz}(r_i^2 - r^2) \tag{3-26}$$

C　平均流速 u_m 与最大流速 u_{max}

管中心 $r = 0$ 处，最大流速为

$$u_{max} = -\frac{1}{4\mu}\frac{dp}{dz}r_i^2 \tag{3-27}$$

与式（3-26）联立，可得

$$\frac{u}{u_{max}} = 1 - \left(\frac{r}{r_i}\right)^2$$

或写成

$$u = u_{max}\left[1 - \left(\frac{r}{r_i}\right)^2\right] \tag{3-28}$$

通过圆管截面的体积流量 V_s 为

$$V_s = \int_0^{r_i} 2\pi r u dr = 2\pi\int_0^{r_i}\left[-\frac{1}{4\mu}\frac{dp}{dz}(r_i^2 - r^2)\right]r dr = -\frac{\pi r_i^4}{8\mu}\frac{dp}{dz} \tag{3-29}$$

此式称为哈根-泊肃叶公式，可用来测定 μ 值。

平均流速

$$u_m = \frac{V_s}{\pi r_i^2} = -\frac{1}{8\mu}\frac{dp}{dz}r_i^2 \tag{3-30}$$

由此可得 z 方向的压力降表达式

$$-\frac{dp}{dz} = \frac{8\mu u_m}{r_i^2} \tag{3-31}$$

比较式（3-27）与式（3-30）得

$$u_m = \frac{1}{2}u_{max} \tag{3-32}$$

因此，式（3-28）又可写成

$$u = 2u_m\left[1 - \left(\frac{r}{r_i}\right)^2\right] \tag{3-33}$$

D　沿程阻力系数 λ 和范宁摩擦系数 f

流体在圆管中稳态层流时，可由前面给出的速度分布公式（3-33）求得壁面剪应力 τ_w

$$\tau_w = -\mu\frac{du}{dr}\bigg|_{r=r_i} = \frac{4\mu u_m}{r_i} \tag{3-34}$$

代入范宁摩擦系数 $f = \frac{2\tau_w}{\rho u_m^2}$ 中，可得

$$f = \frac{2\,\tau_w}{\rho u_m^2} = \frac{8\mu}{\rho r_i u_m} = \frac{16\mu}{\rho d u_m} = \frac{16}{Re} \tag{3-35a}$$

式中，$Re = \dfrac{\rho u_m \mathrm{d}}{\mu}$ 为雷诺数。

则沿程阻力系数

$$\lambda = 4f = \frac{64}{Re} \tag{3-35b}$$

上述结果只适用于远离进出口的充分发展的圆管层流流动。

3.1.1.3　套管环隙间的稳态层流流动

在热交换过程中，经常会遇到这样的情况，即一种流体在管内流动，另一种流体在套管环隙中流动，两流体通过管壁进行换热。
在此考察流体在套管环隙中的轴向稳态层流。

如图 3-3 所示，套管内管的外半径为 r_1，外管的内半径为 r_2，流动条件为不可压缩流体沿轴向（z 方向）作稳定层流流动，流道水平并远离进出口。

采用柱坐标系的 $N\text{-}S$ 方程来分析流体的运动。此时前述描述圆管内稳态层流的公式仍然适用，只不过边界条件发生了变化。即

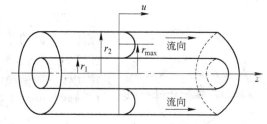

图 3-3　套管环隙中的流动

$$\frac{\mathrm{d}p}{\mathrm{d}z} = \mu \left[\frac{1}{r}\frac{\mathrm{d}}{\mathrm{d}r}\left(r\frac{\mathrm{d}u}{\mathrm{d}r}\right)\right] = 常数 \tag{3-36}$$

该式的边界条件为

$$r = r_1, u = 0 \tag{3-36a}$$
$$r = r_2, u = 0 \tag{3-36b}$$
$$r = r_{\max}, u = u_{\max}, \frac{\mathrm{d}u}{\mathrm{d}r} = 0 \tag{3-36c}$$

这里，$r_{\max}$ 为自环隙断面上最大流速 $u_{\max}$ 的位置到管中心的距离。

对式（3-24）进行一次积分，并代入边界条件式（3-36c），得

$$r\frac{\mathrm{d}u}{\mathrm{d}r} = \frac{1}{2\mu}\frac{\mathrm{d}p}{\mathrm{d}z}(r^2 - r_{\max}^2) \tag{3-37}$$

由边界条件式（3-36a），对式（3-37）进行二次积分，可得速度分布公式

$$u = \frac{1}{2\mu}\frac{\mathrm{d}p}{\mathrm{d}z}\left(\frac{r^2 - r_1^2}{2} - r_{\max}^2 \ln\frac{r}{r_1}\right) \tag{3-38a}$$

由边界条件式（3-36b）同样对式（3-37）进行二次积分，也可得到以 r_2 表达的速度分布公式

$$u = \frac{1}{2\mu}\frac{\mathrm{d}p}{\mathrm{d}z}\left(\frac{r^2 - r_2^2}{2} - r_{\max}^2 \ln\frac{r}{r_2}\right) \tag{3-38b}$$

将式（3-38a）和式（3-38b）联立，得

$$r_{\max} = \sqrt{\frac{r_2^2 - r_1^2}{2\ln(r_2/r_1)}} \tag{3-39}$$

平均流速为

$$u_m = \frac{1}{A}\iint_A u\,dA = \frac{1}{\pi(r_2^2 - r_1^2)}\int_{r_1}^{r_2} u2\pi r\,dr$$

将速度分布公式（3-38）代入并整理，可得平均流速的表达式为

$$u_m = -\frac{1}{8\mu}\frac{dp}{dz}(r_2^2 + r_1^2 - 2r_{max}^2) \tag{3-40}$$

由式（3-40）同样可以求得压力梯度 $\dfrac{dp}{dz}$。

3.1.1.4　不可压缩流体在旋转套管环隙间的周向流动

本节研究流体在两个转动的同心套管环隙间的运动现象。旋转黏度计就是根据此原理制作的。

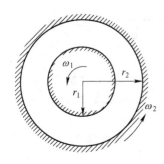

如图 3-4 所示，同轴双层圆筒间充满不可压缩的牛顿型流体，内筒的外半径为 r_1，外筒的内半径为 r_2，当内筒以角速度 ω_1 旋转、外筒以角速度 ω_2 旋转时，将带动环隙内流体按切线方向做稳定的层流流动，假设圆筒足够长，端效应可以忽略。取柱坐标系，速度的 3 个分量分别为 u_r, u_θ, u_z。

　A　流体运动方程的化简

对于这种运动现象，采用柱坐标下的 N-S 方程求解比较方便。柱坐标下的连续性方程为

$$\frac{1}{r}\frac{\partial(ru_r)}{\partial r} + \frac{1}{r}\frac{\partial(u_\theta)}{\partial \theta} + \frac{\partial(u_z)}{\partial z} = 0 \tag{2-27b}$$

图 3-4　套管环隙间流体的周向运动

由于流动对于 z 轴对称，在 r 方向没有流动，即 $u_r = 0$，且 z 方向也没有流动，$u_z = 0$，则连续性方程可简化为

$$\frac{1}{r}\frac{\partial u_\theta}{\partial \theta} = 0 \tag{3-41}$$

现对柱坐标下的奈维-斯托克斯方程式（2-82）进行分析，稳态流动 $\dfrac{\partial u_\theta}{\partial \theta'} = 0$；由于流动对旋转轴是对称的，$p$ 不随 θ 而变，所以 $\dfrac{\partial p}{\partial \theta} = 0$；设圆筒足够长，可以忽略端效应，此时 u_θ 将不随 z 而改变，所以 $\dfrac{\partial u_\theta}{\partial z} = 0$；又因 $u_r = 0$，$u_z = 0$，将以上分析结果和式（3-41），代入方程（2-82）中，方程组则可简化为

　r 分量

$$\frac{u_\theta^2}{r} = \frac{1}{\rho}\frac{\partial p}{\partial r} \tag{3-42a}$$

　θ 分量

$$\frac{\partial}{\partial r}\left(\frac{1}{r}\frac{\partial(ru_\theta)}{\partial r}\right) = 0 \tag{3-42b}$$

　z 分量

$$\frac{1}{\rho}\frac{\partial p}{\partial z} = g \tag{3-42c}$$

由式（3-42a）可见，离心力与径向压力梯度呈平衡。

B　速度分布

由前述分析结果：$\frac{\partial u_\theta}{\partial \theta} = 0$，$\frac{\partial u_\theta}{\partial z} = 0$，可见 u_θ 仅是 r 的函数。故式（3-42b）可以写成二阶常微分方程的形式

$$\frac{\mathrm{d}}{\mathrm{d}r}\left(\frac{1}{r}\frac{\mathrm{d}(ru_\theta)}{\mathrm{d}r}\right) = 0 \tag{3-43}$$

边界条件为

$$r = r_1, u_\theta = \omega_1 r_1 \tag{3-44a}$$
$$r = r_2, u_\theta = \omega_2 r_2 \tag{3-44b}$$

方程式（3-43）通解的形式为

$$u_\theta = C_1 r + \frac{C_2}{r} \tag{3-45}$$

式中，C_1、C_2 为待定积分常数。

将边界条件式（3-44）代入式（3-45），得到积分常数 C_1、C_2

$$C_1 = \frac{\omega_2 r_2^2 - \omega_1 r_1^2}{r_2^2 - r_1^2}, C_2 = \frac{(\omega_1 - \omega_2) r_1^2 r_2^2}{r_2^2 - r_1^2} \tag{3-46}$$

将所得结果代入式（3-45），则可得速度分布式

$$u_\theta = \frac{1}{r_2^2 - r_1^2}\left[r(\omega_2 r_2^2 - \omega_1 r_1^2) - \frac{r_1^2 r_2^2}{r}(\omega_2 - \omega_1)\right] \tag{3-47}$$

C　旋转黏度计的测定原理

参照第 2 章式（2-62）的推导，可以推导出柱坐标下，θ 方向上的剪应力与形变速率的关系（读者可自行推导）

$$\tau_{r\theta} = -\mu\left[r\frac{\partial}{\partial r}\left(\frac{u_\theta}{r}\right) + \frac{1}{r}\frac{\partial u_r}{\partial \theta}\right] \tag{3-48}$$

由于 $u_r = 0$，故式（3-48）可化作

$$\tau_{r\theta} = -\mu\left(\frac{\partial u_\theta}{\partial r} - \frac{u_\theta}{r}\right) \tag{3-49}$$

将速度分布方程式（3-47）代入式（3-49），化简可得

$$\tau_{r\theta} = 2\mu\frac{(\omega_2 - \omega_1) r_1^2 r_2^2}{(r_2^2 - r_1^2) r^2} \tag{3-50}$$

在旋转黏度计的设计中，通常将内筒设计为固定不动，外筒以角速度 ω_2 转动。故在该设计条件下，作用于外圆筒内壁上的剪应力为

$$\tau_{r\theta}\bigg|_{r=r_2} = 2\mu\frac{\omega_2 r_1^2}{(r_2^2 - r_1^2)} \tag{3-51}$$

若已知黏度计圆筒的长度 L，则可以得到作用于外筒内壁上的总摩擦力为

$$F = \tau_{r\theta}\bigg|_{r=r_2} \times 2\pi r_2 L = \frac{4\pi\mu\omega_2 r_2 r_1^2}{(r_2^2 - r_1^2)}L \tag{3-52}$$

外筒绕轴旋转的总摩擦力矩为

$$M = F \times r_2 = 4\pi\mu L \frac{\omega_2 r_1^2 r_2^2}{r_2^2 - r_1^2} \tag{3-53}$$

由此可得黏度的表达式

$$\mu = \frac{M(r_2^2 - r_1^2)}{4\pi L\omega_2 r_1^2 r_2^2} \tag{3-54}$$

式（3-54）可以用来测定流体的黏度，当内圆筒静止不动时，只要测出作用在内圆柱上的力矩值 M 以及 r_1、r_2 和 ω_2，按式（3-54）就可以确定流体的动力黏度。

3.1.2　具有自由界面的稳定流动—降膜流动

降膜流动是工业过程中经常遇到的一种流体流动方式，此时液体在倾斜或垂直的壁面上由于自身重力的作用，呈膜状下流。液膜的一侧紧贴壁面，另一侧则为自由表面，与相邻的气体（或汽体）接触，进行传热或传质。在此，只讨论液膜的稳态层流运动。

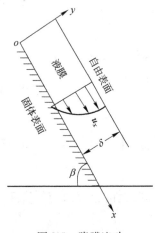

图 3-5　降膜流动

如图 3-5 所示，某液体在重力作用下，沿倾斜角为 β 的无限大平板表面运动。由于讨论的是具有自由界面的流动，故不宜采用动压力的概念。因流动为沿 x 方向的稳态流动，故 $\frac{\partial}{\partial\theta} = 0$，且 $u_y = u_z = 0$，$\frac{\partial}{\partial z} = 0$，$g_x = g\sin\beta$，$g_y = -g\cos\beta$，$g_z = 0$。则在图中所选的直角坐标系中，连续性方程和描述流体运动的 N-S 方程组式（2-102）简化为

连续性方程

$$\frac{\partial u_x}{\partial x} = 0 \tag{3-55a}$$

x 方向的运动方程

$$\frac{\partial p}{\partial x} = \rho g\sin\beta + \mu \frac{\partial^2 u_x}{\partial y^2} \tag{3-55b}$$

y 方向的运动方程

$$\frac{\partial p}{\partial y} = -\rho g\cos\beta \tag{3-55c}$$

z 方向的运动方程

$$\frac{\partial p}{\partial z} = 0 \tag{3-55d}$$

根据上述分析，$\frac{\partial u_x}{\partial x} = 0$ 及 $\frac{\partial}{\partial z} = 0$，可知，$u_x$ 仅仅是 y 的函数。由于是稳态流动，在液膜表面 $y = \delta$ 处，$p = p_0$（外界压力），而且自由表面上的外界压力不随 x 而变化，所以 $\frac{\partial p}{\partial x} = 0$，则式（3-55b）可写成如下常微分方程的形式

$$\rho g\sin\beta + \mu \frac{\mathrm{d}^2 u_x}{\mathrm{d}y^2} = 0 \tag{3-56}$$

下面分析方程的边界条件，在壁面处 $y = 0$，液体粘附在壁面上，流速为零，即 $u_x = 0$；在液膜的自由表面上，没有动量经过自由表面向外传递，故剪应力为零，即速度梯度为零。因此，上述常微分方程的边界条件为

$$y = 0, u_x = 0 \tag{3-57a}$$

$$y = \delta, \frac{du_x}{dy} = 0 \tag{3-57b}$$

对式（3-56）进行一次积分，可得

$$\frac{du_x}{dy} = -\frac{1}{\mu}\rho gy\sin\beta + C_1 \tag{3-58a}$$

代入边界条件式（3-57b），得 $C_1 = \dfrac{\rho g\delta\sin\beta}{\mu} = \dfrac{1}{\nu}g\delta\sin\beta$，再将 C_1 代入式（3-58a）积分，得

$$u_x = -\frac{1}{2\nu}g\sin\beta y^2 + \frac{1}{\nu}g\delta y\sin\beta + C_2$$

利用边界条件式（3-57a），可知积分常数 $C_2 = 0$，故可得速度分布为

$$u_x = -\frac{1}{2\nu}g\sin\beta y^2 + \frac{1}{\nu}g\delta y\sin\beta = \frac{g\sin\beta}{2\nu}(2y\delta - y^2) \tag{3-58b}$$

或写成

$$u_x = \frac{\rho g}{2\mu}\sin\beta(2y\delta - y^2) \tag{3-58c}$$

可见，液膜内的速度分布为抛物线形状。

在自由界面 $y = \delta$ 处，速度达到最大值

$$u_{max} = \frac{g\delta^2}{2\nu}\sin\beta \tag{3-59a}$$

在 z 方向单位宽度平板上通过的流量为

$$V_s = \int_0^\delta u\,dy = \frac{1}{3}\frac{g\delta^3}{\nu}\sin\beta \tag{3-59b}$$

平均流速

$$u_m = \frac{V_s}{\delta \times 1} = \frac{g\delta^2}{3\nu}\sin\beta \tag{3-59c}$$

剪切应力分布为

$$\tau = \mu\frac{du_x}{dy} = \rho g(\delta - y)\sin\beta \tag{3-60}$$

由式（3-59c）可得出液膜厚度的计算式

$$\delta = \left(\frac{3\nu u_m}{g\sin\beta}\right)^{\frac{1}{2}} \tag{3-61}$$

降膜流动时，雷诺数 $Re = \dfrac{d_e u_m \rho}{\mu}$，对于单位宽度的下流液膜，因平板无限大，其宽度 $L \gg \delta$，故此时当量直径为 $d_e = 4r_H = 4 \times \dfrac{\delta \times L}{L + 2\delta} \approx 4\delta$，根据雷诺数的表达式 $Re = \dfrac{d_e u_m \rho}{\mu}$，

可得

$$Re = \frac{4\delta u_m \rho}{\mu} \qquad (3\text{-}62)$$

对降膜流动，可以采用式（3-62）进行流型判别。层流时 $Re < 30$；带涟漪层流 $30 > Re < 250$；$Re \geq 250$ 时则液膜出现湍流。本节所推导出的有关流动现象的数学表达式仅适用于 $Re < 30$ 的层流流动。

如果 $\beta = \frac{\pi}{2}$，则变成液膜沿垂直固体壁面下降。此时，与式（3-58）、式（3-59a）、式（3-59c）、式（3-60）、式（3-61）相对应的表达式为

$$u_x = \frac{\rho g}{2\mu}(2y\delta - y^2) \qquad (3\text{-}63a)$$

$$u_{max} = \frac{g\delta^2}{2\nu} \qquad (3\text{-}63b)$$

$$u_m = \frac{V_s}{\delta \times 1} = \frac{g\delta^2}{3\nu} \qquad (3\text{-}63c)$$

$$\tau = \mu \frac{\mathrm{d}u_x}{\mathrm{d}y} = \rho g(\delta - y) \qquad (3\text{-}63d)$$

$$\delta = \left(\frac{3\nu u_m}{g}\right)^{\frac{1}{2}} \qquad (3\text{-}63e)$$

值得注意的是，如果坐标轴轴原点取在自由界面处，此时所推导出的速度分布式（3-63a）变为

$$u_x = \frac{\rho g}{2\mu}(\delta^2 - y_y^2) \qquad (3\text{-}64)$$

式中，作为区分，以 y_y 表示离开自由界面的距离。因 $y_y = (\delta - y)$，将此关系代入式（3-64），则还原为式（3-63a）。

例 3.2　某流体的运动黏度为 $2 \times 10^{-4}\,\mathrm{m^2/s}$，密度为 $800\,\mathrm{kg/m^3}$，欲使该流体沿宽为 1 m 的垂直平壁下降的液膜厚度达到 2.5 mm，则液膜下降的质量流率应为多少？

解： 由式（3-63c），得

$$u_m = \frac{g\delta^2}{3\nu} = \frac{9.81 \times 0.0025^2}{3 \times (2 \times 10^{-4})} = 0.102\,\mathrm{m/s}$$

因此，单位宽度的质量流率为

$$w = u_m \cdot \rho \cdot \delta(1) = 0.102 \times 800 \times 0.0025 \times 1 = 0.204\,\mathrm{kg/s}$$

上述计算结果仅当液膜内流动为层流时才是正确的，因此，需要验算流动的 Re 数。当量直径 $d_e = 4r_H = 4\dfrac{\delta \cdot 1}{1} = 4\delta$，故

$$Re = \frac{4\delta u_b \rho}{\mu} = \frac{4 \times 0.204}{800 \times 2 \times 10^{-4}} = 5.1 < 30$$

由此可知，流动确为层流，上述计算结果是正确的。

3.2　爬流和势流

运动方程的解析解只能解决少数非常简单的流动问题。本节将探讨根据流体流动问题

的具体特点进行简化进而实现分析求解的方法。

流体流动的类型，如果以其速度来划分，存在两种极端情况，一是 $Re < 1$ 的流动，此时黏性力的影响远大于惯性力，可将运动方程中的惯性力项全部或部分略去，从而得到简化了的线形方程。二是 Re 很大的流动，此时，惯性力的影响远远大于黏性力，在远离壁面的区域，可以全部略去黏性力，得到无黏性流体的运动方程。前者称为爬流（蠕动流），后者则称作势流或有势流动。

需要指出，忽略黏性力的这种近似处理方法并不能解决壁面附近的流体层的阻力，有关这方面的内容将在下一章边界层理论中加以讨论。

对于惯性力和黏性力均不可忽略的情形，则需要通过数值计算来求得运动方程的数值解。

3.2.1 爬流

3.2.1.1 爬流的特征

爬流又称为蠕动流，指的是流体在非常低的 Re 数下的流动（作为判据，一般认为 $Re < 1$），流体的流动速度极低。爬流现象在自然界和工程实际应用中广泛存在。例如水滴、油雾、灰尘颗粒在流体中的自由沉降运动、土木工程中的泥沙渗流、固体颗粒在水中的运动、黏性很大的流体在细管道或窄间隙中的低速流动等。在润滑理论、环境工程、分子生物学和地质学等研究领域中广泛涉及到爬流问题。

Re 数代表了流体惯性力和黏性力的相对大小的比值，因此在 Re 数较低时，表明流体的黏性力起主要作用，而惯性力可以忽略不计。由雷诺数的表达式可以看出，该处理方式适用于流体黏度较大、物体的特征尺寸较小或流速非常低的场合。这种处理问题的近似方法最先是由斯托克斯采用的，所以又称作斯托克斯近似。

3.2.1.2 爬流的运动方程

重力场中不可压缩流体的奈维-斯托克斯方程见式（2-103）

$$\rho \frac{\mathrm{D}\boldsymbol{u}}{\mathrm{D}\theta} = -\nabla p + \rho \boldsymbol{g} + \mu \nabla^2 \boldsymbol{u}$$

式中，$\rho \dfrac{\mathrm{D}\boldsymbol{u}}{\mathrm{D}\theta}$ 项可化为 $\rho \boldsymbol{u} \dfrac{\mathrm{D}\boldsymbol{u}}{\mathrm{D}L}$，代表惯性力，流体所受的重力也可视为惯性力的一种。$\mu \nabla^2 \boldsymbol{u}$ 项代表黏性力。

当 $Re < 1$ 时，流体在流动过程中的黏性力的作用远远超过惯性力的作用，作为零级近似，可将运动方程中的各惯性力项全部略去。经此近似简化处理，可得爬流的运动方程

$$\nabla p = \mu \nabla^2 \boldsymbol{u} \tag{3-65}$$

该方程又称作斯托克斯方程。

不可压缩流体的连续性方程见式（2-26）

$$\nabla \boldsymbol{u} = 0$$

式（3-65）和式（2-26）构成了不可压缩流体做爬流流动时的基本方程组。共有 4 个方程，可以解出 4 个未知量 u_x、u_y、u_z 和 p。

3.2.1.3 速度分布

根据相对运动原理，物体在流体中作速度为 u_0 的等速直线运动所引起的流体运动，

等价于无穷远处速度为 u_0 的黏性不可压缩流体绕过物体的稳态流动。这种等价关系可通过选择参考坐标系来实现。因此在求解这类流动问题时，往往采用固结在物体上的坐标系作为参考坐标。这样就把物体在静止流体中做等速直线运动的问题化为无界流体对静止物体的稳态绕流问题，无界流体的自由来流速度与物体运动速度大小相同，方向相反。下面以球形粒子相对于流体的爬流运动为例，来求解这类问题的速度、压力分布和阻力大小。

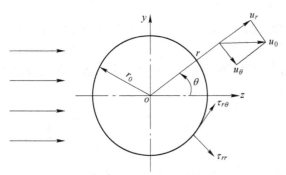

　　如图 3-6 所示，半径为 r_0 的球形粒子，在充满不可压缩黏性流体的无界空间中以缓慢的速度 u_0 做等速运动，设 $Re < 1$。显然，对此类问题的求解，采用球坐标较为方便。

　　取球坐标原点位于球心。假定绕流中不发生分离现象，且忽略惯性力。因流动是稳态的，$\partial/\partial\theta' = 0$；考虑到运动的轴对称性，故有 $\partial/\partial\phi = 0$，$u_\phi = 0$。此时球坐标下的连续性方程和奈维-斯托克斯方程（2-83）式化简为

图 3-6　流体绕过球体的爬流流动

$$\frac{\partial u_r}{\partial r} + \frac{1}{r}\frac{\partial u_\theta}{\partial \theta} + \frac{2u_r}{r} + \frac{u_\theta \cot\theta}{r} = 0 \tag{3-66a}$$

$$\frac{\partial p}{\partial r} = \mu\left[\frac{\partial^2 u_r}{\partial r^2} + \frac{1}{r^2}\frac{\partial^2 u_r}{\partial \theta^2} + \frac{2}{r}\frac{\partial u_r}{\partial r} + \frac{\cot\theta}{r^2}\frac{\partial u_r}{\partial \theta} - \frac{2}{r^2}\frac{\partial u_\theta}{\partial \theta} - \frac{2}{r^2}u_r - \frac{2\cot\theta}{r^2}u_\theta\right] \tag{3-66b}$$

$$\frac{1}{r}\frac{\partial p}{\partial \theta} = \mu\left[\frac{\partial^2 u_\theta}{\partial r^2} + \frac{1}{r^2}\frac{\partial^2 u_\theta}{\partial \theta^2} + \frac{2}{r}\frac{\partial u_\theta}{\partial r} + \frac{\cot\theta}{r^2}\frac{\partial u_\theta}{\partial \theta} + \frac{2}{r^2}\frac{\partial u_r}{\partial \theta} - \frac{u_\theta}{r^2 \sin^2\theta}\right] \tag{3-66c}$$

方程的边界条件为

$$r = r_0, u_r = 0, u_\theta = 0 \text{（球体表面）} \tag{3-67a}$$

$$r \to \infty \text{（无穷远处）}, u_r = u_0\cos\theta, u_\theta = -u_0\sin\theta, p = p_0 \tag{3-67b}$$

式中，p_0 为自由来流的压力，Pa。

　　这是由 3 个偏微分方程组成的线性偏微分方程组，可用来确定 3 个未知函数 $u_r(r, \theta)$，$u_\theta(r,\theta)$，和 $p(r,\theta)$。该方程可采用分离变量法求解，令

$$u_r = f(r)F(\theta) \tag{3-68a}$$

$$u_\theta = g(r)G(\theta) \tag{3-68b}$$

$$p = \mu h(r)H(\theta) + p_0 \tag{3-68c}$$

将式（3-68a）代入式（3-67b）中，得

$$u_0\cos\theta = f(\infty)F(\theta)$$

由此可得

$$F(\theta) = \cos\theta \tag{3-69a}$$

$$f(\infty) = u_0 \tag{3-69b}$$

将式（3-68b）代入式（3-67b）中，得

$$-u_0\sin\theta = g(\infty)G(\theta)$$

因此有

$$G(\theta) = -\sin\theta \tag{3-70a}$$

$$g(\infty) = u_0 \tag{3-70b}$$

将式（3-69a）和（3-70a）分别代入式（3-68a）和式（3-68b）中，得

$$u_r = f(r)\cos\theta \tag{3-71a}$$

$$u_\theta = -g(r)\sin\theta \tag{3-71b}$$

再将式（3-71a）、式（3-71b）及式（3-68c）同时代入式（3-66）中，可得

$$\cos\theta\left[f'(r) - \frac{1}{r}g(r) + \frac{2}{r}f(r) - \frac{1}{r}g(r)\right] = 0 \tag{3-72a}$$

$$H(\theta)h'(r) = \cos\theta\left[f''(r) - \frac{1}{r}f(r) + \frac{2}{r}f'(r) - \frac{1}{r^2}f(r) + \frac{2}{r^2}g(r) - \frac{2}{r^2}f(r) + \frac{2}{r^2}g(r)\right]$$

$$\tag{3-72b}$$

$$H'(\theta)\frac{h(r)}{r} = \sin\theta\left[-g''(r) + \frac{1}{r^2}g(r) - \frac{2}{r}g'(r) - \frac{1}{r^2}g(r)\cot^2\theta - \frac{2}{r^2}f(r) + \frac{2}{r^2}g(r)\csc^2\theta\right]$$

$$\tag{3-72c}$$

相应的边界条件变为

$$r = r_0, f(r_0) = 0, f(\infty) = u_0 \tag{3-72d}$$

$$r = \infty, g(r_0) = 0, g(\infty) = u_0 \tag{3-72e}$$

$$h(\infty) = 0 \tag{3-72f}$$

由上面得到的方程组可以看出，要分离出变量 θ，必须有

$$H(\theta) = \cos\theta \tag{3-73}$$

将式（3-73）代入式（3-72）中，可得如下常微分方程

$$f' + \frac{2}{r}(f - g) = 0 \tag{3-74a}$$

$$h' = f'' + \frac{2}{r}f' - \frac{4}{r^2}(f - g) \tag{3-74b}$$

$$\frac{h}{r} = g'' + \frac{2}{r}g' + \frac{2}{r^2}(f - g) \tag{3-74c}$$

$$f(r_0) = 0, f(\infty) = u_0 \tag{3-74d}$$

$$g(r_0) = 0, g(\infty) = u_0 \tag{3-74e}$$

$$h(\infty) = 0 \tag{3-74f}$$

将函数 g 以函数 f 表示，由式（3-74a）得

$$g = \frac{r}{2}f' + f \tag{3-75}$$

将式（3-75）代入式（3-74c）中，则

$$h = \frac{r^2}{2}f''' + 2rf'' + 2f' \tag{3-76}$$

最后，将式（3-75）和式（3-76）代入式（3-74b）得

$$r^3 f'''' + 8r^2 f''' + 8rf'' - 8f' = 0 \tag{3-77}$$

这是一个欧拉方程，其特解的形式为 $f = r^k$，相应可写出 f'、f''、f''' 和 f''''，将这些参数代入式（3-77），得到如下代数方程

$$k(k-1)(k-2)(k-3) + 8k(k-1)(k-2) + 8k(k-1) - 8k = 0$$

化简结果为

$$k(k-2)(k+1)(k+3) = 0 \tag{3-78}$$

其根为

$$k = -3, -1, 0, 2$$

故方程式（3-77）的通解为

$$f = Ar^{-3} + Br^{-1} + C + Dr^2 \tag{3-79}$$

将其代入式（3-75）和式（3-76）中，则可得出

$$g = -\frac{A}{2}r^{-3} + \frac{B}{2}r^{-1} + C + 2Dr^2 \tag{3-80}$$

$$h = \frac{B}{r^2} + 10rD \tag{3-81}$$

式中的常数 A、B、C、D 由边界条件确定。将边界条件式（3-74d）代入式（3-79），将边界条件式（3-74e）代入式（3-80），联立求解可得

$$A = \frac{1}{2}u_0 r_0^3, B = -\frac{2}{3}u_0 r_0, C = u_0, D = 0$$

将这些常数分别代回到式（3-79）、式（3-80）和式（3-81）中，则

$$f = \frac{1}{2}u_0 \left(\frac{r_0}{r}\right)^3 - \frac{3}{2}u_0 \left(\frac{r_0}{r}\right) + u_0 \tag{3-82a}$$

$$g = -\frac{1}{4}u_0 \left(\frac{r_0}{r}\right)^3 + \frac{3}{4}u_0 \left(\frac{r_0}{r}\right) + u_0 \tag{3-82b}$$

$$h = -\frac{3}{2}u_0 \frac{r_0}{r^2} \tag{3-82c}$$

将式（3-82a）和式（3-69a）代入式（3-68a），式（3-82b）和式（3-70a）代入式（3-68b），式（3-82c）和式（3-73）代入式（3-68c），可得流场中的速度分布和压力分布为

$$u_r = u_0 \left[1 - \frac{3}{2}\frac{r_0}{r} + \frac{1}{2}\left(\frac{r_0}{r}\right)^3\right]\cos\theta \tag{3-83}$$

$$u_\theta = -u_0 \left[1 - \frac{3}{4}\frac{r_0}{r} - \frac{1}{4}\left(\frac{r_0}{r}\right)^3\right]\sin\theta \tag{3-84}$$

$$p = p_0 - \frac{3}{2}\mu u_0 \frac{r_0}{r^2}\cos\theta \tag{3-85}$$

以下求圆球所受的阻力。球坐标下，比照直角坐标下的应力与形变的关系式（2-62）的推导，可相应得到不可压缩黏性牛顿流体作用于圆球上的应力分量

$$\tau_{rr} = -p + 2\mu\frac{\partial u_r}{\partial r} \tag{3-86a}$$

$$\tau_{r\theta} = \mu\left(\frac{1}{r}\frac{\partial u_r}{\partial \theta} + \frac{\partial u_\theta}{\partial r} - \frac{u_\theta}{r}\right) \tag{3-86b}$$

$$\tau_{r\phi} = \mu \left(\frac{\partial u_\phi}{\partial r} + \frac{1}{r\sin\theta} \frac{\partial u_r}{\partial \phi} - \frac{u\phi}{r} \right) \tag{3-86c}$$

由于对称性，$\partial/\partial\phi = 0$，$u_\phi = 0$，因此 $\tau_{r\phi} = 0$。由于流体具有黏性，因此在球面上应有 $u_r = u_\theta = 0$，可见球面上有 $\partial u_r/\partial\theta = 0$，$\partial u_\theta/\partial\theta = 0$；由连续性方程（3-66a）可得出球面上 $\partial u_r/\partial r = 0$。将以上结论及式（3-83），式（3-84），式（3-85）代入式（3-86），则可求出球面上的应力分布为

$$\tau_{rr} \bigg|_{r=r_0} = -p \bigg|_{r=r_0} = \frac{3}{2r_0} \mu u_0 \cos\theta - p_0 \tag{3-87}$$

$$\tau_{r\theta} \bigg|_{r=r_0} = -\frac{3}{2r_0} \mu u_0 \sin\theta \tag{3-88}$$

由于整个流动对 z 轴是对称的，因此与 z 轴垂直方向的合力为零。粒子与流体沿 z 方向作相对运动，所以作用在圆球上的作用力全部沿 z 轴方向，合力即圆球对流体的阻力（或流体对圆球的曳力）。根据以上分析，将球面上的应力 τ_{rr} 和 $\tau_{r\theta}$ 沿 z 方向对整个球表面积分，可得到球体所受的阻力，即

$$F_{\mathrm{d}} = \iint\limits_A (\tau_{rr}\cos\theta - \tau_{r\theta}\sin\theta)\mathrm{d}A$$

式中，A 表示整个球面，对上式积分，则

$$\begin{aligned}
F_{\mathrm{d}} &= \int_0^\pi (\tau_{rr}\cos\theta - \tau_{r\theta}\sin\theta) 2\pi r_0^2 \sin\theta \mathrm{d}\theta \\
&= 2\pi r_0^2 \int_0^\pi \left(\frac{3\mu u_0}{2r_0}\cos^2\theta + \frac{3\mu u_0}{2r_0}\sin^2\theta \right) \sin\theta \mathrm{d}\theta - 2\pi r_0^2 p_0 \int_0^\pi \sin\theta\cos\theta \mathrm{d}\theta \\
&= 3\pi\mu u_0 r_0 \int_0^\pi \sin\theta \mathrm{d}\theta \\
&= 6\pi\mu u_0 r_0 \tag{3-89}
\end{aligned}$$

由此可见，圆球所受的阻力和来流的速度 u_0 成正比，和圆球的半径 r_0 及动力黏度 μ 也成正比。该式最先由斯托克斯提出，故称作斯托克斯阻力公式或斯托克斯方程。

上述积分亦可写成

$$F_d = \iint\limits_A \tau_{rr}\cos\theta \mathrm{d}A + \iint\limits_A \tau_{r\theta}\sin\theta \mathrm{d}A = 2\pi\mu r_0 u_0 + 4\pi\mu r_0 u_0$$

式中，$2\pi\mu r_0 u_0$ 是法向应力 τ_{rr} 在 z 方向的分量之和，称为形体阻力，以 F_{df} 表示；$4\pi\mu r_0 u_0$ 是切向应力 $\tau_{r\theta}$ 在 z 方向上的分量之和，称为摩擦阻力，以 F_{ds} 表示。由上述分析可知，流体在绕过球体作爬流流动时，球体所受的阻力中，2/3 为摩擦阻力，1/3 为形体阻力。

根据绕流流动阻力系数的定义，可得爬流时的阻力系数为

$$C_{\mathrm{D}} = \frac{2F_d}{\rho u_0^2 A} = \frac{2 \times 6\pi\mu r_0 u_0}{\rho u_0^2 \pi r_0^2} = \frac{24}{Re} \tag{3-90}$$

式中，$Re = \dfrac{d u_0 \rho}{\mu}$，$d = 2r_0$ 为圆球直径。表 3-1 给出了计算值与实验值的比较，可以看出，当 $Re < 1$ 时，式（3-90）的计算结果与实验结果符合得很好。

表 3-1　阻力系数 C_D 计算值与实验值

Re	阻 力 系 数 C_D	
	斯托克斯公式计算结果	实 验 结 果
0.0531	451.2	475.6
0.2437	98.5	109.6
0.7277	32.96	38.82
1.493	16.07	19.40

斯托克斯方程是将运动方程作零级近似，忽略全部惯性力后的求解结果。其在 $Re < 1$ 时可以得到较为准确的计算结果。但这种近似处理，也导致其应用范围变窄，为克服这种缺点，提高近似的准确度，奥森（Oseen）于 1910 年提出了"在运动方程中保留主要惯性项，略掉次要惯性项"的修正意见，将运动方程作一级近似即保留部分惯性力后求解，得到如下结果

$$C_D = \frac{24}{Re}\left(1 + \frac{3}{16}Re\right) \tag{3-91}$$

经上述处理后，奥森公式的应用范围较宽，在 $Re < 5$ 的范围内都较准确。

3.2.2　势流

与爬流问题相反，对于大 Re 数的流动，黏滞力的作用远远小于惯性力。在贴近壁面的区域需要考虑黏性力的影响，在脱离了壁面影响的区域（即边界层以外的区域），可以全部略去黏性力，将大部分流动区域按理想流体来处理，从而得到无黏性流体的运动方程。不考虑黏性力影响的流体流动称作势流或有势流动。由于无切应力存在，所以就有可能求得流体流动微分方程的分析解。无黏性流动一般应用于绕过浸没物体的流动，在航天和水力学等领域应用广泛。

3.2.2.1　理想流体的运动方程—欧拉方程

理想流体的运动方程称为欧拉（Euler）方程。因 $\mu = 0$，重力场当中，奈维-斯托克斯方程可简化成

$$\left.\begin{aligned}
\frac{Du_x}{D\theta} &= X - \frac{1}{\rho}\frac{\partial p}{\partial x}\\
\frac{Du_y}{D\theta} &= Y - \frac{1}{\rho}\frac{\partial p}{\partial y}\\
\frac{Du_z}{D\theta} &= Z - \frac{1}{\rho}\frac{\partial p}{\partial z}
\end{aligned}\right\} \tag{3-91a}$$

写成向量形式为

$$\frac{D\boldsymbol{u}}{D\theta} = \boldsymbol{g} - \frac{1}{\rho}\nabla p \tag{3-91b}$$

不可压缩流体的连续性方程见式（2-26）

$$\frac{\partial u_x}{\partial x} + \frac{\partial u_y}{\partial y} + \frac{\partial u_z}{\partial z} = \nabla \cdot \boldsymbol{u} = 0$$

　　式（3-91）和式（2-26）就构成了表述理想流体运动的偏微分方程组。有 4 个方程，4 个未知量（ u_x , u_y , u_z 和 p ）。由于欧拉方程是非线性的，求解时要应用到势函数和场论知识。本节只介绍方程求解的基本思路。

3.2.2.2　流体的旋度

　　流体运动时，流体微元除了沿一定路径作平行运动之外，还可能产生形变和旋转运动。图 3-7 表示处于 xy 平面上的流体微元。由于 x 方向上的流速不同，dy 线段所产生绕 z 轴旋转的角速度 ω_{z1} 为

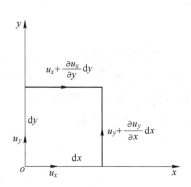

$$\omega_{z1} = - \frac{u_x + \dfrac{\partial u_x}{\partial y}dy - u_x}{dy} = - \frac{\partial u_x}{\partial y}$$

式中，负号表示 dy 顺时针方向旋转。

　　同样由于 y 方向的流速不同，dx 线段所产生的绕 z 轴旋转的角速度 ω_{z2} 为

图 3-7　平面上流体微元的旋转

$$\omega_{z2} = \frac{u_y + \dfrac{\partial u_y}{\partial x}dx - u_y}{dx} = \frac{\partial u_y}{\partial x}$$

　　微元体绕 z 轴旋转的净角速度为

$$\omega_z = \frac{1}{2}(\omega_{z1} + \omega_{z2}) = \frac{1}{2}\left(\frac{\partial u_y}{\partial x} - \frac{\partial u_x}{\partial y}\right) \qquad (3\text{-}92a)$$

　　同样可得在 xz 平面、yz 平面内，流体微元在该点处的旋转角速度分别为

$$\omega_y = \frac{1}{2}\left(\frac{\partial u_x}{\partial z} - \frac{\partial u_z}{\partial x}\right) \qquad (3\text{-}92b)$$

$$\omega_x = \frac{1}{2}\left(\frac{\partial u_z}{\partial y} - \frac{\partial u_y}{\partial z}\right) \qquad (3\text{-}92c)$$

　　角速度为一向量，整个流体微团的角速度可表示为

$$\boldsymbol{\omega} = \frac{1}{2}\left[\left(\frac{\partial u_z}{\partial y} - \frac{\partial u_y}{\partial z}\right)\boldsymbol{i} + \left(\frac{\partial u_x}{\partial z} - \frac{\partial u_z}{\partial x}\right)\boldsymbol{j} + \left(\frac{\partial u_y}{\partial x} - \frac{\partial u_x}{\partial y}\right)\boldsymbol{k}\right] \qquad (3\text{-}92d)$$

式中，$\boldsymbol{i},\boldsymbol{j},\boldsymbol{k}$ 分别为沿空间坐标轴 x 、y 、z 方向的单位向量。

　　把用于描述质点旋转性质的物理量定义为"流体的旋度"，以 $\text{rot}\boldsymbol{u}$ 表示，其定义为

$$\text{rot}\boldsymbol{u} = \nabla \times \boldsymbol{u} = 2\boldsymbol{\omega} = \left(\frac{\partial u_z}{\partial y} - \frac{\partial u_y}{\partial z}\right)\boldsymbol{i} + \left(\frac{\partial u_x}{\partial z} - \frac{\partial u_z}{\partial x}\right)\boldsymbol{j} + \left(\frac{\partial u_y}{\partial x} - \frac{\partial u_x}{\partial y}\right)\boldsymbol{k} \qquad (3\text{-}93)$$

　　旋度为一向量，表示流体局部转动速率。若流体的 $\text{rot}\boldsymbol{u} = \nabla \times \boldsymbol{u} = 0$ ，说明旋转角速度为零，把这种流动称为无旋流动；反之则为有旋流动。对于重力场下的理想不可压缩流体而言，如果初始流动是有旋的，则其将一直保持有旋状态；若初始流动为无旋的，则流动将一直保持无旋状态。

3.2.2.3　速度势

　　无旋流动 $\nabla \times \boldsymbol{u} = 0$ ，因此由式（3-93）可知

$$\begin{cases} \dfrac{\partial u_x}{\partial y} = \dfrac{\partial u_y}{\partial x} \\[2mm] \dfrac{\partial u_x}{\partial z} = \dfrac{\partial u_z}{\partial x} \\[2mm] \dfrac{\partial u_z}{\partial y} = \dfrac{\partial u_y}{\partial z} \end{cases} \tag{3-94}$$

式（3-94）表明，u_x、u_y、u_z 可通过某一函数 φ 相关联，式（3-94）是（$u_x \mathrm{d}x + u_y \mathrm{d}y + u_z \mathrm{d}z$）成为某函数 $\varphi(x,y,z)$ 的全微分，即 $u_x \mathrm{d}x + u_y \mathrm{d}y + u_z \mathrm{d}z = \mathrm{d}\varphi(x,y,z)$ 的充分必要条件。函数 $\varphi(x,y,z)$ 称为速度势。

由上述分析可知

$$\begin{cases} u_x = \dfrac{\partial \varphi}{\partial x} \\[2mm] u_y = \dfrac{\partial \varphi}{\partial y} \\[2mm] u_z = \dfrac{\partial \varphi}{\partial z} \end{cases} \tag{3-95}$$

即　　　　　　　　　　　　　　$\boldsymbol{u} = \nabla \varphi$ 　　　　　　　　　　　　　(3-96)

将式（3-96）代入连续性方程式（2-2b），则

$$\frac{\mathrm{D}\rho}{\mathrm{D}\theta} = -\rho(\nabla \cdot \boldsymbol{u}) = -\rho(\nabla^2 \varphi)$$

对不可压缩流体 $\dfrac{\mathrm{D}\rho}{\mathrm{D}\theta} = 0$（或 $\nabla \cdot \boldsymbol{u} = 0$），则

$$\nabla^2 \varphi = 0 \tag{3-97}$$

式（3-97）为二阶线性偏微分方程，通常称为拉普拉斯方程。由此可知，速度势 φ 满足拉普拉斯方程。这样，就把求 3 个速度分量的问题简化为求一个未知量 φ 的问题。在数理方程的研究中，拉普拉斯方程的求解问题比较成熟，只要给定边界条件，势函数 φ 是可解的。

速度势函数存在的条件是流体必须是无旋的，速度势函数的梯度即为流体的速度向量。引入速度势函数 φ 的目的主要在于将速度变量 u_x、u_y、u_z 统一用一个变量 φ 代替，从而使方程的求解得以简化。

3.2.2.4　势流和伯努利积分

势流指的是理想流体的无旋流动，此时可以应用前面所提出的势函数的概念来求解。应该注意的是，理想流体流动不一定是无旋流动，而做无旋流动的流体则必然是理想流体。

如前所述，用势函数表达的不可压缩流体的连续性方程（3-97）为一个线性方程，其特点为解的可叠加性。若该方程的解为 $\varphi_1, \varphi_2, \cdots, \varphi_n$，则其通解 φ 可以表示为上述解的任意线性组合

$$\varphi = c_1 \varphi_1 + c_2 \varphi_2 + \cdots + c_n \varphi_n \tag{3-98}$$

在得到通解 φ 之后，再由式（3-95）可以求得速度分布。压力分布则可通过欧拉方程

式（3-91）求出。

以下针对平面无旋流动来说明欧拉方程的求解过程。所谓平面流，指的是流体的物理量在一个方向上无变化或变化很小，可将流动简化为二维流动进行处理。如在直角坐标下，可设流动仅沿 x、y 方向，此时，$u_z = 0$，$\partial / \partial z = 0$，从而使方程的求解得以简化。

对于有势场，以 $\Omega(x, y)$ 表示质量力势（代表单位质量流体所具有的势能），则有

$$\boldsymbol{F}_{\mathrm{M}} = \nabla \Omega$$

在直角坐标系中的表达式为

$$\begin{cases} X = \dfrac{\partial \Omega}{\partial x} \\[2mm] Y = \dfrac{\partial \Omega}{\partial y} \end{cases} \tag{3-99}$$

对于平面无旋流动，由式（3-94）可知

$$\frac{\partial u_x}{\partial y} = \frac{\partial u_y}{\partial x} \tag{3-100}$$

将式（3-99）、式（3-100）代入式（3-91）中 x 方向的分量方程中，并设流动为稳态，则

$$u_x \frac{\partial u_x}{\partial x} + u_y \frac{\partial u_y}{\partial x} = \frac{\partial \Omega}{\partial x} - \frac{1}{\rho} \frac{\partial p}{\partial x}$$

即

$$\frac{1}{2} \frac{\partial}{\partial x}(u^2) - \frac{\partial \Omega}{\partial x} + \frac{1}{\rho} \frac{\partial p}{\partial x} = 0 \tag{3-101}$$

式中，$u^2 = u_x^2 + u_y^2$，u 为速度向量的数值。对于均质不可压缩流体而言，$\rho = $ 常数，将式（3-101）对 x 积分可得

$$\frac{u^2}{2} + \frac{p}{\rho} - \Omega = f(y) \tag{3-102a}$$

式中，$f(y)$ 是 y 的任意函数。根据式（3-101）可知，由于对 x 的导数为零，故积分式不可能是 x 的函数。

同样，将式（3-99）和式（3-100）代入式（3-91）中 y 方向的分量方程中，可得

$$u_x \frac{\partial u_x}{\partial y} + u_y \frac{\partial u_y}{\partial y} = \frac{\partial \Omega}{\partial y} - \frac{1}{\rho} \frac{\partial p}{\partial y}$$

即

$$\frac{1}{2} \frac{\partial}{\partial y}(u^2) - \frac{\partial \Omega}{\partial y} + \frac{1}{\rho} \frac{\partial p}{\partial y} = 0 \tag{3-102b}$$

将式（3-102c）对 y 积分可得

$$\frac{u^2}{2} + \frac{p}{\rho} - \Omega = F(x) \tag{3-102c}$$

式中，$F(x)$ 是 x 的任意函数。

比较式（3-102a）和式（3-102c），可以得出

$$f(y) = F(x) = 常数$$

于是可得如下方程

$$\frac{u^2}{2} + \frac{p}{\rho} - \Omega = 常数 \qquad (3-103)$$

式（3-103）即为伯努利方程，从上面的推导过程中可知，该方程对于整个流场都是适用的。

如果质量力是重力场，即 $\boldsymbol{F}_M = \boldsymbol{g}$，又若取 z 轴为垂直地面向上，则

$$\begin{cases} \dfrac{\partial \Omega}{\partial x} = 0 \\ \dfrac{\partial \Omega}{\partial z} = -g \end{cases}$$

$$\Omega = -gz + 常数$$

此时伯努利方程可写成

$$\frac{u^2}{2} + \frac{p}{\rho} + gz = 常数 \qquad (3-104)$$

对于势流，式中的流速 u 可视为平均流速。显然，若速度分布已知，则由伯努利方程即可求出压力分布。

3.2.2.5　流函数

流函数为描述流体流动的标量函数。前面利用 $N-S$ 方程所解决的一些流体流动问题都是一维流动的情况。对于两维或三维的流动问题，其求解一般是很困难的。为减少方程数目进而简化计算，对于 ρ 和 μ 为常数的平面流的情况，利用流函数，就可以实现将该情况下 $N-S$ 方程的两个分量方程和连续性方程合并成一个方程来求解。

在第 2 章中曾经提出了流线和迹线的概念，稳态流动情况下，迹线和流线重合，因而可以采用欧拉观点来研究流体的流动。

二维稳态流动系统的流线方程见式（2-16）

$$\frac{\mathrm{d}x}{u_x} = \frac{\mathrm{d}y}{u_y} \qquad (2-16)$$

或　　　　　　　　　　　　　　$u_x \mathrm{d}y = u_y \mathrm{d}x$

显然，u_x，u_y 都是平面位置 (x, y) 的函数。

平面流动中的流线方程 $(u_x \mathrm{d}y - u_y \mathrm{d}x) = 0$ 能够进行积分的条件是：它必须是某函数 $\psi(x, y)$ 的全微分，我们把 ψ 称为流函数。

令

$$u_x = \frac{\partial \psi(x, y)}{\partial y} \qquad (3-105a)$$

$$u_y = -\frac{\partial \psi(x, y)}{\partial x} \qquad (3-105b)$$

流函数 ψ 存在的充分必要条件是满足连续性方程，也就是说，对于连续的平面运动，流函数 ψ 总是存在的。

二维流动的连续性方程为式（2-26），即 $\dfrac{\partial u_x}{\partial x} + \dfrac{\partial u_y}{\partial y} = 0$

将式（3-105）代入式（2-26），可得

$$\frac{\partial \psi^2(x,y)}{\partial x \partial y} - \frac{\partial \psi^2(x,y)}{\partial x \partial y} = 0 \tag{3-106}$$

可见，这样定义的流函数可自动满足连续性方程。

下面结合流线的概念，来说明流函数的物理意义。

如图 3-8 所示，设想在距 CD 流线上面的微分距离处，另有一条流线 $C'D'$，由于流体不能穿越流线，则流体流动的流道是由上述两条流线以及垂直于纸面（z 方向）上一个单位距离构成的。现设流过此流道的流量为 $\mathrm{d}\psi$，从基准线 CD 上的 O 点向流线 $C'D'$ 画一条水平线段 " $-\mathrm{d}x$ " 和垂直线段 $\mathrm{d}y$，" $-\mathrm{d}x$ " 和 $\mathrm{d}y$ 就是 CD 和 $C'D'$ 两条流线之间在 O 点处的水平距离和垂直距离。令

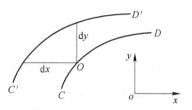

图 3-8 流线与体积流量

O 点处速度 u 在 x、y 方向上的速度分量分别为 u_x、u_y，即穿越（$\mathrm{d}y \times 1$）截面流体的体积流量为 $u_x \mathrm{d}y$，穿越（$-\mathrm{d}x \times 1$）截面流体的体积流量为（$-u_y \mathrm{d}x$）。假设流体不可压缩，则 $-u_y \mathrm{d}x$ 与 $u_x \mathrm{d}y$ 应该相等。所以有

$$\mathrm{d}\psi = u_x \mathrm{d}y = -u_y \mathrm{d}x \tag{3-107}$$

由于 ψ 同时是 x，y 的函数，因此可将式（3-107）写成如下偏导数的形式

$$\begin{cases} \dfrac{\partial \psi}{\partial y} = u_x \\[2mm] \dfrac{\partial \psi}{\partial x} = -u_y \end{cases} \tag{3-108}$$

由上面的论述可知，流函数 ψ 的物理意义就是体积流量，即流体穿过由一基准流线和任一流线以及垂直纸面方向一个单位距离构成的流道间流体流动的体积流量。

流函数自动满足连续性方程，因此当应用了流函数以后，它已包括了连续性方程，引进流函数的概念，可减少方程的数目，将速度变量 u_x、u_y 用流函数 ψ 一个变量代替，简化方程的求解过程。

ψ 值相等的诸点连接而成的曲线就是流线；反之，流线方程 $\mathrm{d}\psi = 0$，表明同一条流线的诸点，流函数 ψ 相等。

当流体沿 x、y 方向作平面流动时，由式（3-92a）可知，流体微元绕 z 轴旋转的角速度为

$$\omega_z = \frac{1}{2}\left(\frac{\partial u_y}{\partial x} - \frac{\partial u_x}{\partial y}\right)$$

对于不可压缩流体的稳态流动，将速度分量用流函数 ψ 来表示，则

$$-2\omega_z = \frac{\partial^2 \psi}{\partial x^2} + \frac{\partial^2 \psi}{\partial y^2} \tag{3-109}$$

当流体无旋时，$\omega_z = 0$，因此有

$$\nabla^2 \psi = \frac{\partial^2 \psi}{\partial x^2} + \frac{\partial^2 \psi}{\partial y^2} = 0 \tag{3-110}$$

该式表明，在不可压缩流体的平面无旋流动中，流函数满足拉普拉斯方程。故对平面无旋流动，既可采用势函数的概念求解，也可应用式（3-110）所给出的含有流函数的方

程求解，如能求出流函数，即可求得任一点的两个速度分量，这样就简化了求解过程。

3.2.2.6　不可压缩流体平面无旋流动速度势与流函数的关系

由前述讨论可知，不可压缩流体平面无旋流动中的速度分量可表达如下

$$\begin{cases} u_x = \dfrac{\partial \varphi}{\partial x} = \dfrac{\partial \psi}{\partial y} \\ u_y = \dfrac{\partial \varphi}{\partial y} = -\dfrac{\partial \psi}{\partial x} \end{cases} \tag{3-111}$$

在数学分析中称该关系式为柯西黎曼（Cauchy-Riemann）条件。可见在平面势流中流函数 ψ 与流速势 φ 是共轭函数。利用式（3-111），已知两个速度分量可推求 ψ 及 φ；或已知其中一个函数就可推求另一个函数。比较式（3-110）与式（3-97），可见 ψ 与 φ 必定相关。

等 ψ 线就是流线，等 φ 线就是等势线。两者的关系可以用 ψ 和 φ 的等值线来说明。ψ 的等值线是一条流线，沿此等值线有

$$\mathrm{d}\psi = \frac{\partial \psi}{\partial x}\mathrm{d}x + \frac{\partial \psi}{\partial y}\mathrm{d}y = 0$$

或写成

$$\frac{\mathrm{d}y}{\mathrm{d}x}\bigg|_{\psi=常数} = \frac{u_y}{u_x}$$

同理，对速度势函数有

$$\mathrm{d}\varphi = \frac{\partial \varphi}{\partial x}\mathrm{d}x + \frac{\partial \varphi}{\partial y}\mathrm{d}y$$

$$\frac{\mathrm{d}y}{\mathrm{d}x}\bigg|_{\varphi=常数} = -\frac{u_x}{u_y}$$

因此

$$\frac{\mathrm{d}y}{\mathrm{d}x}\bigg|_{\varphi=常数} = -\frac{1}{\mathrm{d}y/\mathrm{d}x}\bigg|_{\psi=常数}$$

或

$$\nabla \varphi \cdot \nabla \psi = \frac{\partial \varphi}{\partial x} \cdot \frac{\partial \psi}{\partial x} + \frac{\partial \psi}{\partial y} \cdot \frac{\partial \varphi}{\partial y} = -u_x u_y + u_x u_y = 0$$

由此可见，流线和等势线是正交的，二者相互垂直。在数学上把满足拉普拉斯方程的函数称为调和函数，因此，流速势函数和流函数均为调和函数。流速势函数的增值方向与流速方向一致，而流函数的增值方向则为流速矢量方向逆时针旋转 90°的方向。

平面势流的求解问题，关键在于根据给定的边界条件，求解拉普拉斯方程的势函数或流函数。具体求解方法将在下一章边界层理论部分讨论。

习　　题

1. 温度为 20℃ 的甘油以 10kg/s 的质量流率流过宽度为 1m、高度为 0.1m 的矩形截面管道，流动已充分发展，试求

（1）甘油在流道中心处的流速与离中心 25mm 处的流速；

（2）通过单位管长的压降；

（3）管壁面处的剪应力。

2. 流体在两块无限大平板间作一维稳态层流。试求截面上等于主体速度 u_0 的点距壁面的距离。又如流体在圆管内做一维稳态层流功时，该点与壁面的距离为若干？

3. 某流体以 0.15kg/s 的质量流率沿宽为 1m 的垂直平壁呈膜状下降，已知流体的运动黏度为 $1 \times 10^{-4} m^2/s$，密度为 $1000kg/m^3$。试求流动稳定后形成的液膜厚度。

4. 试推导不可压缩流体在圆管中作一维稳态层流时，管壁面剪应力 τ_w 与主体速度 u_0 的关系。

5. 已知某不可压缩流体作平面流动时的速度分量 $u_x = 3x$，$u_y = -3y$，试求出此情况下的流函数。

4 边 界 层 流 动

由于 $N\text{-}S$ 方程的非线性特征，使得问题的求解非常困难。在许多情况下，需要根据流动的特点对方程进行不同程度的简化。从上一节所介绍的 $N\text{-}S$ 方程求解过程可见，直接简化黏性不可压缩流体运动基本方程组而获得的解析解为数甚少，大部分的工程实际问题需要采用近似的方法。对于爬流这种小 Re 数情况下的近似解也只能解决很小范围内的一部分实际问题。工程上所遇到的绝大部分都属于大 Re 数情况。如工程实际中经常遇到的主要的流体是空气及水，其黏度较小，如果物体的特征长度及特征速度不太小的话，那么雷诺数就可以达到很高的数值。因此研究大雷诺数的流动问题具有重要的实际意义。

在低雷诺数流动中，由于黏性力远大于惯性力，Stokes 近似将方程的惯性力项略去，使基本方程得以线性化，得到了具有一定精度的爬流阻力公式。在 Oseen 近似中，在方程中保留了线性化的惯性力项，使小球绕流的远场特性得到了改善。大 Re 数流动意味着在大部分流动区域内，惯性力远大于黏性力。但若将运动方程中的黏性力全部忽略，以此作为大 Re 数流动的零级近似方程，这种做法的结果将是 $N-S$ 方程退化为欧拉方程，而欧拉方程一般说来不能满足固体物面上的黏附条件。这就说明，这种近似处理对于固壁附近的流动是不合适的。若勉强这样做，就会在数学上产生解不存在的矛盾，对固体的绕流问题会出现零阻力的非物理解（达朗贝尔佯谬）；但若使用无滑移的黏性固壁条件会导致数学模型在边界条件上的过约束。

为什么在雷诺数很小的流体流动中可以忽略惯性力的影响，而在大 Re 数的情况下却不能全部忽略黏性力的影响？应当如何正确处理大 Re 数流动问题呢？

这个问题直到 1904 年德国力学家普朗特（Prandtl）提出了著名的边界层理论之后才得到令人满意的解决。边界层理论是近代流体力学的重要基石，它澄清了大 Re 数流动问题中黏性对流动的影响。

4.1 普朗特（Prandtl）边界层理论

为了解决大雷诺数情况下欧拉方程和黏性边界条件间的矛盾，普朗特引入了边界层的概念，提出了边界层学说。边界层理论的主要任务是研究物体在流体中运动时所受到的摩擦阻力和物体与流体间的热交换。边界层学说还与传质过程有着密切的联系。

4.1.1 普朗特边界层理论模型

普朗特边界层理论模型认为，实际流体沿固体壁面流动时，在壁面附近区域，存在很薄的一个流体层，称为边界层。在该层流体中，流体的流速很小，紧贴壁面的流体不滑脱，流速为零，因此，与流动相垂直方向上的速度梯度很大，剪应力也较大，不能忽略黏性力的作用。而在边界层以外的区域，流体的速度梯度则很小，几乎可视为零，因此完全可以忽略黏性力的作用，将其视为理想流体的无旋流动。该理论模型已被大量的实验研究所证实。

可见，对于大 Re 数的流动问题，可以将整个流动划分为两个性质截然不同的区域，即边界层和外流区。在边界层内，即使流体的黏性很小，但由于速度梯度很大，由牛顿黏性定律可知，黏性剪应力为黏度与速度梯度的乘积，故黏性力也可能达到较大的数值。因此在这层流体内，惯性力和黏滞力的数量级相同，二者均不能忽略；边界层之外的流动区域，称为外部流动区。在外流区，物面对流动的滞止作用大大削弱，因而速度梯度极小，故可将黏性力全部略去，可近似按第3章所介绍的理想流体的势流流动进行处理。

4.1.2 边界层的形成和发展

考察如图 4-1 所示的某黏性流体沿平板壁面的流动过程，流体以均匀一致的来流速度 u_0 流近壁面，当它流到平板前缘时，紧贴壁面的流体将停滞不动，速度为零，从而在垂直于壁面的外法线方向上（即垂直于流动的方向上）建立起一个速度梯度。与此速度梯度相应的剪应力将促使靠近壁面的一层流体的流速减慢，开始形成边界层。随着流体向前

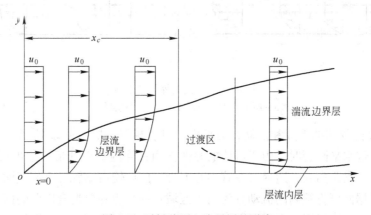

图 4-1 平板壁面上边界层的形成

流动，由于剪应力对流体的持续作用，促使更多的流层减速，从而使边界层的厚度增加，靠近壁面的流体的流速分布如图 4-1 所示。由图可以看出，流体速度沿壁面的外法线方向，由表面处为零逐次增加，最终达到来流速度 u_0。通常将流体速度从零变化到接近来流速度99%时的区域定义为边界层区，其厚度以 δ 表示。边界层以外的区域流体速度没有明显改变，等于来流速度 u_0，其速度梯度可视为零。在该区域，即使对于黏性流体，由于不存在速度梯度，剪应力为零，故可视为理想流体进行处理。可见，所谓边界层就是流体速度分布明显受到壁面影响的区域，亦即壁面附近速度梯度较大的薄流体层。

随着流体沿平板的向前流动，边界层在壁面上逐渐加厚。在平板前部的一段距离内，边界层的厚度较小，流体维持层流流动，相应的边界层称为层流边界层。当流体沿壁面的流动经过这段距离后，由于以流经距离为特征尺寸进行考量的雷诺数逐渐增加，边界层中的流动型态由层流经一过渡区逐渐转变为湍流，此时的边界层称为湍流边界层。在湍流边界层中，壁面附近仍存在着一极薄的流体层，维持层流流动。这一薄流体层称为层流内层或滞流底层。在与壁面相垂直的方向上，在层流内层与湍流边界层之间，流体的流动既非层流，又非完全的湍流，称为缓冲层或过渡层。

由层流边界层开始转变为湍流边界层的距离称为临界距离，以 x_c 表示。x_c 的大小与壁

面前缘的形状、壁面的粗糙度、流体的性质以及流速等因素有关。例如，壁面越粗糙、前缘越钝，则 x_c 越短。对于平板壁面上的流动，雷诺数的定义为

$$Re_x = \frac{xu_0\rho}{\mu} \tag{4-1}$$

式中，x 为由平板前缘算起的流动距离；u_0 为流体（或外部区域）的来流速度。

相应地，以临界距离表示的临界雷诺数定义为

$$Re_{xc} = \frac{x_c u_0 \rho}{\mu} \tag{4-2}$$

实验表明，对于光滑的平板壁面，边界层由层流开始转变为湍流的临界雷诺数范围为 $2 \times 10^5 < Re_{xc} < 3 \times 10^6$。为方便起见，通常可取 $Re_{xc} = 5 \times 10^5$。

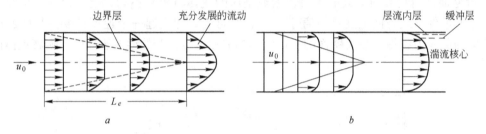

图 4-2　圆管内边界层的形成
a—层流边界层形成；b—湍流边界层形成

管内流动边界层的形成和发展，与平板边界层相似。如图 4-2a 所示，当一黏性流体以均匀流速流进水平圆管时，由于流体的黏性作用在管内壁面处形成边界层并逐渐加厚。在距管进口某一段距离处，边界层在管中心汇合，此后便占据管的全部截面，边界层厚度即维持不变。据此可将管内的流动分为两个区域：一是边界层汇合以前的区域，称之为进口段流动；另一是边界层汇合以后的流动，称为充分发展的流动。将圆管流动边界层充分发展时离入口的距离 L_e 称为进口段长度。

若 u_0 较小，边界层在管中心汇合时流体流动为层流，则管内流动保持为层流，即维持充分发展的层流流动，如图 4-2a 所示；若 u_0 较大，则在进口段内首先形成层流边界层，然后逐渐过渡到湍流边界层，再在管中心汇合后形成充分发展的湍流，如图 4-2b 所示。

在管内流动充分发展后，流体的流动型态将不再随流动距离 x 变化，此时以 x 定义的雷诺数已不再具有湍动程度的表征意义。因此对于充分发展的管内流动，判别流动型态的雷诺数定义为

$$Re = \frac{du_m\rho}{\mu} \tag{4-3}$$

式中，d 为管内径 m；u_m 为流体在管内的平均流速或主体流速，m/s。

当 $Re < 2000$ 时，管内流动为层流流动。进口段长度 L_e 可由下式计算

$$\frac{L_e}{d} = 0.05Re \tag{4-4a}$$

当 $Re > 2000$，对湍流流动尚无可靠的公式，一般估计为

$$\frac{L_e}{d} = 1.4Re^{1/4} \tag{4-4b}$$

由于湍流时边界层厚度增长较快，所以其进口段要比层流时为短。近似计算时，通常取 $L_e = 50d$。

4.1.3 边界层厚度

按照边界层理论，当流体以大雷诺数流过物体壁面时，可以将整个流动划分为两个性质截然不同的区域，即壁面附近的边界层区和边界层外的外流区域。这两个区域的边界可以通过边界层厚度来划分。

对图 4-1 所示的平板边界层而言，在与流动相垂直的法线方向上，速度由壁面处的零值变化到边界层外的来流速度 u_0，理论上需要无限长的距离。实验发现，速度的这种变化具有渐进性质，速度梯度在壁面附近区域的变化极大，然后经过很短的距离便趋于零。因此，为了定义边界层厚度，通常规定当流体沿 x 方向的速度分量 u_x 与相应的外流速度 u_0 相差 1% 的地方为边界层的外边界，即 $u_x = 0.99u_0$ 的地方。通常边界层厚度以 δ 表示。即

$$\delta = y \Big|_{u_x = 0.99u_0} \tag{4-5}$$

边界层厚度 δ 随流体的性质（如密度与黏度）、来流速度 u_0 以及流动距离 x 而变化。由图 4-1 可直观看出，在板的前缘 $x = 0$ 处，$\delta = 0$；随着距离 x 的增加，边界层逐渐增厚。

对于管内流动，在边界层未汇合以前，边界层厚度的定义和影响因素与平板壁面相同。但流动充分发展后，边界层厚度为管的内半径，即

$$\delta = r_i \tag{4-6}$$

通常，边界层厚度 δ 约在毫米的量级。

4.1.4 边界层的基本特征

边界层流动涉及到一系列非常复杂的现象，归纳起来，层流边界层流动具有以下基本特征。

边界层的厚度很薄，在固壁前缘处产生，沿流动方向逐渐增厚。边界层内的流场特征尺度在 x 和 y 两个方向上是不同的，分别为板长 L 和边界层厚度 δ。从量级上看，边界层厚度 δ 与流场特征尺度 L 相比是一个高阶小量，满足条件 $\delta \ll L$。

边界层的另一个基本特征是层内切向速度的法向梯度很大。以绕流问题为例，由于在边界层外缘处，切向速度的量级与来流速度一致，通过边界层后，经很短的距离便迅速地降低到固壁上的零值，因此在边界层内的切向速度的法向梯度远大于沿流向的梯度，即 $\frac{\partial u_x}{\partial y} \gg \frac{\partial u_x}{\partial x}$。在边界层内，由于速度梯度很大，即使流体的黏度很小，但作为两者乘积的黏性力已不能被忽略，它与惯性力项具有相同的量级，这是边界层内流动的又一个重要特征，这一点与边界层外的流动有本质的差别。在外部势流区，黏性力项可以被忽略。基于边界层的以上特征，就可以对 N-S 方程进行简化，得到边界层方程。

4.2 普朗特边界层方程

在前面考察求解 N-S 方程时，针对所解决的问题特点，可将流体流动简化为一维流

动。如果是两维以上的流动情况，其求解一般是非常困难的。不可压缩流体的奈维-斯托克斯方程用于描述边界层内的二维流动时，可以根据边界层流动的特点，通过数量级分析去掉次要项来实现简化，简化后的运动方程称为普朗特边界层方程。

为简单起见，考察不可压缩流体在一无限平壁面上稳态流动的情形。流体自平板前缘至临界距离 x_c 内所形成的边界层为二维层流流动。以流动方向为坐标 x ，与壁面相垂直的方向为坐标 y 。由于流动为稳态，故，$\dfrac{\partial u_x}{\partial \theta} = 0, \dfrac{\partial u_y}{\partial \theta} = 0$ ；又由于已假定平板为无限宽，故流速在 z 方向上无变化，即 $\dfrac{\partial u_x}{\partial z} = 0$ 和 $\dfrac{\partial u_y}{\partial z} = 0$ ；在边界层流动中，重力对流动的影响要比黏性力和惯性力小的多，可以忽略不计。因此，不可压缩流体的运动方程和连续性方程可分别简化为

$$u_x \frac{\partial u_x}{\partial x} + u_y \frac{\partial u_x}{\partial y} = -\frac{1}{\rho} \frac{\partial p}{\partial x} + \frac{\mu}{\rho} \left(\frac{\partial^2 u_x}{\partial x^2} + \frac{\partial^2 u_x}{\partial y^2} \right) \tag{4-7a}$$

$$u_x \frac{\partial u_y}{\partial x} + u_y \frac{\partial u_y}{\partial y} = -\frac{1}{\rho} \frac{\partial p}{\partial y} + \frac{\mu}{\rho} \left(\frac{\partial^2 u_y}{\partial x^2} + \frac{\partial^2 u_y}{\partial y^2} \right) \tag{4-7b}$$

$$\frac{\partial u_x}{\partial x} + \frac{\partial u_y}{\partial y} = 0 \tag{4-8}$$

上述方程构成了二阶非线性偏微分方程组，仍需要进一步简化才能分析求解。

下面采用数量级分析方法来分析上述方程中各项相对数量级的大小，以便对方程进行进一步化简。数量级分析（以下简称量阶分析）需要预先选取一个标准量阶，即选择某物理量作为基础数量级（标准量阶），而其他物理量的量阶都是相对标准量阶而言的，这样可将其他物理量在其整个变化范围内的平均值与标准量阶做比较以确定其相对数量级。因此量阶分析法不是指该物理量的具体数值，而是指该物理量在整个区域内相对于标准量阶而言的平均值。注意这里所指的是整体平均值。

选取如下 3 个标准量阶：（1）取 x 为距离的标准量阶；（2）外流速度 u_0 为流速的标准量阶，以符号 O 表示，分别写成 $x = O(1)$，$u_0 = O(1)$，这也意味着这两个物理量的量阶相当；（3）取边界层厚度 δ 为另一个标准量阶，$\delta \ll x$，以符号 $\delta = O(\delta)$ 表示。

显然，标准量阶 $O(1)$ 与 $O(\delta)$ 不在同一个量阶水平上，通常 $O(1)$ 是 $O(\delta)$ 的 10^3 倍。

当选择了标准量阶以后，可以将其他物理量的量阶进行比较。

（1）u_x。u_x 由壁面处的零值变化至边界层外缘处的 u_0，故其与 x 或 u_0 的量阶相同，即 $u_x = O(1)$。

（2）$\dfrac{\partial u_x}{\partial x}$。将 $\dfrac{\partial u_x}{\partial x}$ 写成差分形式，即 $\dfrac{\partial u_x}{\partial x} \approx \dfrac{\Delta u_x}{\Delta x} = \dfrac{O(1)}{O(1)} = O(1)$ 。

（3）$\dfrac{\partial^2 u_x}{\partial x^2}$。$\dfrac{\partial^2 u_x}{\partial x^2} \approx \dfrac{\Delta u_x}{(\Delta x)^2} = \dfrac{O(1)}{O(1)O(1)} = O(1)$ 。

（4）y。由于在边界层范围内，距离由壁面处的零值变化至边界层外缘处的 δ ，故 y 的量阶为 $y = O(\delta)$ 。

（5）u_y。考察不可压缩流体的二维连续性方程 $\dfrac{\partial u_x}{\partial x} + \dfrac{\partial u_y}{\partial y} = 0$ 可知，由于 $\dfrac{\partial u_x}{\partial x} = O(1)$，故 $\dfrac{\partial u_y}{\partial y}$ 的量阶亦必为 $O(1)$，即 $\dfrac{\partial u_y}{\partial y} = O(1)$；又由于 $y = O(\delta)$，故 u_y 的量阶亦必为 $O(\delta)$，即 $u_y = O(\delta)$。

（6）$\dfrac{\partial u_x}{\partial y}$。$\dfrac{\partial u_x}{\partial y} \approx \dfrac{\Delta u_x}{\Delta y} = \dfrac{O(1)}{O(\delta)} = O\left(\dfrac{1}{\delta}\right)$。

（7）$\dfrac{\partial^2 u_x}{\partial y^2}$。$\dfrac{\partial^2 u_x}{\partial y^2} \approx \dfrac{\Delta u_x}{(\Delta y)^2} = \dfrac{O(1)}{O(\delta^2)} = O\left(\dfrac{1}{\delta^2}\right)$。

将以上各式代入式（4-7a），并进行量阶比较

$$u_x \frac{\partial u_x}{\partial x} + u_y \frac{\partial u_x}{\partial y} = -\frac{1}{\rho}\frac{\partial p}{\partial x} + \frac{\mu}{\rho}\left(\frac{\partial^2 u_x}{\partial x^2} + \frac{\partial^2 u_x}{\partial y^2}\right)$$

量阶　　　　　　　（1）（1）（δ）（1/δ）　　　　　　（1）　（1/δ^2）

通过量阶比较可知，式（4-7a）右侧括号内第一项 $\dfrac{\partial^2 u_x}{\partial x^2}$ 的量阶远远小于第二项 $\dfrac{\partial^2 u_x}{\partial y^2}$ 的量阶，故可将第一项从方程中消去，这意味着忽略了 x 方向的黏性力变化。又由于左侧两个惯性力的量阶均为 $O(1)$，根据前述的边界层流动的特点可知，在边界层内惯性力与黏性力同阶，故右侧的黏性力项 $\dfrac{\mu \partial^2 u_x}{\rho \partial y^2}$ 的量阶必为 $O(1)$，即 $\dfrac{\mu \partial^2 u_x}{\rho \partial y^2} = O(1)$。

由此可得 $\dfrac{\mu}{\rho} = \nu = O(\delta^2)$，这表明欲获得边界层流动，流体的黏性要非常低。

由于式（4-7a）中的各项的量阶均为 $O(1)$，而压力又是在惯性力与黏性力之间起平衡作用的被动力，起调节作用，它的量级由方程中其他类型力中的最大量级决定。方程中一共有两种主动力，即黏滞力和惯性力，而它们是同一量级。因此 $\dfrac{1}{\rho}\dfrac{\partial p}{\partial x}$ 的量阶亦应为 $O(1)$。

经过上述量阶分析，可将式（4-7a）简化为

$$u_x \frac{\partial u_x}{\partial x} + u_y \frac{\partial u_x}{\partial y} = -\frac{1}{\rho}\frac{\partial p}{\partial x} + \frac{\mu}{\rho}\frac{\partial^2 u_x}{\partial y^2} \tag{4-9a}$$

同样，也可以对式（4-7b）进行量阶分析

$$u_x \frac{\partial u_y}{\partial x} + u_y \frac{\partial u_y}{\partial y} = -\frac{1}{\rho}\frac{\partial p}{\partial y} + \frac{\mu}{\rho}\left(\frac{\partial^2 u_y}{\partial x^2} + \frac{\partial^2 u_y}{\partial y^2}\right)$$

量阶　　　　　　　（1）（δ）（δ）（1）　　　　　（δ^2）（δ）（1/δ）

可见，除 $\dfrac{1}{\rho}\dfrac{\partial p}{\partial y}$ 一项外，其余各项的量阶均不大于 $O(\delta)$，故 $\dfrac{1}{\rho}\dfrac{\partial p}{\partial y}$ 的量阶也不大于 $O(\delta)$。

通过上述分析可知，式（4-7a）中各项的量阶均为 $O(1)$，而式（4-7b）各项的量阶均为 $O(\delta)$，两式相比，式（4-7b）可以略去。物理上这意味着 y 方向的运动方程较次

要，可忽略不计。

进一步比较式（4-7a）与式（4-7b）中的压力项还可发现，由于 $\dfrac{1}{\rho}\dfrac{\partial p}{\partial x} = O(1)$，而

$\dfrac{1}{\rho}\dfrac{\partial p}{\partial y} = O(\delta)$，因此 $\dfrac{\partial p / \partial y}{\partial p / \partial x} = \dfrac{O(\delta)}{O(1)} = O(\delta)$，即 $\dfrac{\partial p}{\partial y} = O(\delta)$。这意味着在边界层内，压力沿物面法线方向的变化非常小，近似可认为

$$\frac{\partial p}{\partial y} = 0 \tag{4-9b}$$

这就意味着沿边界层内沿物面法线方向上流体的压力保持不变。因此，式（4-9a）中的 $\dfrac{\partial p}{\partial x}$ 可写成 dp/ dx。因边界层外部为势流，根据理想流体理论，边界层外部边界上的压力分布是确定的，于是边界层内的压力变成了已知函数。

综上所述，可将式（4-7a）与式（4-7b）最终简化为

$$u_x \frac{\partial u_x}{\partial x} + u_y \frac{\partial u_x}{\partial y} = -\frac{1}{\rho}\frac{\partial p}{\partial x} + \frac{\mu}{\rho}\frac{\partial^2 u_x}{\partial y^2} \tag{4-10}$$

不可压缩流体的连续性方程仍为式（4-8）

$$\frac{\partial u_x}{\partial x} + \frac{\partial u_y}{\partial y} = 0$$

式（4-10）称为普朗特边界层方程。式（4-10）与式（4-8）构成了二阶非线性偏微分方程组，共有两个方程，两个未知量 u_x 和 u_y（其中的压力 p 为已知），采用适当的数学方法可以求解。方程组的边界条件为

$$y = 0 , u_x = 0 , u_y = 0 （壁面） \tag{4-10a}$$

$$y = \delta , u_x = u_0 （边界层外缘） \tag{4-10b}$$

根据边界层内流速渐进趋于外部流速 u_0 的性质，边界条件（4-10b）亦可以用下式来代替

$$y = \infty , u_x = u_0$$

理论上来说，黏性的影响可以由壁面一直延伸至无穷远处。由于方程（4-10）的解具有渐进性，它在 $y = \delta$ 处的值与 $y = \infty$ 的值相差无几，故在 $y = \delta$ 处或在 $y = \infty$ 处，$u_x = u_0$ 的边界条件所得的解相差不大。由 δ 换成 ∞，前者基于有限边界层概念，后者基于渐近边界层概念。在不同的情况下，选用不同的表达式将有助于问题的解决。

边界条件（4-10b）又称为有限厚度理论，$y = \infty$ 的边界层理论则称为渐近理论。

需要指出，上面所导出的普朗特边界层方程仅仅适用于平板壁面上或楔形物面上的边界层流动。实际问题中，流体流过的物面大多为弯曲表面。可以证明，当曲面的曲率半径比边界层厚度大的多时，上述边界层方程也同时适用于曲面上的边界层。对于曲率半径较小的二维曲面壁，则需要采用正交曲线坐标系进行推导。有关内容，读者可参阅相关流体力学专著。

在边界层方程中，保留了惯性力项，部分保留了黏性力项，压力项则由外部势流解给出。边界层内的解与外部势流区的解在边界层的边缘上衔接。

进一步通过量阶分析可定性地给出边界层厚度 δ 的量阶。用 x 表示自平板前缘算起的

距离，则以 x 为特征尺寸表达的雷诺数 Re_x 为

$$Re_x = \frac{xu_0}{\nu}$$

前已推导出，$\frac{\mu}{\rho} = \nu = O(\delta^2)$ ，由量阶分析可知 $Re_x = O(1/\delta^2)$ ，故得

$$\delta = O\left(\frac{1}{Re_x^{1/2}}\right) = O(\sqrt{\nu/xu_0})$$

或

$$\frac{\delta}{x} = O\left(\frac{1}{Re_x^{1/2}}\right)$$

由上式可知，Re_x 愈大，边界层厚度 δ 就愈小。例如 293K 的水，其运动黏度 $\nu = 0.01\,\mathrm{cm^2/s}$ ，当流速 $u_0 = 1\mathrm{m/s}$ 时，则距平板前缘 $1\mathrm{m}$ 处的边界层厚度 δ 的量阶为

$$\delta = O(x)\left[\frac{1}{Re_x^{1/2}}\right] = O(x)\left[\frac{1}{\left(\dfrac{(1)(1)}{0.01 \times 10^{-4}}\right)^{1/2}}\right] = O(10^{-3}\mathrm{m})$$

4.3 普朗特边界层方程的精确解

与 N-S 方程相比，边界层方程仅作了有限的简化，既没有能使原方程线化也没有能使它降阶，所以在 1904 年发表后的几年内并没有得到有效的应用。直到 1908 年，布拉修斯研究得出了平板边界层的精确解，得到了阻力与来流速度的 3/2 次方成正比的规律。这是在流体力学发展史上，首次能够用理论方法准确地计算大雷诺数绕流问题的摩擦阻力，因此平板边界层的解在边界层理论中具有重要的意义。

4.3.1 边界层方程的变换-布拉修斯方程

边界层方程经适当变换后所求得的解析解称为方程的精确解。

如前所述，边界层外的流动可视为理想流体的势流，由柏努利方程描述。考虑到边界层外势流区的速度只有一个方向的分量，即 $u_x = u_0$ ，则对于沿 x 方向的水平流动，有

$$p + \rho\frac{u_0^2}{2} = 常数$$

设流体不可压缩，即 ρ 为常数，将上式对 x 求导，得

$$u_0\frac{\mathrm{d}u_0}{\mathrm{d}x} = -\frac{1}{\rho}\frac{\mathrm{d}p}{\mathrm{d}x} \tag{4-11}$$

显然，在边界层外有

$$\frac{\mathrm{d}p}{\mathrm{d}x} = 0 \tag{4-12}$$

根据边界层流动的特点，$\partial p/\partial y = 0$ ，即压力可穿过边界层保持不变，故在边界层内，式（4-12）依然成立。因此式（4-10）变为

$$u_x\frac{\partial u_x}{\partial x} + u_y\frac{\partial u_x}{\partial y} = \nu\frac{\partial^2 u_x}{\partial y^2} \tag{4-13}$$

连续性方程（4-8）仍为

$$\frac{\partial u_x}{\partial x} + \frac{\partial u_y}{\partial y} = 0$$

这是一个二阶非线性偏微分方程组，利用流函数 ψ 可将其化为常微分方程。第 3 章已经给出了流函数 ψ 的定义见式（3-105a）和式（3-105b）

$$u_x = \frac{\partial \psi}{\partial y}$$

$$u_y = -\frac{\partial \psi}{\partial x}$$

将式（3-105a）和式（3-105b）代入式（4-13）中，得

$$\frac{\partial \psi}{\partial y} \cdot \frac{\partial^2 \psi}{\partial x \partial y} - \frac{\partial \psi}{\partial x} \cdot \frac{\partial^2 \psi}{\partial y^2} = \nu \frac{\partial^3 \psi}{\partial y^3} \tag{4-14}$$

由于流函数自动满足连续性方程式（4-8），故上述偏微分方程组就简化成了单一的偏微分方程。相应的边界条件变为

$$y = 0, \frac{\partial \psi}{\partial y} = 0 \tag{4-14a}$$

$$y = 0, \frac{\partial \psi}{\partial x} = 0 \tag{4-14b}$$

$$y = \infty, \frac{\partial \psi}{\partial y} = u_0 \tag{4-14c}$$

式（4-14）为三阶非线性偏微分方程，要单纯利用数学方法求其解析解往往是很困难的。布拉修斯（Blasuis）根据平板边界层流动的物理特点结合数学分析，提出了采用"相似变换"的方法求解该方程。以下扼要地说明求解思路并给出解的结果。

通过相似变换，引入一个无因次的位置变量 $\eta(x, y)$ 来代替 x 和 y 两个自变量，其关系为

$$\eta(x, y) = y\sqrt{\frac{u_0}{\nu x}} \tag{4-15}$$

由于流函数 ψ 为一个有因次的变量，其因次为 $(\mathrm{m/s}) \cdot \mathrm{m}$。为便于方程求解，需将流函数 ψ 亦转化为无因次形式。为此引入无因次流函数 $f(\eta)$，令

$$f(\eta) = \frac{\psi}{\sqrt{u_0 \nu x}} \tag{4-16}$$

或写成

$$\psi = \sqrt{u_0 \nu x} f(\eta) \tag{4-17}$$

由式（4-17）可知，ψ 是 $f(\eta)$ 和 x 的函数，而 $f(\eta)$ 又是 x 和 y 的函数。

为将式（4-14）转换为以无因次位置变量 $\eta(x, y)$ 和无因次流函数 $f(\eta)$ 表达的形式，可通过分别求出 ψ 的各阶导数，再将所得结果代入式（4-14）中来实现。ψ 的各阶导数为

$$\frac{\partial \psi}{\partial y} = \sqrt{u_0 \nu x} \frac{\mathrm{d}f}{\mathrm{d}\eta}\left[\frac{\partial}{\partial y}\left(y\sqrt{\frac{u_0}{\nu x}}\right)\right] = u_0 \frac{\mathrm{d}f}{\mathrm{d}\eta} = u_0 f' \tag{4-18}$$

$$\frac{\partial^2 \psi}{\partial y^2} = u_0 \frac{d^2 f}{d\eta^2} \frac{\partial \eta}{\partial y} = u_0 \sqrt{\frac{u_0}{\nu x}} f'' \tag{4-19}$$

$$\frac{\partial^3 \psi}{\partial y^3} = \frac{u_0^2}{\nu x} f''' \tag{4-20}$$

$$\frac{\partial \psi}{\partial x} = f(\eta) \frac{\partial}{\partial x}(\sqrt{u_0 \nu x}) + \sqrt{u_0 \nu x} \frac{df}{d\eta} \frac{\partial \eta}{\partial x} = \frac{1}{2} \sqrt{\frac{u_0 \nu}{x}} (f - \eta f') \tag{4-21}$$

$$\frac{\partial^2 \psi}{\partial x \partial y} = u_0 f'' \left[-\frac{1}{2} y \sqrt{\frac{u_0}{\nu x^3}} \right] = -\frac{1}{2} \frac{u_0}{x} \eta f'' \tag{4-22}$$

将式（4-18）~式（4-22）代入式（4-14）中，经化简后得

$$2f''' + ff'' = 0 \tag{4-23}$$

相应的边界条件为

$$\eta = 0, f' = 0 \tag{4-23a}$$

$$\eta = 0, f = 0 \tag{4-23b}$$

$$\eta = \infty, f' = 1 \tag{4-23c}$$

这是一个关于 $f(\eta)$ 的三阶非线性常微分方程，称为布拉修斯（Blasius）方程。其形式虽然十分简单，但却无法得到封闭形式的分析解。在数值积分时，由于边界条件不完全在 $\eta = 0$ 处给出，在原点附近的解便含有一个积分常数不能确定，给数值积分带来了困难。布拉修斯采用级数衔接法近似地求出了式（4-23）的解，其后许多研究者又用数值方法求出了该方程的解。

4.3.2 边界层方程的求解

以下介绍托普费尔（Topfer）在1912年提出的数值解法。

先在 $\eta = 0$ 的邻域内，将未知函数 f 展成以下泰勒级数

$$f(\eta) = \frac{a_2}{2!}\eta^2 + \frac{a_3}{3!}\eta^3 + \frac{a_4}{4!}\eta^4 + \frac{a_5}{5!}\eta^5 + \cdots = \sum_{n=2}^{\infty} \frac{a_n}{n!}\eta^n \tag{4-24a}$$

式中，$a_n = f^{(n)}(0)$。上述展开式中的常数和一次项根据固壁边界条件已取成了零。代入 Blasius 方程式（4-23），整理后得到

$$2a_3 + 2a_4\eta + (a_2^2 + 2a_5)\frac{\eta^2}{2!} + (4a_2 a_3 + 2a_6)\frac{\eta^3}{3!} + \cdots = 0 \tag{4-24b}$$

由于上式对任何 η 均成立，其各项系数恒等于零，即

$$a_3 = a_4 = 0, a_5 = -a_2^2/2, a_6 = a_7 = 0, a_8 = -a_2 a_5 = 11a_2^3/2 \cdots$$

代入式（4-24a），整理得

$$f(\eta) = \frac{a_2}{2!}\eta^2 - \frac{1}{2} \times \frac{a_2^2}{5!}\eta^5 + \frac{11}{4} \times \frac{a_2^3}{8!}\eta^8 - \cdots \tag{4-25}$$

展开式中唯一未知的常数是 a_2，剩下未用的边界条件是 $f'(\infty) = 1$，由于 a_2 不能直接用无穷远处的物理边界条件来确定，故可将未知函数改写为

$$f(\eta) = a_2^{1/3} \left[\frac{1}{2!}(a_2^{1/3}\eta)^2 - \frac{1}{2} \times \frac{1}{5!}(a_2^{1/3}\eta)^5 + \frac{11}{4} \times \frac{1}{8!}(a_2^{1/3}\eta)^8 \cdots \right] = a_2^{1/3} F(\lambda) \tag{4-26}$$

其中

$$F(\lambda) = \frac{1}{2!}\lambda^2 - \frac{1}{2} \times \frac{1}{5!}\lambda^5 + \frac{11}{4} \times \frac{1}{8!}\lambda^8 - \cdots \tag{4-27}$$

$$\lambda = a_2^{1/3}\eta \tag{4-28}$$

将式（4-26）代入式（4-23）仍得到 Blasius 方程

$$2F'''(\lambda) + F(\lambda)F''(\lambda) = 0 \tag{4-29}$$

壁面边界条件为

$$F(0) = F'(0) = 0 \tag{4-30}$$

由于 $F(\lambda)$ 是 λ 的已知幂函数，$\lambda = 0$ 点的第三个边界条件可由式（4-27）的二阶导数直接得到

$$F''(0) = 1 \tag{4-31}$$

这样方程（4-29）便可以从 $\lambda = 0$ 开始，一步一步积分。数值计算表明，随 λ 的增大，无穷级数 $F(\lambda)$ 迅速收敛。

最后，由第三个物理边界条件（无穷远边界条件）可确定常数 a_2。由数值积分可以求出无穷远处的 $F'(\infty)$ 值，对式（4-26）求导得到 $f'(\eta) = a_2^{2/3}F'(\lambda)$，代入无穷远边界条件 $\eta = \infty$，$f' = 1$，得到

$$a_2 = [F'(\infty)]^{-3/2} = 0.33206$$

将所得结果代入方程式（4-25），得

$$f = 0.16603\eta^2 - 4.5493 \times 10^{-4}\eta^5 + 2.4972 \times 10^{-6}\eta^8 - 1.4727 \times 10^{-8}\eta^{11} + \cdots \tag{4-32}$$

由此可解得不同的 η 值所对应的 f、f' 和 f'' 值，也就得到了各处的速度分布。

为应用方便，将上式各对应值列成表格形式，见表 4-1。

表 4-1　无因次流函数及其导数

$\eta = y\sqrt{\dfrac{u_0}{\nu x}}$	f	$f' = \dfrac{u_x}{u_0}$	f''	$\eta = y\sqrt{\dfrac{u_0}{\nu x}}$	f	$f' = \dfrac{u_x}{u_0}$	f''
0	0	0	0.33206				
0.2	0.00664	0.06641	0.33199	4.6	2.88826	0.98269	0.02948
0.4	0.02656	0.13277	0.33147	4.8	3.08534	0.98779	0.02187
0.6	0.05974	0.19894	0.33008	5.0	3.28329	0.99115	0.01591
0.8	0.10611	0.26471	0.32739	5.2	3.48189	0.99425	0.01134
1.0	0.16557	0.32979	0.32301	5.4	3.68094	0.99616	0.00793
1.2	0.23795	0.39378	0.31659	5.6	3.88031	0.99748	0.00543
1.4	0.32298	0.45627	0.30787	5.8	4.07990	0.99838	0.00365
1.6	0.42032	0.51676	0.29667	6.0	4.27964	0.99898	0.00240
1.8	0.52952	0.57477	0.28293	6.2	4.47948	0.99937	0.00155
2.0	0.65003	0.62977	0.26675	6.4	4.67938	0.99961	0.00098
2.2	0.78120	0.68132	0.24835	6.6	4.87931	0.99977	0.00061
2.4	0.92230	0.72899	0.22809	6.8	5.07928	0.99987	0.00037
2.6	1.07252	0.77246	0.20646	7.0	5.27926	0.99992	0.00022
2.8	1.23099	0.81152	0.18401	7.2	5.47925	0.99996	0.00013
3.0	1.39682	0.84605	0.16136	7.4	5.67924	0.99998	0.00007
3.2	1.56911	0.87609	0.13913	7.6	5.87924	0.99999	0.00004
3.4	1.74696	0.90177	0.11788	7.8	6.07923	1.00000	0.00002
3.6	1.92954	0.92333	0.09809	8.0	6.27923	1.00000	0.00001
3.8	2.11605	0.94161	0.08013	8.2	6.47923	1.00000	0.00001
4.0	2.30576	0.95552	0.06424	8.4	6.67923	1.00000	0.00000
4.2	2.49806	0.96696	0.05025	8.6	6.87923	1.00000	0.00000
4.4	2.69238	0.97587	0.03897	8.8	7.07923	1.00000	0.00000

4.3.3 解析结果分析

4.3.3.1 边界层内速度分布

根据流函数的定义，可得

$$u_x = \frac{\partial \psi}{\partial y} = u_0 f'$$ (4-33)

$$u_y = -\frac{\partial \psi}{\partial x} = \frac{1}{2}\sqrt{\frac{u_0 \nu}{x}}(\eta f' - f')$$ (4-34)

因此，对于给定的位置 (x,y)，可由式（4-15）得到对应的 η，由式（4-32）或表 4-1求出对应的 f 和 f'，再由式（4-33）和式（4-34）求出 u_x 和 u_y，从而得到边界层内的速度分布。

4.3.3.2 边界层厚度

由边界层厚度的定义可知，当 $u_x/u_0 = 0.99$ 时，壁面的法向距离 y 即为边界层厚度 δ。参见表 4-1，当 $u_x/u_0 = 0.99155$ 时，$\eta = 5.0$。由此可得

$$\delta = 5.0\sqrt{\frac{\nu x}{u_0}}$$ (4-35)

将式（4-35）写成无因次形式则为

$$\frac{\delta}{x} = 5.0 Re_x^{-1/2}$$ (4-36)

式（4-35）、式（4-36）即为平板壁面上层流边界层厚度的计算式。

4.3.3.3 壁面摩擦阻力

壁面处的剪应力导致流体沿平板壁面流动时产生摩擦阻力，由于剪应力 τ 随流动距离 x 而变化，在此以符号 τ_{wx} 表示，称之为壁面局部剪应力，根据剪应力的定义，可得

$$\tau_{wx} = \mu \frac{\partial u_x}{\partial y}\bigg|_{y=0}$$

由式（4-19）可知

$$\frac{\partial u_x}{\partial y}\bigg|_{y=0} = \frac{\partial^2 \psi}{\partial y^2}\bigg|_{y=0} = u_0\sqrt{\frac{u_0}{\nu x}}f''(0)$$

结合表 4-1 中给出的数据，$f''(0) = 0.33206$，故

$$\tau_{wx} = \mu u_0 \sqrt{\frac{u_0}{\nu x}}f''(0) = 0.33206\rho u_0^2 Re_x^{-1/2}$$ (4-37)

根据第 3 章给出的阻力系数的定义，可得距平板前缘 x 处的局部摩擦阻力系数为

$$C_{Dx} = \frac{2\tau_{wx}}{\rho u_0^2} = 0.664 Re_x^{-1/2}$$ (4-38)

流体流过长度为 L、宽度为 b 的平板壁面所受的总阻力 F_d 为

$$F_d = b\int_0^L \tau_{wx}\mathrm{d}x$$ (4-39)

流体流过平板壁面时，由于压力在壁面上分布均匀，故总阻力 F_d 主要为摩擦阻力，

而形体阻力则可忽略不计。将式（4-37）代入式（4-39）中，积分后得

$$F_d = 0.332\mu bu_0 \sqrt{\frac{u_0}{\nu}} \int_0^L \frac{\mathrm{d}x}{\sqrt{x}} = 0.664b \sqrt{\mu\rho Lu_0^3}$$

平均阻力系数 C_D 为

$$C_D = \frac{2F_d}{\rho u_0^2 A} = \frac{2 \times 0.664b \sqrt{\mu\rho Lu_0^3}}{\rho u_0^2 bL} \tag{4-40a}$$

整理式（4-40a），得

$$C_D = 1.328Re_L^{-1/2} \tag{4-40b}$$

可见，摩擦阻力与来流速度 u_0 的 3/2 次方成正比。而在小 Re 数的爬流流动中，摩擦阻力与 u_0 的 1 次方成正比。因此，Re 数愈大摩擦阻力也较大。

上述结果称为布拉修斯解。其在层流范围内与实验数据吻合得很好。但在平板前沿处，$x = 0$ ，由式（4-37）和式（4-34）可见，τ_{wx} 和 u_y 都趋于无穷大，这不符合实际。在该位置，因 $x = 0$ ，以 x 作为特征长度表征量的雷诺数趋于零，此时描述大雷诺数下流体流动的边界层理论就不再适用，边界层方程的解表现出奇异性。因此，在平板前缘附近，边界层方程是不成立的。主要原因是量级关系 $\delta \ll x$ 在该处已不成立。计算与实验结果的比较表明，对平板边界层，大雷诺数要求相当于 $Re_x \geqslant 100$ 。针对这个问题，我国力学家郭永怀利用高阶边界层理论，对平板阻力系数提出的修正公式为

$$C_D = \frac{1.328}{\sqrt{Re_L}} + \frac{4.12}{Re_L} \tag{4-41}$$

式（4-41）极好地填补了奥森近似和布拉修斯方程未包括的雷诺数范围（$1 \leqslant Re_x < 100$）的空白。

平板下游，随着雷诺数的增大，通常在大于 $3 \times 10^5 \sim 3 \times 10^6$ 时，层流边界层将发生转捩过渡为湍流。湍流边界层的规律与层流边界层有所不同，将在第 5 章湍流部分中讨论。

4.4　边界层动量积分方程

普朗特边界层方程虽然比奈维-斯托克斯方程简单，但仍然是非线性的，求解过程复杂，并且只有在少数几种简单的流动情形例如平板、楔形物体等才能获得精确解。工程中遇到的实际情形大多是很复杂的，直接求解普兰德边界层方程相当困难，为此人们不得不采用各种近似方法。冯·卡门根据动量定理和边界层的基本特点，避开 $N - S$ 方程，直接对边界层的动量进行衡算，建立了满足边界层范围内积分关系的动量积分方程。

4.4.1　卡门动量积分方程

如图 4-3 所示，密度为 ρ 、黏度为 μ 的不可压缩流体沿任意光滑壁面上流动，设边界层

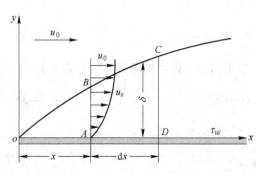

图 4-3　边界层内控制体分析

外的来流速度为 u_0 ，距平板前缘位置 x 处的边界层厚度为 δ 。

在距壁面前缘 x 处，取微元控制体 $ABCDA$ ，其体积为 $\mathrm{d}V = \delta \mathrm{d}x(1)$ ，系由 x 和 $x + \mathrm{d}x$ 处的两个无限邻近的边界层横截面 AB 和 CD 、壁面 AD 以及外流区与边界层的界面 BC 所组成，在板的宽度方向取单位厚度。

将动量守恒原理应用于微元控制体 $\mathrm{d}V$ ，可得

$$\Sigma \boldsymbol{F} = \frac{\mathrm{d}(m\boldsymbol{u})}{\mathrm{d}\theta} \tag{4-42}$$

仅考虑 x 方向上的分量则为

$$\Sigma F_x = \frac{\mathrm{d}(mu_x)}{\mathrm{d}\theta} \tag{4-43}$$

上式左侧为作用于微元控制体 $\mathrm{d}V$ 上的 x 方向合外力，右侧为微元控制体在 x 方向上的动量变化速率。下面按微元控制体的 4 个控制面逐一考察其动量变化情况。

（1）AB 截面。流体以对流方式流入的质量和动量流率可分别做如下计算：在沿壁面的法向距离 y 处，取微分高度 $\mathrm{d}y$ ，则通过微元截面 $\mathrm{d}y(1)$ 流入的质量流率为 $m_1 = \rho u_x \mathrm{d}y(1)$ ，而通过该截面流入的动量流率为 $u_x \rho u_x \mathrm{d}y(1) = \rho u_x^2 \mathrm{d}y(1)$ 。因此，通过整个 AB 截面动量流率为 $\int_0^\delta \rho u_x^2 \mathrm{d}y(1)$ 。

（2）CD 截面。以对流方式流出该截面的质量流率为

$$m_2 = m_1 + \frac{\partial m_1}{\partial x}\mathrm{d}x = \rho u_x \mathrm{d}y(1) + \frac{\partial}{\partial x}\Big(\int_0^\delta \rho u_x \mathrm{d}y(1)\Big)\mathrm{d}x$$

动量流率为

$$\int_0^\delta \rho u_x^2 \mathrm{d}y(1) + \frac{\partial}{\partial x}\Big(\int_0^\delta \rho u_x^2 \mathrm{d}y(1)\Big)\mathrm{d}x$$

（3）AD 截面则因为是固体壁面，所以不存在流体质量和动量的流入与流出。

（4）BC 截面。根据质量守恒原理，在稳态下由此截面流入的质量流率应为截面 CD 与截面 AB 的质量流率之差，即

$$m_3 = m_2 - m_1 = \frac{\partial}{\partial x}\Big(\int_0^\delta \rho u_x \mathrm{d}y(1)\Big)\mathrm{d}x$$

由于该截面取在边界层外缘处，故此处的流体均以 u_0 的速度流入控制体内，则从该截面流入的动量流率为

$$m_3 u_0 = \frac{\partial}{\partial x}\Big(\int_0^\delta u_0 \rho u_x \mathrm{d}y(1)\Big)\mathrm{d}x$$

微元控制体内的净动量变化速率为流出与流入之差，将上述分析结果归总，可得微元控制体在 x 方向上的动量变化速率

$$\frac{\mathrm{d}(mu_x)}{\mathrm{d}\theta} = \frac{\partial}{\partial x}\Big(\int_0^\delta \rho u_x^2 \mathrm{d}y(1)\Big)\mathrm{d}x - \frac{\partial}{\partial x}\Big(\int_0^\delta u_0 \rho u_x \mathrm{d}y(1)\Big)\mathrm{d}x = \frac{\partial}{\partial x}\Big(\int_0^\delta \rho u_x (u_x - u_0)\mathrm{d}y\Big)\mathrm{d}x$$

$$\tag{4-44}$$

以下考察控制体在 x 方向上的受力情况。作用于控制体上的力有壁面摩擦力和流体静压力，由于作用在控制体内流体的质量力在 x 方向上的分量很小，故可忽略不计，同时在

AB 和 CD 面上，由于 $\partial u_x / \partial x \ll \partial u_x / \partial y$ ，所以由黏性所引起的法向应力也很小，也可以忽略不计。这样，作用在控制面上的力只须考虑压力和壁面摩擦力的影响即可，下面分别进行分析。

因 AD 面为壁面，该控制面上的力为剪应力引起的摩擦阻力，即

$$F_w = - \tau_w (\mathrm{d}x)(1) = - \tau_w \mathrm{d}x$$

作用在 AB 面上的压力为

$$F_{AB} = p\delta(1) = p\delta$$

作用在 CD 面上的压力为

$$F_{CD} = - \left(p\delta + \frac{\partial (p\delta)}{\partial x} \mathrm{d}x \right)(1) = - p\delta - \frac{\partial (p\delta)}{\partial x} \mathrm{d}x$$

作用在 BC 面上的力，因该截面与理想流体接壤故无剪应力，仅存在着流体的压力，即

$$F_{BC} = p \frac{\partial \delta}{\partial x} \mathrm{d}x(1) = p \frac{\partial \delta}{\partial x} \mathrm{d}x$$

综上分析可知，沿 x 方向作用在整个微元控制体上的合外力为

$$\varSigma F_x = p\delta - p\delta - \frac{\partial (p\delta)}{\partial x} \mathrm{d}x + p \frac{\partial \delta}{\partial x} \mathrm{d}x - \tau_w \mathrm{d}x = - \left(\delta \frac{\partial p}{\partial x} + \tau_w \right) \mathrm{d}x \qquad (4\text{-}45)$$

将式（4-44）和式（4-45）代入式（4-43）中，可得

$$\rho \frac{\partial}{\partial x} \int_0^\delta (u_0 - u_x) u_x \mathrm{d}y = \delta \frac{\partial p}{\partial x} + \tau_w \qquad (4\text{-}46)$$

由于仅考虑流体沿 x 方向流动，故式（4-46）可写成如下常微分的形式

$$\rho \frac{\mathrm{d}}{\mathrm{d}x} \int_0^\delta (u_0 - u_x) u_x \mathrm{d}y = \delta \frac{\mathrm{d}p}{\mathrm{d}x} + \tau_w \qquad (4\text{-}47)$$

式（4-47）称为卡门边界层动量积分方程。在该方程的推导过程中并没有规定边界层内流体流动的形态，故无论对于层流边界层还是湍流边界层均适用。但求解时要分别代入与流动型态相对应的速度分布式。该方程也可用于曲面物体边界层。

对于平板壁面的层流边界层，因在边界层内 $\dfrac{\mathrm{d}p}{\mathrm{d}x} = 0$ ，故式（4-47）变为

$$\rho \frac{\mathrm{d}}{\mathrm{d}x} \int_0^\delta (u_0 - u_x) u_x \mathrm{d}y = \tau_w \qquad (4\text{-}48)$$

可见，如果已知速度 u_x 沿 y 方向的分布 $u_x = u_x(y)$ ，则将其代入式（4-48）的左侧积分，而右侧的 τ_w 亦可通过 $u_x = u_x(y)$ 的微分求出，由此即可得到边界层厚度、阻力系数等。

一般说来，速度分布 $u_x = u_x(y)$ 的求取需要通过求解运动方程与连续性方程。为简化求解过程，可以预先假设一个速度分布，将其代入式（4-48）中求解，然后再将其结果与实验数据比较，如果二者吻合，则说明所假定的速度分布正确。因此，一般将由此所得到的解称为近似解。解的精度取决于所假定的速度分布的准确程度，显然，所假定的速度分布方程愈接近真实情况，其结果就愈可靠。对于平板上的层流，一般可将速度分布假设为幂函数或三角函数的形式。

4.4.2　平板壁面上层流边界层的近似解

通过求解边界层动量积分方程，可以得到边界层厚度和剪应力，解决阻力系数和总摩擦阻力的计算问题。现以不可压缩流体在平板壁面上的稳态层流边界层为例，讨论边界层动量积分方程的求解问题。

4.4.2.1　边界层内速度分布的确定

根据大量的实验观察和测量可知，平板层流边界层内的速度侧形类似于抛物线形状。因此，可将其速度分布假设为幂函数或正弦函数形式，其表达式分别表示如下

$$u_x = a_0 + a_1 y + a_2 y^2 + a_3 y^3 \tag{4-49a}$$

$$u_x = u_0 \sin\left(\frac{\pi}{2} \cdot \frac{y}{\delta}\right) \tag{4-49b}$$

比较而言，式（4-49a）运算简捷，但精度不高，式（4-49b）则相反。

现以幂函数的表达形式为例，来说明其求解过程。原则上来说，对于幂级数形式而言，只要取足够项就可以逼近任何函数。式（4-49a）所示为常用的四常数形式，因此需要选取四个边界条件，用丁确定 a_0、a_1、a_2、a_3 四个待定准数。

根据边界层流动的特点，选择的边界条件如下

$$y = 0, u_x = 0$$

$$y = 0, \frac{\mathrm{d}^2 u_x}{\mathrm{d}y^2} = 0$$

$$y = \delta, u_x = u_0$$

$$y = \delta, \frac{\mathrm{d}u_x}{\mathrm{d}y} = 0$$

将以上边界条件代入式（4-49a）中，可得

$$a_0 = 0$$

$$a_2 = 0$$

$$a_1 \delta + a_3 \delta^3 = u_0$$

$$a_1 + 3a_3 \delta^2 = 0$$

求解以上方程组，得 $a_0 = 0, a_1 = \dfrac{3u_0}{2\delta}, a_2 = 0, a_3 = -\dfrac{u_0}{2\delta^3}$。因此用三次多项式表示的速度侧形为

$$\frac{u_x}{u_0} = \frac{3}{2}\left(\frac{y}{\delta}\right) - \frac{1}{2}\left(\frac{y}{\delta}\right)^3 \tag{4-50}$$

4.4.2.2　平板壁面上层流边界层的近似解

现将用三次多项式所求得的速度分布式（4-50）代入边界层积分动量方程式（4-48）中，进行积分求解，可得

$$\rho \frac{\mathrm{d}}{\mathrm{d}x}\int_0^\delta (u_0 - u_x) u_x \mathrm{d}y = \rho \frac{\mathrm{d}}{\mathrm{d}x}\int_0^\delta u_0^2 \left(\frac{u_x}{u_0}\right)\left(1 - \frac{u_x}{u_0}\right)\mathrm{d}y$$

$$= \rho u_0^2 \frac{\mathrm{d}}{\mathrm{d}x}\int_0^\delta \left[\frac{3}{2}\left(\frac{y}{\delta}\right) - \frac{1}{2}\left(\frac{y}{\delta}\right)^3\right]\left[1 - \frac{3}{2}\left(\frac{y}{\delta}\right) + \frac{1}{2}\left(\frac{y}{\delta}\right)^3\right]\mathrm{d}y = \tau_w$$

最终积分结果为

$$\frac{39}{280}\rho u_0^2 \frac{\mathrm{d}\delta}{\mathrm{d}x} = \tau_w \tag{4-51}$$

应予指出，对动量积分方程左侧进行积分时，δ 作为常数处理，但在求 x 的微分时，δ 为 x 的函数，即 $\delta = \delta(x)$。

式（4-51）右侧的 τ_w 可由牛顿黏性定律并通过式（4-50）求 y 的导数获得，结果如下

$$\tau_w = \mu \frac{\mathrm{d}u_x}{\mathrm{d}y}\bigg|_{y=0} = \mu \left[\frac{3}{2}\frac{u_0}{\delta} - \frac{3}{2}\left(\frac{u_0}{\delta^3}\right)y^2 \right]_{y=0} = \frac{3}{2}\frac{\mu u_0}{\delta} \tag{4-52}$$

将式（4-52）代入式（4-51）中，化简可得

$$\delta \mathrm{d}\delta = \frac{140}{13}\frac{\mu}{\rho u_0}\mathrm{d}x \tag{4-53}$$

这是一个一阶常微分方程，边界条件为 $x = 0, \delta = 0$。对式（4-53）积分求解，得

$$\delta = 4.64\sqrt{\frac{\mu x}{\rho u_0}} = 4.64\sqrt{\frac{\nu x}{u_0}} \tag{4-54}$$

写成无因次形式为

$$\frac{\delta}{x} = 4.64 Re_x^{-1/2} \tag{4-55}$$

式中，$Re_x = \dfrac{xu_0\rho}{\mu} = \dfrac{xu_0}{\nu}$。

4.4.2.3　摩擦阻力和阻力系数

下面确定流体沿平板壁面流动时的摩擦阻力。为此先求壁面的局部壁面剪应力 τ_{wx}。将式（4-54）代入式（4-52）中，得

$$\tau_{wx} = \frac{3}{2}\times\frac{\mu u_0}{4.64\sqrt{\nu x/u_0}}0.323\rho u_0^2 Re_x^{-1/2} \tag{4-56}$$

距平板前缘 x 处的局部摩擦阻力系数为

$$C_{Dx} = \frac{2\tau_{wx}}{\rho u_0^2} = 0.646 Re_x^{-1/2} \tag{4-57}$$

流体流过长度为 L、宽度为 b 的平板壁面所受的总阻力 F_d 为

$$F_d = b\int_0^L \tau_{wx}\mathrm{d}x = 0.323\mu b u_0\sqrt{\frac{u_0}{\nu}}\int_0^L\frac{\mathrm{d}x}{\sqrt{x}} = 0.646\sqrt{\mu\rho L u_0^3} \tag{4-58}$$

平均阻力系数 C_D 为

$$C_D = \frac{2F_d}{u_0^2\rho A} = \frac{2\times 0.646\sqrt{\mu\rho L u_0^3}}{\rho u_0^2 bL} = 1.292 Re_L^{-1/2} \tag{4-59}$$

式中，$Re_L = \dfrac{\rho u_0 L}{\mu}$。

对于其他速度侧形亦可进行与之类似的计算。与精确解比较，动量积分方程法一般

来说可以给出令人满意的结果。除线性分布及二次函数外，所得到的阻力及阻力系数的结果相当准确，与精确解的相对误差小于3%。

例4.1　常压下温度为20℃的空气以5m/s的流速流过一块宽1m的平板壁面。试计算距平板前缘0.5m处的边界层厚度及进入边界层的质量流率，并计算该段平板壁面的阻力系数和承受的摩擦曳力。设临界雷诺数 $Re_{xc} = 5 \times 10^5$。已知空气在1atm和20℃下的物性值为 $\rho = 1.205\text{kg/m}^3$，$\mu = 1.81 \times 10^{-5}\text{N} \cdot \text{s/m}^2$

解：计算 $x = 0.5\text{m}$ 处的雷诺数

$$Re_x = \frac{xu_0\rho}{\mu} = \frac{0.5 \times 5 \times 1.205}{1.81 \times 10^{-5}} = 1.664 \times 10^5 < Re_{xc}$$

故距平板前缘0.5m处的边界层为层流边界层。

（1）边界层厚度 δ。由式（4-54）得

$$\delta = 4.64xRe_x^{-1/2} = 4.64 \times 0.5 \times (1.664 \times 10^5)^{-1/2} = 0.00569\text{m}$$

（2）求算进入边界层的质量流率。在任意位置 x 处，进入边界层内的质量流率 m_x 可根据下式求出

$$m_x = \int_0^\delta \rho u_x b\mathrm{d}y$$

式中，b 为平板的宽度；u_x 为距平板垂直距离 y 处空气的流速，将层流边界层的速度分布式（4-50）代入上式并积分得

$$m_x = \int_0^\delta \rho u_0 \left[\frac{3}{2}\left(\frac{y}{\delta}\right) - \frac{1}{2}\left(\frac{y}{\delta}\right)^3 \right] b\mathrm{d}y = \frac{5}{8}\rho u_0 b\delta$$

代入已知数据，得

$$m_x = \frac{5}{8} \times 1.205 \times 5 \times 1 \times 0.00569 = 0.0214\text{kg/s}$$

（3）求阻力系数及曳力。

由式（4-59）得

$$C_D = 1.292Re_L^{-1/2} = 1.292 \times (1.664 \times 10^5)^{-1/2} = 0.00317$$

由式（3-1a）得

$$F_d = C_D \frac{\rho u_0^2}{2}bL = 0.00317 \times \frac{1.205 \times 5^2}{2} \times 1 \times 0.5 = 0.0239\text{N}$$

或由式（4-58）可得

$$F_d = b\int_0^L \tau_{wx}\mathrm{d}x = 0.323\mu bu_0\sqrt{\frac{u_0}{\nu}}\int_0^L \frac{\mathrm{d}x}{\sqrt{x}} = 0.646\sqrt{\mu\rho Lu_0^3}$$

$$= 0.646\sqrt{1.81 \times 10^{-5} \times 1.205 \times 0.5 \times 5^3} = 0.0238\text{N}$$

4.5　边界层分离

在平板壁面上或水平管道的进口段，边界层流动的共同特点是沿壁面法线方向上压力梯度可以忽略不计，压力可以穿过边界层不变，或者说边界层对压力的分布没有影响。当黏性流体流过曲面物体时，若在低雷诺数下（$Re < 1$），则可忽略惯性力，此时的流动为

爬流流动。爬流流动时曲面的上游与下游流体的流型相同。但在大 Re 数下，物体对流场的影响仅局限于固体壁面附近的边界层区域，当流体沿曲面物体的表面运动时，由于流体黏性的存在，则会产生压力梯度，在一定条件下，会导致边界层与固体壁面相脱离，壁面附近的流体将发生倒流并产生漩涡，出现复杂的尾流现象，导致流体能量的大量损失，这种现象称为边界层分离。它是黏性流体流动时产生能量损失的重要原因之一。这类边界层流动问题在工程实际中广泛存在。边界层分离会增加能量消耗，给工程上带来很大危害，例如造成机翼表面失速，阻力剧增；又如叶轮机械运转时若发生边界层分离，则不仅会导致较大的机械能损失，更严重的是会引起剧烈的喘振和旋转失速，甚至造成结构破坏；在流体输送过程中应当设法避免或减轻边界层分离作用，但它对混合及传热传质又有着促进作用，所以有时又要加以利用。因此，边界层分离的研究和控制在理论和实用上很有价值。

压力梯度对边界层分离起着重要的作用，假设曲面的曲率半径远远大于边界层厚度，则前面所推导出的普朗特边界层方程同样可以用以描述曲面上的边界层流动

$$u_x \frac{\partial u_x}{\partial x} + u_y \frac{\partial u_x}{\partial y} = -\frac{1}{\rho}\frac{\partial p}{\partial x} + \frac{\mu}{\rho}\frac{\partial^2 u_x}{\partial y^2} \tag{4-10}$$

将壁面处的边界条件（$y = 0$，$u_x = 0$，$u_y = 0$）代入式（4-10），得

$$\frac{1}{\rho}\frac{\partial p}{\partial x} = \frac{\mu}{\rho}\frac{\partial^2 u_x}{\partial y^2} \tag{4-60a}$$

或写成

$$\frac{\partial p}{\partial x} = \mu \frac{\partial^2 u_x}{\partial y^2} \tag{4-60b}$$

式（4-60）表述了压力梯度和壁面上速度分布的关系。一般来说，压力梯度可能取正值，也可能取负值或零。例如流体沿扩大流道减速流动时，压力梯度（$\partial p/\partial x$）> 0，即压力梯度沿流向而增大；流体沿收缩流道加速流动时，则有可能出现（$\partial p/\partial x$）< 0。一般将压力沿流动方向增加的流动称为逆压梯度流动，而将压力沿流动方向减少的流动称为正压梯度流动。

对于零压梯度流动，即当（$\partial p/\partial x$）$= 0$ 时，由式（4-60）可见，壁面上（$\partial^2 u_x/\partial y^2$）$= 0$。因此在近壁处的速度分布 $\partial u_x/\partial y$ 呈线性变化，并且沿壁面的外法线方向逐渐减小，最后在边界层外缘（$y = \delta$ 处），流速 u_x 等于外部势流区的速度 u_0，该处（$\partial u_x/\partial y$）$_{y=\delta}$ $= 0$，（$\partial^2 u_x/\partial y^2$）$= 0$。速度梯度减小也就意味着速度的二阶导数为负值，即（$\partial^2 u_x/\partial y^2$）$_{y<\delta}$ < 0。由此可见，沿壁面的外法线方向，边界层内二阶导数是由负值趋于零的。

逆压梯度流动时，压力沿程增加，即（$\partial p/\partial x$）> 0。由式（4-60）可见，此时壁面上（$\partial^2 u_x/\partial y^2$）$> 0$。由于要求边界层内二阶导数必须由负值趋于零，这样一来，必然在边界层内的某一点处存在（$\partial^2 u_x/\partial y^2$）$= 0$，亦即速度分布曲线会出现拐点。从拐点开始，（$\partial u_x/\partial y$）$< 0$，产生逆向速度，流体会发生倒流，此时边界层不稳定。层内流体微团受到"逆压"和"黏性摩擦"两方面的作用，当其动能逐渐消耗、不能克服逆压时，则在拐点处"失速"而停滞。此时，边界层外的流体继续向下游流动，边界层内被阻滞的流体不断蓄积，继而在逆压作用下出现回流，并以漩涡形式离开物体的壁面，发生边界层分离。由于产生边界层分离，在分离点以后的流动状况将大大改观，随之而来的是压力分布

的改变，它转而又使边界层分离的条件发生变化。换言之，最终分离点的位置将取决于最终的压力分布和速度分布，而不是取决于最初的流动条件。

如果边界层内压力梯度（$\partial p / \partial x$）< 0 时，压力沿程降低，即具有正压梯度，则压力梯度的存在会推动边界层内流体微团克服黏性摩擦向下游流动，此时边界层是稳定的。

高雷诺数下，黏性流体沿曲面体表面流动的情况如图 4-4 所示，图中的速度梯度（$\partial u_x / \partial y$）$_0$ 及（$\partial^2 u_x / \partial y^2$）$_0$ 的下标"0"表示各量在壁面 $y = 0$ 处的值。在上游迎流区（图中Ⅱ点以前）由于外流加速，压力沿程降低，具有正压梯度，不会发生边界层分离；在下游背流区（图中Ⅱ点之后），外流减速，压力升高，具有逆压梯度，因而发生边界层分离。

紧贴物面的流体层开始分离时的分界点 S 称为边界层的分离点。在分离点上游，$u_x > 0$，（$\partial u_x / \partial y$）$_s > 0$；在分离点下游，壁面附近 $u_x < 0$，（$\partial u_x / \partial y$）$_s < 0$。所以在分离点处应有（$\partial u_x / \partial y$）$_s = 0$。这就是普朗特提出的有关二维稳态流动边界层分离的准则，在解出边界层方程后，可由该式确定分离点 S 的位置。

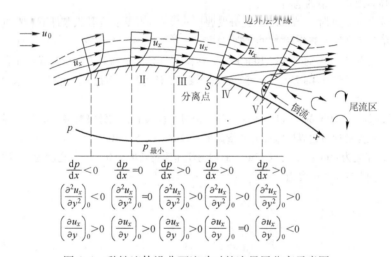

图 4-4　黏性流体沿曲面流动时的边界层分离示意图

综上所述，边界层分离是逆压梯度和壁面黏性阻滞作用的综合结果。如果只有壁面的黏性阻滞作用而没有逆压力梯度，则不会产生分离，因为没有反推力，流体不会倒流；如果只有逆压力梯度而没有壁面黏性阻滞作用，也不会产生分离现象，此时由于无黏性，相当于理想流体的势流流动，故当它流过曲面时，将在物体表面处滑脱。

需要指出，有了逆压梯度和壁面黏性阻滞作用这两个因素不一定就产生分离，还要看逆压梯度的大小，逆压梯度较小时也可能不产生分离，因此逆压梯度和壁面黏性阻滞作用同时存在是产生分离的必要条件，但不是充分条件。

边界层分离是产生形体阻力的主要原因。由于边界层分离时产生大量的漩涡，消耗了流体能量。分离点越靠前，形体阻力越大。一般湍流边界层中的分离点较层流边界层的分离点延迟产生，因此可以预料，湍流边界层分离的尾流必然较小，从而其形体阻力也较小。当然，这并不意味着湍流边界层的总阻力比层流边界层小，只是指由物体前、后压差所引起的形体阻力较小而已。

多数情况下，像由圆柱体这样具有凸起形状的物体所产生的总阻力，主要是由物体前、后的压差所引起的形体阻力，也称为压差阻力。只有在 Re 较低时，因物体表面剪应力引起的摩擦阻力才显得重要。但是，当流体流过流线型物体或平板壁面时，其总阻力主要为摩擦阻力。

在流体输送过程中，流体经管件、阀门、管路突然扩大与突然缩小以管路的进出口等局部位置，由于流向的改变和流道的突然变化的原因，都会出现边界层的分离现象。目前，对于因边界层分离产生的形体阻力的计算，完全依靠理论求解是困难的，主要依靠经验方法。

工程上为了减小边界层分离造成的流体能量的损失，常常将物体做成流线形，如飞机的机翼、轮船的船体等均为流线形状。

<h1 style="text-align:center">习　题</h1>

1. 常压下温度为 20℃ 的水，以 5m/s 的匀速流过一光滑平面表面，试求出由层流边界层转变为湍流边界层区域的临界距离 x_c 值的范围。

2. 流体在圆管中流动时，"流动已经充分发展"的含义是什么？在什么条件下会发生充分发展的层流，又在什么条件下会发生充分发展的湍流？

3. 常压下，温度为 30℃ 的空气以 10m/s 的流速流过一光滑平面表面，设临界雷诺数 $Re_{xc} = 3.2 \times 10^5$，试判断距离平板前缘 0.4m 及 0.8m 两处的边界层是层流边界层还是湍流边界层？求出层流边界层相应点处的边界层厚度。

4. 常压下，温度为 20℃ 的空气以 6m/s 的流速流过平面表面，试计算临界点处的边界层厚度、局部阻力系数以及在该点处通过边界层截面的质量流率。设 $Re_{xc} = 5 \times 10^5$。

5. 常压下，温度为 40℃ 的空气以 12m/s 的均匀流速流过长度为 0.15m、宽度为 1m 的光滑平面，试求平板上、下两面总共承受的曳力。

5 湍流流动

在自然界和工程实际中，湍流是一种较层流更为普遍存在的流动型态。一般说来，当雷诺数足够大时，层流运动都会失稳，尽管少数情况下，它可能转变成另一种稳定的层流，但随着雷诺数的进一步增大，最终都会出现流体质点与周围流体混合掺杂的现象，流动的有序性消失，变成极度混乱的无规则脉动，进入湍流状态。

与层流相比，湍流流动无论在现象、规律及处理方法上都有着很大的差别，这种差异是流体内在结构不同的反映。湍流理论主要研究以下两方面的问题：（1）揭示湍流产生的原因；（2）研究已经形成的湍流运动的规律，以便解决工程实际问题。由于湍流流动的复杂性，截至目前还没有一个完整的理论能够满意地解决湍流流动的所有问题，只能用一些半经验、半理论的关联式进行求解。理解和掌握湍流运动的本质和规律，具有更重要、更普遍的理论意义和实际意义。

5.1 湍流的基本特性及其起因

湍流流动随时间和空间都呈现出不规则的脉动，它们是由大大小小的漩涡引起的。湍流是紊乱的、混沌的，这是湍流的本质。近 40 多年来的试验研究发现，在湍流混合层和边界层中都存在着拟序结构，它们都以大尺度漩涡运动为特征。为描述完全发展了的湍流运动的物理过程，常假设流动是由许多尺寸不同的、杂乱的漩涡形成的。漩涡的最大尺度与流动的整个空间有相同的量级，漩涡的最小尺度则由需要它耗散掉的湍流能量确定。由于湍流只存在于高雷诺数，大漩涡之间的作用几乎完全不受黏性的影响，只在上述级联过程的最后阶段，即在最小尺度的漩涡中，黏性的作用才变得明显的重要起来，这时流体抵抗变形的黏性应力做功而将湍流动能转化为热能。

5.1.1 湍流的基本特性

湍流运动极不规则，极不稳定，每一点的速度随时间和空间都是随机变化的，因而其结构十分复杂。随着湍流中许多新现象的发现，它的概念正在不断更新和发展，因此目前还难以对湍流下一个确切的定义。

雷诺把湍流定义为一种蜿蜒曲折、起伏不定的流动。泰勒和冯·卡门对湍流的定义是"湍流是常在流体流过固体表面或者相同流体分层流动中出现的一种不规则的流动"。欣策（J. O. Hinze）在他的著作《Turbulence》中则认为，湍流更为确切的定义应该是"湍流是流体运动的一种不规则的情形，在湍流中各种流动的物理量随时间和空间坐标而呈现出随机的变化，因而具有明确的统计平均值"。

现代湍流理论认为，湍流是由各种不同尺度的漩涡构成的，大漩涡的作用是从平均流动中获得能量，是湍流的生成因素，但这种大漩涡是不稳定的，它不断地破碎成小漩涡。换句话说，从低频的大漩涡到高频的小漩涡是一个能量级联过程，这个过程一直进行到湍流动能的耗散。由于黏性，能量不断被转换为热，从而不会进一步出现更小乃至无限小尺度的运动。为补偿黏性耗散，湍流需要不断补充能量，否则将很快衰减。

总之，湍流流动是一种大 Re 数、非线性、三维非稳态流动。它具有随机性、扩散性、耗散性、有旋性、记忆特性和间歇现象等特点，其运动极不规则。为了方便研究湍流的基本特性，一般将湍流分为均匀湍流、各向同性湍流和各向异性湍流分别加以研究。均匀湍流和各向同性湍流是湍流中最简单而且在理论上研究最多的。所谓均匀湍流是指湍流场中任何一点同一方向的速度分量的均方值处处都是相等的，任何两点的速度相关只与该两点的相对位置有关；各向同性湍流是指湍流的湍动速度分量及其对空间导数的平均值不受坐标系在空间的方位而改变。实际上，湍流一般都是非各向同性的，这是由于尺度大的湍动运动的速度受到平均运动流场的影响。但对于尺度很小的湍动运动，湍动的特性不直接依赖于平均运动流场的性质，具有各向同性的特征。因此研究这种局部各向同性的湍流具有重要的理论和实际意义。

5.1.2 湍流的起因

湍流研究目前主要集中在湍流产生的机理和充分发展湍流的流动特性两个方面。

流体做湍流流动时，由于质点的运动是随机的，故在流体内部将产生各种尺度的涡流。这些涡流在各个方向上做高频脉动并且相互掺混。流体由层流转变为湍流，需具备两个必要条件：①漩涡的形成；②漩涡形成后脱离原来的流层或流束进入邻近的流层或流束。

（1）漩涡的形成。漩涡的形成主要取决于如下因素：一是流体的黏性。由于黏性作用，具有不同流速的相邻流体层之间将产生剪切力。例如，对于某一层流而言，速度比它大的流层施加于它的剪切力是顺流向的，而速度比它小的流层施加于它的剪切力则是逆流向的。因此，该流层所承受的这两种方向相反的剪切力便会构成力矩从而产生漩涡的倾向。二是流线或流层的波动。由于流体质点受剪切力作用，因此流线就有可能产生波动。此外，外界振动等因素也会引起流线的波动。当流线或流层发生轻微波动时，流道面积就会发生变化。在流层凸起的地方将因微小流束截面的减小而使流速增大，压力减小；反之，在凹入的地方，将因微小流束截面的增大而使流速减小，压力增大。这样一来，轻微波动的流层将承受如图 5-1a 所示的横向压力（图中的"＋"号表示加压区，"－"号表示减压区）。如此就形成了压力矩，显然，这种横向压力将促使流层的波动幅度更加增

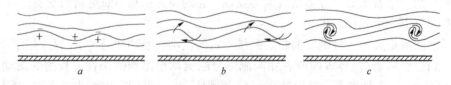

图 5-1 漩涡的形成

大，如图 5-1b 所示。最终在横向压力和剪应力的综合作用下，促成漩涡的生成，如图 5-1c 所示。除此之外，还有两个原因促成漩涡的形成：一是边界层的分离；二是当流体流过某些尖缘处时，也促成漩涡的形成，如图 5-2 所示。

（2）漩涡的脱离。以上分析了漩涡产生的原因，但在流体中的局部位置产生了漩涡

图 5-2　尖缘处漩涡的形成过程

并不表明流动已经是湍流,因为漩涡会被黏性力抑制平息,湍流流动尚需具备漩涡脱离原流层,进而大量漩涡互相掺混的条件。实验观察发现,流体在管道中流动时,随着雷诺数的增大,在管壁附近将有越来越多的漩涡产生,起初这些漩涡并不脱离原流层,而是在原流层位置消失。但当雷诺数增大到一定程度,这些漩涡开始向管中心移动。由于漩涡的存在,漩涡附近各流层的速度分布将有所改变。若将漩涡视为类似于旋转柱体,则必有茹可

夫斯基升力施加于漩涡,推动它进入邻近的流层。如图 5-3 所示,当流动方向由左向右而漩涡顺时针旋转时,漩涡上方流体速度高于下方的流速,则下方的压力就会高于上方的压力,漩涡会产生上升的倾向。但在这一过程中,必须克服两种阻力:一个是漩涡起动和加速过程中的惯性力;另一个是在漩涡运动过程中的形体阻力和摩擦阻力。在开始脱离原流层的一瞬间,漩涡的形体阻力和摩擦阻力均为零,而惯性阻力则具有一定的数值。此后,当漩涡旋转速度逐渐加快,漩涡即会脱离原流层而上升,此时,形体阻力和摩擦阻力开始占有一定的分量。由此可见,形成的漩

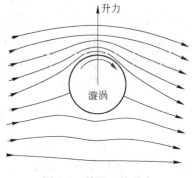

图 5-3　漩涡上的升力

涡并非一定脱离原流层,而只有当漩涡的旋转强度达到一定数值后,亦即漩涡所受到的升力大到足以克服上述阻力时,漩涡才有可能脱离原流层而进入新流层。

当在某些流层中形成漩涡并脱离原流层进入新流层后,整个流动的内部结构就会完全改观。根据流体流动的连续性,各流层之间必然会产生漩涡的交换。这种漩涡的不断交换,就形成了通常所说的湍流。

漩涡通常存在产生、发展和消失 3 个阶段。这是由于漩涡生成之后,不断旋转,由于黏性作用,其周围流体质点会被带动一起旋转,从而使之不断扩大。这样,漩涡的转动惯量不断加大,所受到的阻力相应地急剧增加,使得其旋转速度不断下降,最终将会消失。因此流体的黏性对湍动既起着促进作用,又起着制约作用。此外,微小的波动也是形成漩涡的重要条件之一,可以说,湍流现象的产生,既与流体流动的内在因素有关,也与外界因素有关。

5.2　湍流问题的处理方法

5.2.1　湍流的统计平均

统计理论是处理随机现象的有力工具,湍流的大量的量测结果平均值也具有确定性,对它可以使用统计平均的概念。湍流瞬时物理量的平均方法通常有 3 种,即系综平均法、空间平均法和时间平均法。

系综平均是真正统计意义上的平均，它是指对重复多次试验的所有结果进行算术平均。以湍流速度为例，系综平均速度可表示成

$$u(x,y,z,\theta) = \lim_{N\to\infty} \frac{1}{N} \sum_{k=1}^{N} u_k(x,y,z,\theta) \tag{5-1}$$

式中，$u_k(x,y,z,\theta)$ 是指第 k 次试验在时刻 θ 和位置 (x,y,z) 测得的瞬时速度。系综平均的工作量很大，除了一些简单的问题，实现起来是很困难的。

时间平均是指在一次试验过程中，测量空间固定点处不同时刻的瞬时速度值，将结果对时间求平均，仍以湍流速度为例，时间平均速度的数学表达式为

$$\overline{u}(x,y,z,\theta) = \lim_{\theta\to\infty} \frac{1}{\theta} \int_{\theta_0}^{\theta_0+\theta} u(x,y,z,\theta)\mathrm{d}\theta \tag{5-2}$$

利用时间平均可以将瞬时值分解成时均值和瞬时值之和

$$u(x,y,z,\theta) = \overline{u}(x,y,z,\theta) + u'(x,y,z,\theta) \tag{5-3}$$

对于真正的随机函数，时均值是不会随初始时刻 θ_0 选取的不同而变化的，这就限制了它的使用范围。众所周知，大部分湍流的时均量随 θ_0 的不同而不同。

空间平均是指在一次试验过程中，在同一时刻测量空间足够大区域不同点的瞬时速度值，将结果对空间位置求平均，数学表达式为

$$\tilde{u}(x,y,z,\theta) = \lim_{V\to\infty} \frac{1}{V} \iiint_V u(x,y,z,\theta)\mathrm{d}V \tag{5-4}$$

空间平均适用于均匀流场，空间平均值是不应随位置的不同而变化的，这在很大程度上限制了它的使用范围。此外，要求同时测量流场中许多个邻近点又不干扰原流场的实验是较难实现的。

以上 3 种平均值可以通过各态历经假说联系起来，各态历经假说是指：一个随机变量在试验重复多次时出现的所有可能状态，能够在一次试验的相当长时间或相当大空间范围内，以相同的概率出现。比如：在 N 个试验中出现在 u_0 至 $(u_0 + u')$ 之间的速度值的次数为 ΔN，在一次试验总历时 θ 时间内出现在 u_0 至 $(u_0 + u')$ 之间的速度值的时间为 $\Delta\theta$，在一次试验总体积 V 内出现在 u_0 至 $(u_0 + u')$ 之间的速度值的空间体积为 ΔV，则当 N、θ 和 V 足够大时，对于准稳态和均匀湍流场，各态历经假说认为

$$\frac{\Delta N}{N} = \frac{\Delta\theta}{\theta} = \frac{\Delta V}{V} \tag{5-5}$$

迄今为止，在湍流的研究中，所有的平均值在概念上应属于系综平均，但在实际计算和试验中均采用较简单的时间平均来代替系综平均。事实证明，这种近似在湍流的研究中完全是可行的，湍流理论就是研究脉动值和平均值之间的相互关系。

5.2.2　常用的几种时均运算规则

湍流流动严格来说属于非稳态过程，这是由于流场中各物理量均随时间而变化。通常所说的稳态湍流，指的是这些物理量的时均值不随时间而变化。由于湍流的随机性，在每一时刻要对各点的流动参数进行描述是很困难的，雷诺在 1895 年采用了时间平均的方法，把湍流中的瞬时参数分解成时间平均值和随机脉动值。设 A、B 为湍流中物理量的瞬时值；$\overline{A}$、$\overline{B}$ 为物理量的时均值；A'、B' 为物理量的脉动值，则有

（1）瞬时物理量之和（或差）的平均值，等于各个物理量平均值之和（或差），即

$$\overline{A \pm B} = \overline{A} \pm \overline{B} \tag{5-6}$$

（2）时均量的平均值等于原来的时均值，即

$$\overline{\overline{A}} = \overline{A} \tag{5-7}$$

若时均运动是稳态运动，该等式显然成立，如时均运动是非稳态运动，则上述等式意味着 $\overline{A}$ 在平均周期 $\Delta\theta$ 中可认为不变。

（3）脉动量的平均值等于零

$$\overline{A'} = 0 \tag{5-8}$$

式（5-8）可证明如下

$$A' = A - \overline{A}$$

$$\overline{A'} = \overline{A - \overline{A}} = \overline{A} - \overline{\overline{A}} = 0$$

（4）脉动值乘以常数的平均值等于零

$$\overline{kA'} = k\,\overline{A'} = 0 \tag{5-9}$$

（5）时均值与脉动值之积的平均值等于零

$$\overline{\overline{A}B'} = \overline{A}\,\overline{B'} = 0 \tag{5-10}$$

（6）时均值与瞬时值之积的平均值，等于两个时均值之积

$$\overline{\overline{A}B} = \overline{A}\,\overline{B} \tag{5-11}$$

（7）两个瞬时值之积的平均值，等于两个平均值之积与两个脉动值之积的平均值之和

$$\overline{AB} = \overline{A}\,\overline{B} + \overline{A'B'} \tag{5-12}$$

上式可证明如下

$$\overline{AB} = \overline{(\overline{A} + A')(\overline{B} + B')} = \overline{\overline{A}\,\overline{B} + A'\overline{B} + \overline{A}B' + A'B'}$$
$$= \overline{\overline{A}\,\overline{B}} + \overline{A'\overline{B}} + \overline{\overline{A}B'} + \overline{A'B'} = \overline{A}\,\overline{B} + \overline{A'B'}$$

（8）瞬时值对空间坐标各阶导数的平均值，等于时均值对同一坐标的各阶导数值，即

$$\overline{\frac{\partial A}{\partial x}} = \frac{\partial \overline{A}}{\partial x}, \overline{\frac{\partial A}{\partial y}} = \frac{\partial \overline{A}}{\partial y}, \overline{\frac{\partial A}{\partial z}} = \frac{\partial \overline{A}}{\partial z} \tag{5-13}$$

该式证明如下

$$\overline{\frac{\partial A}{\partial x}} = \frac{1}{\Delta\theta}\int_{\theta-\frac{\theta}{2}}^{\theta+\frac{\theta}{2}} \frac{\partial A}{\partial x}\mathrm{d}\theta = \frac{\partial}{\partial x}\left[\frac{1}{\Delta\theta}\int_{\theta-\frac{\theta}{2}}^{\theta+\frac{\theta}{2}} A\mathrm{d}\theta\right] = \frac{\partial \overline{A}}{\partial x}$$

因为 x 与 θ 是相互独立的，故微分运算和积分运算的次序可交换。

由式（5-13）可得如下推论

$$\overline{\frac{\partial^2 A}{\partial x^2}} = \frac{\partial^2 \overline{A}}{\partial x^2}, \overline{\frac{\partial^2 A}{\partial y^2}} = \frac{\partial^2 \overline{A}}{\partial y^2}, \overline{\frac{\partial^2 A}{\partial z^2}} = \frac{\partial^2 \overline{A}}{\partial z^2} \tag{5-14}$$

同时可得脉动值对空间坐标各阶导数的平均值等于零，即

$$\overline{\frac{\partial A'}{\partial x}} = 0, \overline{\frac{\partial A'}{\partial y}} = 0, \overline{\frac{\partial A'}{\partial z}} = 0 \tag{5-15}$$

（9）同样可以证明，瞬时值对时间导数的平均值，等于时均值对时间的导数，即

$$\frac{\overline{\partial A}}{\partial \theta} = \frac{\partial \overline{A}}{\partial \theta} \tag{5-16}$$

在稳态条件下

$$\frac{\partial \overline{A}}{\partial \theta} = 0 \tag{5-17}$$

5.2.3　湍动强度

在湍流研究中，常常需要比较两种流动中湍流脉动的强弱，湍流的激烈程度可以用脉动速度和时均速度之比来衡量，称为湍动强度，即

$$湍动强度 = \frac{脉动速度}{时均速度} \tag{5-18}$$

由于实测的脉动量往往只是时间平均值，按时均值定义，可知 $\overline{u'_x} = 0, \overline{u'_y} = 0, \overline{u'_z} = 0$ ，但是 $|\overline{u'_x}| \neq 0, |\overline{u'_y}| \neq 0, |\overline{u'_z}| \neq 0$ ，所以常采用脉动速度的均方根值 $\sqrt{\overline{u_x'^2}}$ 、 $\sqrt{\overline{u_y'^2}}$ 和 $\sqrt{\overline{u_z'^2}}$ 来表示脉动速度分量。对于沿 x 方向的一维流动，湍动强度可用下式表示

$$I = \frac{\sqrt{\frac{1}{3}(\overline{u_x'^2} + \overline{u_y'^2} + \overline{u_z'^2})}}{\overline{u}_x} \tag{5-19}$$

若 $\overline{u_x'^2} = \overline{u_y'^2} = \overline{u_z'^2}$ ，即为各向同性湍流，则

$$I = \frac{\sqrt{\overline{u_x'^2}}}{\overline{u}_x} \tag{5-20}$$

针对不同的湍动状况，湍动强度的数值有很大差别。例如，流体在圆管中流动时，湍动强度 I 的范围为 1% ~ 10% ；从管口、孔口或狭缝流出的高速流体一般称之为射流，运动物体的后部或流体绕物体流动的下游，则常因边界层分离而出现漩涡区，即尾流区域，对于这种高湍动流动，I 的数值可高达 40% 。

5.3　湍流的基本方程

5.3.1　湍流的时均化连续性方程

对于不可压缩流体，不论运动是否稳态，连续方程均为式（2-26），即

$$\frac{\partial u_x}{\partial x} + \frac{\partial u_y}{\partial y} + \frac{\partial u_z}{\partial z} = 0$$

对于湍流流场来说，式中每一项都是随机变量，对此式求平均值，则有

$$\overline{\frac{\partial u_x}{\partial x} + \frac{\partial u_y}{\partial y} + \frac{\partial u_z}{\partial z}} = 0 \tag{5-21a}$$

根据时均运算规则式（5-13），式（5-21a）可写成

$$\frac{\partial \overline{u}_x}{\partial x} + \frac{\partial \overline{u}_y}{\partial y} + \frac{\partial \overline{u}_z}{\partial z} = 0 \tag{5-21b}$$

将式（2-26）与式（5-21b）相减可得

$$\frac{\partial u'_x}{\partial x} + \frac{\partial u'_y}{\partial y} + \frac{\partial u'_z}{\partial z} = 0 \qquad (5-22)$$

由此可见，湍流的随机速度、平均速度和脉动速度的散度都等于零。

5.3.2 湍流的时均化运动方程

5.3.2.1 雷诺方程

雷诺认为湍流的真实速度场仍满足 N-S 方程。以此为前提，对方程作时均化运算，所得到的方程称为雷诺方程或时均化运动方程。

在第 2 章曾经推导出以应力表示的不可压缩黏性流体的 $N-S$ 方程，其在直角坐标系 x 方向的表达式为

$$\rho \left(\frac{\partial u_x}{\partial \theta} + u_x \frac{\partial u_x}{\partial x} + u_y \frac{\partial u_x}{\partial y} + u_z \frac{\partial u_x}{\partial z} \right) = X\rho + \frac{\partial \tau_{xx}}{\partial x} + \frac{\partial \tau_{yx}}{\partial y} + \frac{\partial \tau_{zx}}{\partial z} \qquad (2\text{-}55a)$$

为便于进行时均化运算，结合连续性方程式（2-26），进行如下变换

$$\frac{\partial (u_x u_x)}{\partial x} + \frac{\partial (u_y u_x)}{\partial y} + \frac{\partial (u_z u_x)}{\partial z} = u_x \frac{\partial u_x}{\partial x} + u_y \frac{\partial u_x}{\partial y} + u_z \frac{\partial u_x}{\partial z} + u_x \left(\frac{\partial u_x}{\partial x} + \frac{\partial u_y}{\partial y} + \frac{\partial u_z}{\partial z} \right)$$

$$= u_x \frac{\partial u_x}{\partial x} + u_y \frac{\partial u_x}{\partial y} + u_z \frac{\partial u_x}{\partial z}$$

则式（2-55a）可写成

$$\rho \left(\frac{\partial u_x}{\partial \theta} + \frac{\partial (u_x u_x)}{\partial x} + \frac{\partial (u_y u_x)}{\partial y} + \frac{\partial (u_z u_x)}{\partial z} \right) = X\rho + \frac{\partial \tau_{xx}}{\partial x} + \frac{\partial \tau_{yx}}{\partial y} + \frac{\partial \tau_{zx}}{\partial z} \qquad (5\text{-}23)$$

对式（5-23）进行时均运算

$$\rho \left(\overline{\frac{\partial u_x}{\partial \theta}} + \overline{\frac{\partial u_x u_x}{\partial x}} + \overline{\frac{\partial u_y u_x}{\partial y}} + \overline{\frac{\partial u_z u_x}{\partial z}} \right) = X\rho + \overline{\frac{\partial \tau_{xx}}{\partial x}} + \overline{\frac{\partial \tau_{yx}}{\partial y}} + \overline{\frac{\partial \tau_{zx}}{\partial z}} \qquad (5\text{-}24)$$

根据时均运算规则，有

$$\overline{\frac{\partial u_x}{\partial \theta}} = \frac{\partial \overline{u}_x}{\partial \theta}$$

$$\overline{\frac{\partial (u_x u_x)}{\partial x}} = \frac{\partial}{\partial} (\overline{u_x u_x}) = \frac{\partial}{\partial x} (\overline{u}_x \overline{u}_x + \overline{u'_x u'_x}) = \frac{\partial (\overline{u}_x \overline{u}_x)}{\partial x} + \frac{\partial (\overline{u'_x u'_x})}{\partial x}$$

及

$$\overline{\frac{\partial (u_x u_y)}{\partial y}} = \frac{\partial (\overline{u}_x \overline{u}_y)}{\partial y} + \frac{\partial (\overline{u'_x u'_y})}{\partial y}$$

$$\overline{\frac{\partial (u_x u_z)}{\partial z}} = \frac{\partial (\overline{u}_x \overline{u}_z)}{\partial z} + \frac{\partial (\overline{u'_x u'_z})}{\partial z}$$

将上述关系代入式（5-24），结合连续性方程式（5-21），则有

$$\rho \left(\frac{\partial \overline{u}_x}{\partial \theta} + \overline{u}_x \frac{\partial \overline{u}_x}{\partial x} + \overline{u}_y \frac{\partial \overline{u}_x}{\partial y} + \overline{u}_z \frac{\partial \overline{u}_x}{\partial z} \right)$$

$$= \rho X + \frac{\partial}{\partial x} (\overline{\tau}_{xx} - \rho \overline{u'_x u'_x}) + \frac{\partial}{\partial y} (\overline{\tau}_{yx} - \rho \overline{u'_x u'_y}) + \frac{\partial}{\partial z} (\overline{\tau}_{zx} - \rho \overline{u'_x u'_z}) \qquad (5\text{-}25a)$$

同理，可得 y 和 z 方向的动量方程如下

$$\rho \left(\frac{\partial \overline{u}_y}{\partial \theta} + \overline{u}_x \frac{\partial \overline{u}_y}{\partial x} + \overline{u}_y \frac{\partial \overline{u}_y}{\partial y} + \overline{u}_z \frac{\partial \overline{u}_y}{\partial z} \right)$$

$$= \rho Y + \frac{\partial}{\partial x}(\overline{\tau}_{xy} - \rho \overline{u'_y u'_x}) + \frac{\partial}{\partial y}(\overline{\tau}_{yy} - \rho \overline{u'_y u'_y}) + \frac{\partial}{\partial z}(\overline{\tau}_{zy} - \rho \overline{u'_y u'_z}) \qquad (5\text{-}25b)$$

$$\rho \left(\frac{\partial \overline{u}_z}{\partial \theta} + \overline{u}_x \frac{\partial \overline{u}_z}{\partial x} + \overline{u}_y \frac{\partial \overline{u}_z}{\partial y} + \overline{u}_z \frac{\partial \overline{u}_z}{\partial z} \right)$$

$$= \rho Z + \frac{\partial}{\partial x}(\overline{\tau}_{xz} - \rho \overline{u'_z u'_x}) + \frac{\partial}{\partial y}(\overline{\tau}_{yz} - \rho \overline{u'_z u'_y}) + \frac{\partial}{\partial z}(\overline{\tau}_{zz} - \rho \overline{u'_z u'_z}) \qquad (5\text{-}25c)$$

方程式（5-25）即为流体作湍流运动时均化运动方程，又称雷诺方程。

5.3.2.2　雷诺应力

现以 x 方向为例来对雷诺方程加以讨论。将式（5-25a）与第 2 章式（2-55a）进行比较，可以看出经过时均运算（或称雷诺转换）后，前者较后者多出 3 项：$-\rho \overline{u'^2_x}$，$-\rho \overline{u'_x u'_y}$，和 $-\rho \overline{u'_x u'_z}$。由此可知流体做湍流运动时所产生的应力，除了黏性应力外尚有附加的应力，包括法向附加应力 $-\rho \overline{u'^2}$ 和两个切向附加应力 $-\rho \overline{u'_x u'_y}$、$-\rho \overline{u'_x u'_z}$。这些附加的应力都是湍流所特有的，均是由于流体质点的脉动所引起的，称为雷诺应力或湍流应力。湍流流动中的总应力为黏性应力与雷诺应力之和。一般情况下，除壁面附近很薄的区域之外，雷诺应力的数值较黏性应力大得多，因此在许多实际场合，在绝大部分区域内只需考虑雷诺应力，而忽略黏性应力。以 x 方向为例，雷诺应力可表示成

$$\begin{cases} \overline{\tau'_{xx}} = -\rho \overline{u'^2_x} \\ \overline{\tau'_{yx}} = -\rho \overline{u'_y u'_x} \\ \overline{\tau'_{zx}} = -\rho \overline{u'_z u'_x} \end{cases} \qquad (5\text{-}26)$$

可见雷诺应力与脉动速度的大小有关，其单位为 $[(kg/m^3) \cdot (m/s)^2] = [N/m^2]$。

三维湍流时，共有 9 个雷诺应力，其中 3 个为法向应力，其余 6 个为剪应力，可用如下的应力矩阵表示

$$\begin{bmatrix} \overline{\tau'_{xx}} & \overline{\tau'_{yx}} & \overline{\tau'_{zx}} \\ \overline{\tau'_{xy}} & \overline{\tau'_{yy}} & \overline{\tau'_{zy}} \\ \overline{\tau'_{xz}} & \overline{\tau'_{yz}} & \overline{\tau'_{zz}} \end{bmatrix} \qquad (5\text{-}27)$$

通过雷诺转换，将复杂湍流的真实运动代之以时均运动，从而使问题大为简化。雷诺方程与 $N-S$ 方程的差别在于前者增加了雷诺应力。正如黏性应力是未知量一样，雷诺应力也是未知量，方程中未知量数多于方程个数，这便产生了如何使方程组封闭的问题。由于目前没有更多的物理定律可以增添新的方程，为了解决方程组的封闭问题，必须建立雷诺应力（或脉动量）与平均量间的关系，通常将这些关系称为湍流的模式理论。

湍流理论的中心问题就是建立雷诺应力的物理方程。这方面的工作主要沿两个方向进行：一个是湍流的统计学说，它无疑是一条正确的途径，但迄今为止还未达到能够直接有效地解决工程实际问题的水平；另一个方向是湍流的半经验理论，它是根据一些假设及实验结果建立雷诺应力与时均速度之间的关系。尽管半经验理论在理论上有很大的欠缺，但

在一定条件下往往能够得出与实际符合得较满意的结果，因此在工程技术中得到了广泛的应用。在雷诺应力的半经验表达式中，应用较广的主要有普朗特混合长理论。此外许多研究者基于对湍流结构的分析，提出了若干相应的半经验理论，例如泰勒（Taylor）的涡量扩散理论，卡门（Karman）的相似理论等等，在此只介绍普朗特混合长理论。

5.4 普朗特混合长理论

雷诺应力是由宏观的流体微团的随机脉动所引起，而黏性应力则是由分子的微观运动所致，二者在传递机理上十分相似。因此，可以借鉴分子运动论中建立黏性应力和速度梯度之间关系的方法，研究湍流中雷诺应力和时均速度之间的关系。基于这种比拟设想，普朗特（Prandtl）于 1925 年提出了混合长理论。

混合长理论处理问题的思路是把宏观的流体微团的脉动运动和分子的微观运动进行类比。分子微观运动产生的动量传递导致黏性应力，流体微团的脉动运动产生的动量传递导致湍流应力，采用类似于分子运动论的方法可以建立湍流应力与平均运动速度梯度之间的关系，如对于 x 方向的一维稳态湍流，可写出

$$\tau_\varepsilon = \overline{\tau'_{yx}} = -\rho\,\overline{u'_x u'_y} = \rho\varepsilon\frac{\mathrm{d}\bar{u}_x}{\mathrm{d}y} \tag{5-28}$$

式中，ε 为湍流动量扩散系数或涡流运动黏度，m^2/s。

于是在湍流中总的切应力 τ 可表示为

$$\tau = \tau_{yx} + \tau_\varepsilon = \rho(\nu + \varepsilon)\frac{\mathrm{d}\bar{u}_x}{\mathrm{d}y} \tag{5-29}$$

这种基于比拟思想的混合长理论比较容易理解，但却有着严重的缺陷。分子运动和湍流脉动有着本质差别。湍流脉动场与平均场之间存在动量、能量交换，但分子运动与宏观运动之间却不存在这种交换，分子运动的动能并不来自宏观运动，而是自身固有的。因此运动黏度 ν 是分子的运动特性，与宏观运动无关；而湍流时的涡流运动黏度 ε 不是流体的物性，它与当地的湍流结构和流动情况有关。所以混合长度理论在本质上是有缺陷的，但在应用上，这种理论对于某些情况，只要对涡流运动黏度略加修正就能与实验良好符合。

为确立诸雷诺应力亦即脉动速度与时均速度之间的关系，普朗特将湍流流动的流体微团的脉动与分子传递中的分子无规则运动相比拟，引进与分子平均自由程相当的长度 l'。假定在 l' 距离内，流体微团不和其他流体微团相碰撞，保持自己的物理属性（例如其动量）不变，只是通过 l' 距离后才和那里的流体微团掺混，此时其物理属性才发生变化。l'表明了流体微团在到达新位置与周围流体相混合之前，保持其原有速度所经历的平均距离，称为普朗特混合长。可见混合长的意义与分子自由程的概念是类似的。

考察如图 5-4 所示的速度场，流体沿 x 方向作一维稳态湍流，此一维流动可以表达为

$$\bar{u}_x = \bar{u}_x(y)$$
$$\bar{u}_y = \bar{u}_z = 0$$

如图 5-4 所示，在流体中任取两个平行于 x 轴的流体层①和②，假设两层流体间的距离为 l'，则流体层的

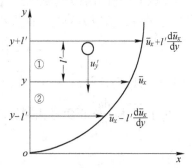

图 5-4 速度脉动导致的动量传递

边界分别为 $(y, y + l')$ 和 $(y - l', y)$。因为在 y 方向存在速度脉动，故在 y 截面上下两层流体①与②之间将交换动量而产生湍流应力。设在①层中有一流体团以 $u'_y < 0$ 的速度沿 y 方向向下脉动 l' 距离而进入②层中。此时将使②层流体中获得动量通量为 $\rho u'_y$ $\left(\bar{u}_x + l' \dfrac{\mathrm{d}\bar{u}_x}{\mathrm{d}y} \right)$；另一方面，如果②层内的流体团以 $u'_y > 0$ 的速度脉动进入①层，则将使②层流体失去动量通量 $\rho u'_y \left(\bar{u}_x - l' \dfrac{\mathrm{d}\bar{u}_x}{\mathrm{d}y} \right)$。则单位时间、单位面积上②层流体内动量通量改变的平均值为

$$\overline{\rho u'_y \left(\bar{u}_x + l' \dfrac{\mathrm{d}\bar{u}_x}{\mathrm{d}y} \right) - \rho u'_y \left(\bar{u}_x - l' \dfrac{\mathrm{d}\bar{u}_x}{\mathrm{d}y} \right)} = 2 \overline{\rho\, u'_y l' \dfrac{\mathrm{d}\bar{u}_x}{\mathrm{d}y}} \tag{5-30}$$

由于雷诺应力表示湍流动量交换的通量，因此，式（5-30）代表的量即为雷诺应力 τ_ε

故

$$\tau_\varepsilon = \overline{\tau'_{yx}} = -\rho\, \overline{u'_x u'_y} = \rho\, \overline{u'_y l'\, \dfrac{\mathrm{d}\bar{u}_x}{\mathrm{d}y}} \tag{5-31}$$

由此可见

$$u'_x \propto l'\, \dfrac{\mathrm{d}\bar{u}_x}{\mathrm{d}y} \tag{5-32}$$

该式表明，脉动速度与时均速度梯度成正比。

令 $\varepsilon = \overline{u'_y l'}$，并利用上一节的时均值运算规则（6），则式（5-31）可以写成

$$\tau_\varepsilon = \overline{\tau'_{yx}} = \rho\varepsilon\, \dfrac{\mathrm{d}\bar{u}_x}{\mathrm{d}y} \tag{5-33}$$

式（5-33）又称为波希尼斯克（Boussinesq）湍流应力公式。

为了获得脉动速度 u'_y 与时均速度的关系，普朗特假定，两个正交的脉动速度 u'_x 与 u'_y 同阶，即具有相同的数量级，由式（5-32），可得

$$u'_y \propto l'\, \dfrac{\mathrm{d}\bar{u}_x}{\mathrm{d}y} \tag{5-34}$$

以下对这一假定的合理性进行解释。设两个流体团由于 y 方向的脉动速度 u'_y 的作用分别从 $(y + l')$ 和 $(y - l')$ 进入 y 层。这两个流体团在该层中将以相对速度 $2u'_x$ 向相反的方向运动。远离运动的结果就使得一部分空间空出来。为了填补这一空间，四周流体微团纷纷进入，于是便产生了脉动速度 u'_y。从脉动速度分量 u'_y 的产生过程很容易理解 u'_y 与 u'_x 成正比。因为 u'_x 越大，相应产生的空间越大，填补空间的速度也越快，即 u'_y 越大。

将以上分析结果所得到的式（5-32）和式（5-34）代入式（5-31）中，并利用时均运算规则（6），剪应力的绝对值大小可表示如下

$$|\tau_\varepsilon| = |\overline{\tau'_{yx}}| = C\rho\, \overline{l'^2} \left(\dfrac{\mathrm{d}\bar{u}_x}{\mathrm{d}y} \right)^2 = \rho\, l^2 \left(\dfrac{\mathrm{d}\bar{u}_x}{\mathrm{d}y} \right)^2 \tag{5-35}$$

式中，C 为比例常数，$l^2 = C\, \overline{l'^2}$，$l$ 与 l' 仅相差一个常数，习惯上亦称 l 为混合长。

由于 $\overline{\tau'_{yx}}$ 和 $\dfrac{\mathrm{d}\bar{u}_x}{\mathrm{d}y}$ 正负号相同，故式（5-35）又可写成

$$\tau_\varepsilon = \overline{\tau'_{yx}} = \rho\, l^2 \left| \dfrac{\mathrm{d}\bar{u}_x}{\mathrm{d}y} \right| \dfrac{\mathrm{d}\bar{u}_x}{\mathrm{d}y} \tag{5-36}$$

式（5-36）即为由普朗特混合长理论导出的雷诺应力与时均速度之间的关系式。式中

l 作为模型参数需要通过实验确定。

将式（5-36）与式（5-28）比较可得

$$\varepsilon = l^2 \left| \frac{\mathrm{d}\bar{u}_x}{\mathrm{d}y} \right| \tag{5-37}$$

与式（5-28）给出的假定相比，混合长度理论并没有把对湍流的认识向前推进一步，只不过是以普朗特混合长 l 代替了涡流运动黏度 ε，l 仍是一个未知量。但却为从实验上确定湍流黏性系数提供了思路，只要测定了 τ 和 $\mathrm{d}\bar{u}_x/\mathrm{d}y$，就可以把 l 确定下来。ε 是与流道中流体的位置、流速等因素有关的一个系数。这样，通过式（5-37）就将位置与流速二者分离开来。实验证实，l 基本上与流速无关，又因为 l 有着长度的因次，因此在有些情况下，假定 l 主要随流道位置变化是合理的。当然，l 与 μ 不同，它也不是流体性质的函数。但混合长 l 比 ε 容易估计，例如，l 的数值总不会大于流道尺寸，且在壁面处其值应趋于零等等。

综上所述，借助混合长或涡流黏度的概念，使得湍流剪应力和时均速度梯度联系起来。如果能确定 $l = l(y)$ 的具体函数形式，则可以对式（5-36）方便地进行积分，从而得到速度分布。

5.5　固体壁面上的稳态湍流

壁面附近的流动同时受到黏性剪应力和湍流剪应力的作用，但随着离开壁面距离的不同，两种剪应力的大小及所起的作用有较大的差异。平壁湍流、管流以及边界层中的湍流均属壁面湍流，它们有着共同的特点，充分发展的湍流的速度分布规律相同。本节将利用普朗特混合长理论来处理固体壁面附近的稳态湍流问题，从而得到壁面湍流不同区域的通用时均速度分布规律。

5.5.1　壁面湍流时的时均速度分布

如图 5-5 所示，不可压缩的黏性流体在无界固体壁面上作稳态湍流流动。取壁面上任一点为坐标原点，x 轴与壁面重合，y 轴垂直于壁面且指向流体内部。显然时均运动与坐标 x 无关，即 $\bar{u}_x = \bar{u}_x(y)$，因此动量传递仅在 y 方向进行。

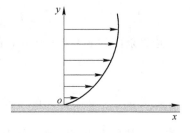

图5-5　无界固体壁面
附近的稳态湍流

根据湍流运动的连续性方程式（5-21），可知

$$\frac{\partial \bar{u}_x}{\partial x} = 0$$

由于动量传递仅在 y 方向进行，因此所有物理量在 x、z 方向均不变化，即 $\partial/\partial x = 0$，$\partial/\partial z = 0$。故 x、z 方向的雷诺方程（5-25b）及（5-25c）的各项均为零，而 y 方向的雷诺方程（5-25a）可简化为

$$\frac{\partial}{\partial y}(\bar{\tau}_{yx} - \rho \overline{u'_x u'_y}) = 0 \tag{5-38}$$

考虑到 $\bar{\tau}_{yx} = \mu \dfrac{\mathrm{d}\bar{u}_x}{\mathrm{d}y}$ 及 $\tau_\varepsilon = \overline{\tau'_{yx}} = -\rho \overline{u'_x u'_y}$，故式（5-38）又可写成

$$\mu \frac{d^2 \bar{u}_x}{dy^2} + \frac{d\tau_\varepsilon}{dy} = 0 \tag{5-39}$$

为简化起见，以下推导过程中将速度项的上下标省略。对式（5-39）进行积分，得

$$\mu \frac{du}{dy} + \tau_\varepsilon = C \tag{5-40}$$

式中，C 为积分常数，可由下述边界条件确定

$$y = 0, \tau_\varepsilon = 0(u'_x = 0, u'_y = 0), \tau = \mu \frac{du}{dy} = \tau_w$$

式中，τ_w 为壁面剪应力，Pa。将上述边界条件代入式（5-40）中，可得 $C = \tau_w$。因此，式（5-40）可写成

$$\mu \frac{du}{dy} + \tau_\varepsilon = \tau_w \tag{5-41}$$

当流体在壁面上作湍流流动时，在壁面附近的区域内，存在一个极薄的层流内层，然后经过一个很薄的缓冲层过渡后发展成为湍流主体。在层流内层，流体的黏性应力起主导作用，τ_ε 很小可以忽略；在湍流主体，由于质点的脉动引起的雷诺应力远远大于黏性应力，因此可以完全忽略黏性应力的作用；而在层流内层与湍流主体之间的缓冲层内，黏性应力与雷诺应力起同等重要的作用。由于不同区域有着不同的因素起作用，故需要分区描述其流动特点。

5.5.1.1　层流内层的速度分布

根据前述分析，在层流内层，式（5-41）可简化为

$$\mu \frac{du}{dy} = \tau_w \tag{5-42}$$

积分可得

$$u = \frac{\tau_w}{\mu} y + C_1$$

边界条件为 $y = 0, u = 0$，故积分常数 $C_1 = 0$，所以有

$$u = \frac{\tau_w}{\mu} y \tag{5-43}$$

定义 $u^* = \sqrt{\tau_w / \rho}$，其具有速度因次，称为摩擦速度或剪应力速度；并令 $y^* = \dfrac{\nu}{u^*} = \dfrac{\nu}{\sqrt{\tau_w / \rho}}$，其具有距离因次，称为摩擦距离。则式（5-43）可写成

$$\frac{u}{u^*} = \frac{y}{y^*}$$

上式左侧为无因次速度，记为 u^+，右侧为无因次距离，记为 y^+，即

$$u^+ = \frac{u}{u^*}, \quad y^+ = \frac{y}{y^*} \tag{5-44}$$

于是层流内层中的速度分布为

$$u^+ = y^+ \tag{5-45}$$

5.5.1.2　湍流主体的速度分布

在湍流主体内，由于雷诺应力起主导作用，黏性应力可忽略，式（5-41）可简化为

$$\tau_\varepsilon = \tau_w$$

将由普朗特混合长理论得到的结果式（5-36）代入 $\tau_\varepsilon = \tau_w$ 中，可得

$$\rho\, l^2 \left(\frac{\mathrm{d}u}{\mathrm{d}y}\right)^2 = \tau_w \qquad (5\text{-}46a)$$

由于 $u^* = \sqrt{\tau_w/\rho}$，因此，式（5-46a）可改写为

$$l\frac{\mathrm{d}u}{\mathrm{d}y} = u^* \qquad (5\text{-}46b)$$

考虑到壁面处，湍流脉动消失，雷诺应力应为零，混合长 l 也为零，普朗特由此假设 l 正比于流体离开壁面的距离，即

$$l = ky \qquad (5\text{-}47)$$

式中，k 为待定的比例常数，由实验测定。将式（5-47）代入式（5-46b）中，得

$$\frac{\mathrm{d}u}{\mathrm{d}y} = \frac{u^*}{ky} \qquad (5\text{-}48a)$$

积分式（5-48a），得

$$u = \frac{u^*}{k}\ln y + C_2 \qquad (5\text{-}48b)$$

式中，C_2 为积分常数。

C_2 由边界条件确定。当雷诺数很大时，缓冲层的厚度很小可以忽略不计，此时可以认为层流内层和湍流主体的边界直接相连。在层流内层与湍流主体接壤的边界 $y = \delta_e$ 上，$u = u_e$。由此可定出 C_2 为

$$C_2 = u_e - \frac{u^*}{k}\ln\delta_e \qquad (5\text{-}49a)$$

将式（5-49a）代入式（5-48b）中，得

$$\frac{u}{u^*} = \frac{1}{k}\ln\frac{y}{\delta_e} + \frac{u_e}{u^*} \qquad (5\text{-}49b)$$

写成无因次形式，即

$$u^+ = \frac{1}{k}\ln y^+ + C_3 \qquad (5\text{-}50)$$

式中，$C_3 = -\frac{1}{k}\ln\frac{\delta_e u^*}{\nu} + \frac{u_e}{u^*}$，它是若干未知参数的组合，其中 δ_e、u_e 与壁面情况有关，需由实验确定。

式（5-50）表明，湍流主体内的速度剖面可用对数形式的曲线来描述。与层流流动的速度剖面相比较，二者在结构上有很大差别。

上面讨论的无界固体壁面上的湍流流动是一种理想化了的情况，实际上并不存在，它只是壁面附近流动的一种近似表示。尽管如此，由它揭示出来的湍流区域中的对数速度分布却有普遍意义。大量的实验结果表明，由平板得到的速度对数分布具有普遍性，对有压力梯度的管（槽）道内的湍流也是成立的。虽然雷诺运动方程一般难以求解，但通过分析得到了湍流主体的对数速度分布，这是普朗特混合长度理论的一个重大成功。

5.5.1.3　过渡区中的速度分布

在过渡区中，黏性应力和雷诺应力数量级相同，因此无法对方程式（5-41）简化求

解，只能通过实验测定，将实验数据按照湍流主体速度分布的对数规律进行整理可得经验分布式。

5.5.2　光滑壁面湍流流动的通用速度分布

1932 年尼古拉兹（Nikurades）等人对不可压缩黏性流体在细长光滑圆管内的湍流流动做了大量的实验研究。其所得到的速度分布与上述的理论分析结果相符合，也和后来平板附近速度分布的实测结果一致。说明了前面所得到的层流内层的线性速度分布和湍流核心区的对数速度分布的正确性。现将实验所得到的壁面湍流的通用速度分布归纳如下

$$层流内层(0 \leqslant y^+ \leqslant 5) \quad u^+ = y^+ \tag{5-51}$$

$$缓冲层(5 < y^+ < 30) \quad u^+ = 5.05\ln y^+ - 3.05 \tag{5-52}$$

$$湍流主体(y^+ \geqslant 30) \quad u^+ = 2.5\ln y^+ + 5.5 \tag{5-53}$$

式（5-51）～式（5-53）即为光滑壁面湍流时的通用速度分布方程。这是一个半经验半理论公式，它存在明显的局限和不足，例如用式（5-53）计算管中心的速度梯度时并不为零，而实际在管中心的速度梯度必等于零。尽管如此，上述通用速度分布方程仍能满足一般工程计算的要求。

5.6　圆管中的湍流流动

圆管中的湍流流动在工程实际中有着特别重要的地位，在流体输送中应用得非常广泛。

本节研究光滑管中的速度分布方程和流动阻力的计算问题。为简化起见，对于圆管内流动这种具有弯曲几何形状的流动系统，在考察近壁区内的流动时，通常可忽略管壁的曲率，近似看做平壁面进行处理。

5.6.1　通用速度分布方程和各层厚度的估算

5.6.1.1　通用速度分布方程

根据前述理论分析和实验结果所得到的壁面湍流的通用速度分布规律式（5-51）～式（5-53），同样适用于圆管内完全发展的湍流流动。只不过对于圆管，坐标 y 应取为由管壁算起的法向距离。设圆管半径为 r_i，r 为距离管中心的距离，则 $y = (r_i - r)$。

此外，稳态湍流的速度分布亦可用经验的 $1/n$ 次方定律来近似地表达

$$u = u_{\max}\left(\frac{y}{r_i}\right)^{1/n} = u_{\max}\left(1 - \frac{r}{r_i}\right)^{1/n} \tag{5-54}$$

式中，指数 n 随流动的 Re 数变化。尼古拉兹的实验表明，当 $Re = 1 \times 10^5$ 左右时，$n = 7$，则上式可写成

$$u = u_{\max}\left(1 - \frac{r}{r_i}\right)^{1/7} \tag{5-55}$$

式（5-55）称为 1/7 次方定律。流体输送中较常遇到的 Re 值范围在 1×10^5 左右，作为近似计算可采用此式。但其不能正确表达壁面处的实际情况，如在壁面处其速度梯度 $\dfrac{\mathrm{d}u}{\mathrm{d}r} \to \infty$，因而壁面剪应力也趋于无穷大，这不符合实际。因此上述关系仅适用于湍流中

心。总之，对数形式的速度分布优于指数形式，但由于后者比较简单，在某些场合仍得到使用。

5.6.1.2 各层厚度的估算

湍流边界层中的层流内层虽然很薄，流速也十分缓慢，但速度梯度却很大，常被看做是阻碍传递的控制因素。因此，估计不同区域的厚度就显得非常重要。若摩擦速度（或壁面剪应力）已知，则可按照 3 层模型，通过式（5-51）～式（5-53）求算各流体层的厚度。对于层流内层，由于 $y^+ \leqslant 5$ ，故其厚度 δ_b 为

$$\delta_b = 5\frac{\nu}{u^*} \tag{5-56a}$$

缓冲层（ $y^+ \leqslant 30$ ）厚度 δ_m 为

$$\delta_m = 30\frac{\nu}{u^*} - \delta_b \tag{5-56b}$$

对于充分发展的湍流流动，各流体层厚度之和即为圆管半径 r_i ，因此湍流核心厚度 δ_e 为

$$\delta_e = r_i - \delta_b - \delta_m \tag{5-56c}$$

5.6.2 光滑管内的湍流流动

考察水平圆管内充分发展的不可压缩流体的稳态湍流，设流体的密度为 ρ ，圆管直径为 d ，半径为 r_i ，根据范宁摩擦系数 f 的定义 $f = \dfrac{2\tau_w}{\rho u_m^2}$ 及阻力系数 $\lambda = 4f$ ，可将其与前述的摩擦速度 $u^* = \sqrt{\tau_w/\rho}$ 相联系

$$\frac{f}{2} = \frac{\tau_w}{\rho u_m^2} = \left(\frac{u^*}{u_m}\right)^2 = \frac{\lambda}{8} \tag{5-57}$$

或写成

$$\frac{u^*}{u_m} = \sqrt{\frac{\lambda}{8}} \tag{5-58}$$

可见，若确定了圆管截面的主体平均速度 u_m ，即可解决 λ 的计算问题。由平均流速的定义可得

$$u_m = \frac{1}{\pi r_i^2}\int_{r_i}^{0} u 2\pi(r_i - y)\,\mathrm{d}(r_i - y) = \int_{r_i}^{0} 2u(1 - y/r_i)\,\mathrm{d}(1 - y/r_i) \tag{5-59}$$

由于层流内层和缓冲层非常薄，因此在积分上式求算 u_m 时，可近似用湍流主体的速度分布式（5-53）代替整个速度剖面，所产生的误差可忽略不计。将式（5-53）代入式（5-59）中积分，可得

$$u_m = u^*\left(2.5\ln\frac{r_i}{\nu}u^* + 1.75\right) \tag{5-60}$$

因 $Re = \mathrm{d}u_m\rho/\mu = 2r_i u_m\rho/\mu$ ，故式（5-60）亦可写成

$$\frac{u_m}{u^*} = 2.5\ln\left(\frac{r_i u_m}{\nu}\frac{u^*}{u_m}\right) + 1.75 = 2.5\ln\left(\frac{Re}{2}\frac{u^*}{u_m}\right) + 1.75 \tag{5-61}$$

此外，当 $r = r_i$ 时，$u = u_{\max}$ ，则由式（5-53），可得出管中心最大速度 $u_{\max}$

$$\frac{u_{max}}{u^*} = 2.5\ln\frac{r_i u^*}{\nu} + 5.5 \qquad (5\text{-}62)$$

将式（5-61）与式（5-62）相减得

$$\frac{u_{max} - u_m}{u^*} = 3.75 \qquad (5\text{-}63)$$

式（5-63）称为速度衰减定律。由于该式是两式相减的结果，从中消去了与壁面状况有关的积分常数，故适用于任何壁面条件。

尼古拉兹所得到的实验结果为

$$\frac{u_{max} - u_m}{u^*} = 4.07$$

可见上述分析结果和实验结果非常接近。

将式（5-58）代入式（5-61）中，经整理可得

$$\frac{1}{\sqrt{\lambda}} = 2.035\lg(Re\sqrt{\lambda}) - 0.91 \qquad (5\text{-}64a)$$

结合尼古拉兹的实验结果，对上式中的系数略加修正，可以得到与实验数据更为符合的计算公式

$$\frac{1}{\sqrt{\lambda}} = 2.0\lg(Re\sqrt{\lambda}) - 0.80 \qquad (5\text{-}64b)$$

该式适用的雷诺数范围为：$Re < 3.4 \times 10^6$。通常称之为光滑管完全发展湍流的卡门-普朗特阻力系数公式。

利用布拉修斯 1/7 次方经验速度分布式，可以得到形式更为简明的显式形式的经验公式

$$\lambda = \frac{0.3164}{Re^{0.25}} \qquad (5\text{-}65a)$$

该式的适用范围为 $3 \times 10^3 < Re < 1 \times 10^5$，在工程计算中经常被采用。

化学工程中常用的另一个经验公式为

$$f = 0.046Re^{-1/5} \qquad (5\text{-}65b)$$

或表示为

$$\lambda = 0.184Re^{-1/5} \qquad (5\text{-}65c)$$

除此之外，不同的研究者还给出了多种阻力系数计算式，计算精度各有差异，一般说来，卡门-普朗特公式适用范围广，精度也较高，但因其为隐式，不方便应用。

5.6.3　粗糙管中的湍流流动

工程实际中完全光滑的壁面是不存在的，因此研究管壁粗糙程度对湍流流动的影响具有重要的实际意义。

5.6.3.1　管壁粗糙度对流动阻力的影响

管壁的粗糙程度通常可用绝对粗糙度和相对粗糙度表示。绝对粗糙度是指壁面凸出部分平均高度，以 e 表示；而相对粗糙度定义为绝对粗糙度与管径的比值，即 e/d。

尼古拉兹考虑不同粗糙度的影响，对粗糙管内流体流动阻力进行了大量实验研究，针对相对粗糙度从 0.2% ~ 5% 的各种情况，分别测定出了阻力系数，以雷诺数为参变量，

绘出了其阻力系数曲线，结果如图5-6所示。下面结合阻力系数曲线进行说明。

A　层流阻力系数

在层流区，粗糙管与光滑管的阻力系数相同，壁面粗糙度的影响可以忽略不计。此时，流体充满粗糙峰之间的间隙，相当于流体平滑地流过有效直径为 $(d-2e)$ 的管道。此时可用第3章介绍的层流理论计算出该直线关系，即 $\lambda = \dfrac{64}{Re}$ 或 $f = \dfrac{16}{Re}$，应用范围为 $Re < 2000$。

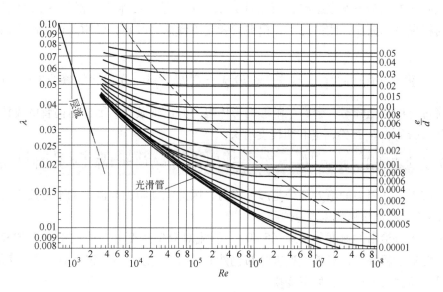

图5-6　粗糙管内的阻力系数

B　过渡区阻力系数

该区域大致在 2000 < Re < 4000 的范围内，阻力系数与相对粗糙度 e/d 的大小无关，可在此范围内通过查图得到阻力系数。

根据上述讨论可知，粗糙度对层流和过渡区几乎没有任何影响。因此当考虑圆管内的层流流动和过渡区流动时，可以不必区分光滑管和粗糙管。但对于圆管内的湍流流动，由于粗糙度对阻力系数的数值有较大影响，因此必须加以区分。

C　湍流区阻力系数

对于每一个相对粗糙度 e/d，都存在着一个对应的较小的雷诺数区域，在此区域内，粗糙管的流动阻力与光滑管的相同，即 λ 仅和雷诺数有关。当雷诺数增大到某一数值时，粗糙管的 $\lambda \sim Re$ 曲线便与光滑管的 $\lambda \sim Re$ 曲线产生偏离。此时 λ 既和 Re 有关，又和 e/d 有关。e/d 越大，这种偏离发生的越早，即发生偏离的雷诺数越小。当雷诺数超过某一数值后，λ 变成与雷诺数无关的某一常数，此时，仅与 e/d 的大小有关，而且 e/d 愈大，λ 也愈大。在此区域内，流动阻力与流速的平方成正比，称为阻力平方区。

不同的粗糙度呈现出不同的湍流流动，其摩擦系数与绝对粗糙度 e 以及层流内层厚度 δ_b 之间的比值密切相关。因此，在考察管壁粗糙度对湍流的影响时，可以引入参数 e/δ_b。

由层流内层厚度的计算公式（5-56a）可知：$\delta_b \propto \nu/u^*$，因此有

$$\frac{e}{\delta_b} \propto \frac{eu^*}{\nu}$$

也就是说，参数 e/δ_b 可以用 eu^*/ν 代替。

　　下面根据湍流区 λ 与粗糙度的关系，将粗糙管内的湍流流动分成3种不同的类型分别进行讨论。

　　（1）水力光滑管。此时，$0 \le \frac{eu^*}{\nu} \le 5$，$\lambda = f(Re)$。粗糙峰全部埋藏在层流内层内，对湍流核心区的流动不发生影响，所以称为水力光滑管。在水力光滑管内，λ 仅与 Re 有关，而与粗糙度无关。在此情况下，粗糙管和光滑管没有区别，可用前述光滑管内的公式进行计算。

　　（2）过渡型圆管。此时，$5 \le \frac{eu^*}{\nu} \le 70$，$\lambda = f\left(Re, \frac{e}{d}\right)$，部分粗糙峰伸出层流内层区。当流体流过这些粗糙峰时，会产生附加的形体阻力并出现漩涡，因此粗糙管的流体阻力大于光滑管。λ 既与 Re 有关，也和粗糙度有关。

　　（3）完全粗糙管。此时，$\frac{eu^*}{\nu} \ge 70$，$\lambda = f\left(\frac{e}{d}\right)$，所有的粗糙峰几乎全部伸出层流内层区，形成漩涡，其阻力的绝大部分是形体阻力，因此流动阻力与流速的平方成正比。

5.6.3.2　粗糙管内的速度分布

　　根据5.5节给出的速度分布式（5-50），湍流对数型速度分布曲线中的 k 与壁面情况无关，因此对于粗糙管，对数型速度分布仍然有效。考虑到 e/y^* 很大时，y^* 的影响可以忽略不计，将式（5-50）做如下变换

$$\frac{u}{u^*} = \frac{1}{k}\ln y^+ + C = \frac{1}{k}\ln\left(\frac{y}{y^*}\frac{y^*}{e}\right) - \frac{1}{k}\ln\frac{y^*}{e} + C = \frac{1}{k}\ln\frac{y}{e} + C' \tag{5-66}$$

式中，$C' = C - \frac{1}{k}\ln\frac{y^*}{e}$，为粗糙度和壁面距离的函数。$C'$ 和 k 的具体数值均由实验测定。

　　1933年，尼古拉兹采用人工粗糙管进行了大量实验，实验归纳结果为 $k = 0.4$，对于水力光滑管有

$$C' = 5.5 + 2.5\ln\frac{e}{y^*} \tag{5-67}$$

可见此时的速度分布和摩擦系数与光滑圆管完全相同。

　　对于完全粗糙管，实验测得系数 C' 为一常数，$C' = 8.5$，因此完全粗糙管的速度分布为

$$\frac{u}{u^*} = u^+ = 2.5\ln\frac{y}{e} + 8.5 \tag{5-68}$$

5.6.3.3　完全粗糙管的阻力系数

　　若 $y = r_i$，则 $u = u_{\max}$，于是由式（5-68）可得

$$\frac{u_{\max}}{u^*} = 2.5\ln\frac{r_i}{e} + 8.5 \tag{5-69}$$

将上式代入速度衰减定律式（5-63）中，则

$$\frac{u_m}{u^*} = 2.5\ln\frac{r_i}{e} + 8.5 - 3.75 = 2.5\ln\frac{r_i}{e} + 4.75 \tag{5-70}$$

将阻力系数与 u^* 的关系式（5-58）代入式（5-70），整理可得

$$\frac{1}{\sqrt{\lambda}} = 2.03\lg\frac{r_i}{e} + 1.68 \tag{5-71}$$

式（5-70）在很宽的雷诺数范围内与实验数据符合得很好。

过渡区的流动比较复杂，目前还不能用理论分析的方法求解其速度分布和流体阻力。

5.7 平板壁面湍流边界层的近似解

5.7.1 卡门边界层动量积分方程及其求解

第 4 章中所推导出的边界层积分动量方程式（4-48），同样也适用于湍流边界层。此时，卡门动量积分关系式可以表达为

$$\rho\frac{\mathrm{d}}{\mathrm{d}x}\int_0^\delta (u_0 - u_x)u_x\mathrm{d}y = \rho u_0^2\frac{\mathrm{d}\delta}{\mathrm{d}x}\int_0^1\left(1 - \frac{u_x}{u_0}\right)\left(\frac{u_x}{u_0}\right)\mathrm{d}\left(\frac{y}{\delta}\right) = \tau_w \tag{5-72a}$$

或写成

$$\frac{\mathrm{d}\delta}{\mathrm{d}x}\int_0^1\left(1 - \frac{u_x}{u_0}\right)\left(\frac{u_x}{u_0}\right)\mathrm{d}\left(\frac{y}{\delta}\right) = \frac{\tau_w}{\rho u_0^2} \tag{5-72b}$$

方程的求解与层流边界层类似，也要首先选取一个尽可能接近真实的单参数速度剖面。但应注意的是，湍流边界层与层流相比，存在如下不同之处。一是速度剖面不同；二是 τ_w 不能通过直接微分湍流的速度剖面求出，这是由于 τ_w 是在层流内层区，而速度剖面是在湍流核心区。因此必须采用经验的或半经验的公式。

尽管固体壁面上湍流的速度分布以对数形式为好，但如果将其代入积分动量方程中积分求解则相当繁琐，在此采用一种较为简单的指数形式的速度剖面来近似求解。即应用布拉修斯的 1/7 次方定律来描述湍流时的速度分布

$$\frac{u_x}{u_0} = \left(\frac{y}{\delta}\right)^{1/7} \tag{5-73}$$

式中，δ 为湍流边界层厚度；u_0 为边界层外的来流速度。

在此略去推导过程，直接给出与式（5-73）相对应的壁面剪应力公式

$$\frac{\tau_w}{\rho u_0^2} = 0.0225\left(\frac{\delta u_0}{\nu}\right)^{-1/4} \tag{5-74}$$

对于平板壁面，该式的适用范围为：$10^6 < Re_x < 2\times10^7$。

将式（5-73）和式（5-74）代入式（5-72b）中积分，可得

$$\frac{\mathrm{d}\delta}{\mathrm{d}x} = \frac{72}{7}\times0.0225\left(\frac{\delta u_0}{\nu}\right)^{-1/4} \tag{5-75}$$

这是一个一阶常微分方程，为便于处理，可近似假设湍流边界层从平板的前缘就已经形成，如此可得边界条件为 $x = 0, \delta = 0$。对式（5-75）积分求解得

$$\delta = 0.376x\,(Re_x)^{-1/5} \tag{5-76}$$

可见，δ 与 $x^{0.8}$ 成正比，而在前述的平板层流边界层中，δ 与 $x^{0.5}$ 成正比。故湍流边界层要远远厚于层流边界层，亦即湍流边界层增加得较快。

实际上，在平板的前段为层流边界层，之后才发展到湍流边界层。但由于湍流边界层开始位置及其对应的边界层厚度难以确定，故可近似采用上述处理方法，这种近似处理在高雷诺数下比较合理。

5.7.2　摩擦阻力

以 τ_{wx} 表示 τ_w 的局部值，将式（5-76）代入式（5-74）中整理，可得局部阻力系数

$$C_{Dx} = \frac{2\tau_{wx}}{\rho u_0^2} = 2 \times 0.0225 \left(\frac{\delta u_0 \rho}{\mu} \right)^{-1/4}$$

$$= 2 \times 0.0225 \times (0.376)^{-1/4} \left(\frac{xu_0\rho}{\mu} \right)^{-1/4} (Re_x)^{1/20}$$

$$= 0.0577 \left(\frac{xu_0\rho}{\mu} \right)^{-1/5} = 0.0577 Re_x^{-1/5} \tag{5-77}$$

当流体在长度为 L、宽度为 b 的平板壁面上流过时，平均阻力系数可表示为

$$C_D = \frac{1}{L} \int_0^L C_{Dx} \mathrm{d}x = 0.072 Re_L^{-1/5} \tag{5-78}$$

式中，$Re_L = (Lu_0\rho)/\mu$。与实验结果比较发现，若将式中的系数 0.072 改为 0.074，则可适用于 $5 \times 10^5 < Re_L < 1 \times 10^7$ 的范围内。该式表明，阻力和来流速度 u_0 的 1.8 次方成正比，而层流时阻力与来流速度的 1.5 次方成正比，说明湍流边界层的摩擦阻力要大于层流边界层。

例 5.1　293K 的水以 0.20m/s 的流速流过一块长度为 8m 的平板。已知临界雷诺数 $Re_{xc} = 5 \times 10^5$。试分别求算距平板前缘 1m 及 5m 处的边界层厚度，并求算在该两点处距板面垂直距离为 10mm 处的 x 方向上流体的速度。已知水的 $\mu = 1 \times 10^{-3} \mathrm{N} \cdot \mathrm{s/m^2}$，$\rho = 998 \mathrm{kg/m^3}$。

解：已知 $Re_{xc} = 5 \times 10^5$，故层流边界层与湍流边界层分界处的 x_c 为

$$x_c = \frac{Re_{xc}\mu}{u_0\rho} = \frac{(5 \times 10^5)(1 \times 10^{-3})}{(0.20)(998)} = 2.5\mathrm{m}$$

（1）在 $x = 1\mathrm{m}$ 处为层流边界层，该处边界层厚度 δ 可由式（4-55）计算，即

$$\delta = 4.64 \sqrt{\frac{\mu x}{\rho u_0}} = 4.64 \sqrt{\frac{(1 \times 10^{-3})(1)}{(998)(0.20)}} = 0.0104\mathrm{m}$$

由式（4-50）可计算出距板面 10mm 处 x 方向的流速为

$$u_x = u_0 \left[\frac{3}{2} \left(\frac{y}{\delta} \right) - \frac{1}{2} \left(\frac{y}{\delta} \right)^3 \right]$$

$$= (0.02) \left[\frac{3}{2} \left(\frac{0.01}{0.0104} \right) - \frac{1}{2} \left(\frac{0.01}{0.0104} \right)^3 \right]$$

$$= 0.1196\mathrm{m/s}$$

（2）在 $x = 5\mathrm{m}$ 处则为湍流边界层，其厚度 δ 可由式（5-76）计算

$$\delta = 0.376x \left(\frac{xu_0\rho}{\mu} \right)^{-1/5} = (0.376)(5) \left[\frac{(5)(0.20)(998)}{1 \times 10^3} \right]^{-1/5} = 0.119\mathrm{m}$$

该点距板面 10mm 处 x 方向上流体的速度可由湍流边界层速度分布方程（5-73）计算

$$u_x = u_0 \left(\frac{y}{\delta} \right)^{1/7} = (0.20) \left(\frac{0.01}{0.119} \right)^{1/7} = 0.140 \text{m/s}$$

习 题

1. 湍流与层流有何不同？湍流的主要特点是什么？试讨论由层流转变为湍流的过程。

2. 试证明湍流运动中，脉动量 u'_x、u'_y、u'_z 和 p' 的时均量均为零。

3. 流体在圆管中作湍流流动时，在一定 Re 范围内，速度分布可用布拉修斯 1/7 次方定律表示，即

$$u/u_{max} = (y/r_i)^{1/7}$$

试证明截面上主体平均流速 u_0 与管中心流速 u_{max} 的关系为 $u_0 = 0.817u_{max}$。

4. 在平板壁面上的湍流边界层中，流体的速度分布方程可用布拉修斯 1/7 次方定律表示

$$u_x/u_0 = (y/\delta)^{1/7}$$

试证明该式在壁面附近（即 $y \to 0$ 处）不能成立。

5. 温度为 20℃ 的水，以 5m/s 的流速流过宽度为 1m 的平板壁面，试求距平板前缘 2m 处的边界层厚度及水流过 2m 距离对平板所施加的总曳力。

6. 不可压缩流体沿平板壁面做稳态流动，并在平板壁面上形成湍流边界层，边界层内为二维流动。若 x 方向上的速度分布满足 1/7 次方定律，试利用连续性方程导出 y 方向上的速度分量表达式。

7. 20℃ 的水流过内径为 0.06m 的水平光滑圆管，已知水的主体流速为 20m/s，试求距离管壁 0.02m 处的速度、剪应力及混合长。

8. 标准大气压下，20℃ 的空气以 15m/s 的流速流经直径为 0.0508m 的光滑管，空气的密度为 1.205kg/m³，运动黏度为 1.506×10^{-5}m²/s，范宁摩擦系数可按 $f = 0.046 Re^{-0.2}$ 计算。对于充分发展了的流动，试估算层流内层、过渡层及湍流中心的厚度？

9. 在上题情况下，试求壁面、层流内层外缘、过渡层外缘以及管中心处的流速和剪应力。

6 热 传 导

6.1 热量传递概论

能量传递现象是自然界和工程技术领域中普遍存在的一种传递过程。当在介质内或介质之间存在温度差时，热量就会由温度高的区域向温度低的区域传递。本章主要研究由于温度差而导致的热量传递过程，阐述热量传递的基本原理和热量传递速率的计算方法。

按照传热机理不同，热量传递主要有 3 种基本方式，即导热、对流换热和热辐射。

这几种传热方式在实际问题中往往不是单独出现的，因此在处理时要注意考虑它们的相互关系，分清主要以哪种传热方式为主。在本书中，将主要讨论导热和强制对流换热两种换热方式的基本理论以及一些求解方法。

6.1.1 热传导

热传导又称导热，是指在静止的介质内（如固体或静止的流体），无质点宏观运动的情况下，由于存在温度差，通过介质内原子、分子或电子的热运动而产生的热量从高温区域向低温区域的转移过程。在第 1 章中已经说明，导热的速率方程可用傅里叶定律来描述，对于均匀的各向同性材料内的一维温度场，通过导热方式传导的热量通量密度为

$$q = -\lambda \frac{dT}{dy} \tag{1-7}$$

6.1.2 对流传热

对流传热是由流体内部各质点发生宏观运动而引起的热量传递过程，其只存在于有流体流动的场合。一般说来，当固体表面同与其邻近的流体之间存在温度差时，由于流体质点位移的结果，导致壁面与流体之间产生热交换。工业上经常遇到的对流传热主要有流体到固体壁面的热量传递或由固体壁面到周围流体的热量传递两种形式。根据流体的流动方式，对流传热可以分为强制对流传热和自然对流传热两种形式。前者是指流体的运动受到某种外力的作用，如受到泵、风机等的作用使得流体微团发生运动而产生的传热过程；后者则指由于流体内部存在温度差，在流体中形成密度差，产生浮力所导致的对流传热形式。在工业生产和日常生活中所遇到的传热过程多为强制对流传热，因此本书将主要针对强制对流传热问题进行分析和讨论。

对流传热的速率可由牛顿冷却定律来表述，热通量 q（单位面积单位时间的传热量）可表示为

$$q = \alpha \Delta T \tag{6-1}$$

式中，α 为对流换热系数，$W/(m^2 \cdot K)$；ΔT 为固体壁面与流体主体之间的温度差，K。

6.1.3 辐射传热

辐射传热是指由于温度差而产生的电磁波在空间的传热过程，简称热辐射。同一温度下吸收和辐射能力最大的物体称为黑体，黑体单位时间单位面积的最大辐射量可用斯忒藩-玻耳兹曼定律（Stefan-Boltzmann Law）来描述

$$q = \sigma T_w^4 \tag{6-2}$$

式中，T_w 为黑体表面的绝对温度，K；σ 为黑体的辐射常数，又称斯忒藩-玻耳兹曼常数，其值为 $5.67 \times 10^{-8}\,\text{W}/(\text{m}^2 \cdot \text{K}^4)$。

黑体实际上是不存在的，它只是一个理想状态，因此对于实际物体，常用物体的黑度 ε（又称发射率）来修正斯忒藩-玻耳兹曼定律，其表达式为

$$q = \varepsilon \sigma T_w^4 \tag{6-3}$$

式中，ε 为黑度，又称发射率，其值在 $0 \sim 1$ 之间。

基于辐射传热的规律、传热机理及其数学描述均与导热和对流传热不同，描述传递现象的基本方程不再适用，并且在高温下才考虑热辐射的影响，因此，在此不再进一步展开讨论。

6.2 热传导方程及其求解方法

导热是指介质内无宏观运动时的传热现象。严格说来，只有固体中才是单纯的导热。在静止流体中，由于温度梯度的存在会导致自然对流传热，因此，在流体中会同时存在导热和对流传热。今后的讨论均是针对固体导热而言的。

导热是传热学中最易于用数学方法处理的热传递方式。只要在选定的研究系统中利用能量守恒定律和傅里叶定律建立起导热微分方程式，然后针对具体的导热问题求解出其温度分布和热通量，即可达到解决工程实际问题的目的。

6.2.1 能量微分方程的简化——热传导方程

在第 2 章中我们已经推导出了能量传递的微分方程式（2-98）

$$\rho c_p \frac{DT}{D\theta} = \lambda\,\nabla^2 T + \dot{q}$$

在固体或静止流体内进行导热时，由于不存在流体的宏观运动，温度的随体导数变为偏导数，则导热的基本微分方程为

$$\frac{\partial T}{\partial \theta} = \frac{\lambda}{\rho c_p}\,\nabla^2 T + \frac{\dot{q}}{\rho c_p} \tag{6-4a}$$

或写成

$$\frac{\partial T}{\partial \theta} = a\,\nabla^2 T + \frac{\dot{q}}{\rho c_p} \tag{6-4b}$$

式中，a 为热扩散系数（导温系数）。方程的适用条件为所研究的对象各向同性，无相变，物性参数 λ，c_p 和 ρ 均为常数。

若无内热源，则

$$\frac{\partial T}{\partial \theta} = a\,\nabla^2 T$$

该式称为傅里叶第二定律，为不稳定热传导方程。

方程式（6-4）、式（2-96）构成了解决固体导热问题的基本微分方程组，这些方程在不同的坐标系中的表达式不同。式（6-4）在直角坐标系中表达式为

$$\frac{1}{a}\frac{\partial T}{\partial \theta} = \frac{\dot{q}}{\lambda} + \frac{\partial^2 T}{\partial x^2} + \frac{\partial^2 T}{\partial y^2} + \frac{\partial^2 T}{\partial z^2} \tag{6-5}$$

在柱坐标系中表达式为

$$\frac{1}{a}\frac{\partial T}{\partial \theta'} = \frac{\dot{q}}{\lambda} + \frac{1}{r}\frac{\partial}{\partial r}\left(r\frac{\partial T}{\partial r}\right) + \frac{1}{r^2}\frac{\partial^2 T}{\partial \theta^2} + \frac{\partial^2 T}{\partial z^2} \tag{6-6}$$

在球坐标系中表达式为

$$\frac{1}{a}\frac{\partial T}{\partial \theta'} = \frac{\dot{q}}{\lambda} + \frac{1}{r^2}\frac{\partial}{\partial r}\left(r^2\frac{\partial T}{\partial r}\right) + \frac{1}{r^2\sin\theta}\frac{\partial}{\partial \theta}\left(\sin\theta\frac{\partial T}{\partial \theta}\right) + \frac{1}{r^2\sin^2\theta}\frac{\partial^2 T}{\partial \phi^2} \tag{6-7}$$

式中各项参数的意义可参见第 2 章相关内容。

在一定条件下，对微分方程式（6-5）～式（6-7）求解，可得热传导的规律，获得不同时刻的温度分布，进而可以解决热通量的计算问题。

6.2.2　热传导方程的求解

6.2.2.1　定解条件

导热微分方程是导热问题的普适性方程，也常常称之为支配方程或主导方程，一切导热问题的温度场都必须满足导热微分方程式。但对于具体的导热问题，还必须给出反映该问题特征的单值性条件（定解条件），最后才能通过分析求解而得出满足该导热问题的特定温度场。导热问题的单值性条件通常包括如下 4 项：

几何条件：表征导热系统的几何形状和大小（属于三维，二维或一维问题）；

物理条件：说明导热系统的物理特性（即物性量和内热源的情况）；

初始条件：又称时间条件，反映导热系统的初始状态；

边界条件：反映导热系统在界面上的特征，也可理解为系统与外界环境之间的关系。

由于几何条件和物理条件可以在导热微分方程式以及初始条件和边界条件中反映出来，因此，从数学求解的层面上讲，微分方程式加上初始条件和边界条件就构成了一个微分方程的定解问题，亦即定解条件应该包括初始条件和边界条件。在第 2 章中，曾经讨论了传递现象基本方程的定解条件，以下针对热传导过程，讨论定解条件的具体形式。

A　初始条件

初始条件系指研究对象在初始时刻的温度分布。在直角坐标系中，其数学表达式为

$$\theta = 0, T = T(x,y,z) \tag{6-8}$$

对于稳态导热，由于温度场不随时间而变化，因而不需要给出初始条件。

B　边界条件

微分方程的边界条件描述了导热系统在边界上的热量传递特征，指的是研究对象边界上的换热条件，导热问题的边界条件通常可以归纳为以下 3 种类型。

第一类边界条件为给定物体表面上的温度分布随时间的变化，其函数关系式为

$$\theta > 0, T_w = f(\theta) \tag{6-9a}$$

特殊情况为物体表面温度一致，并与时间无关，即 T_w = 常数。

第二类边界条件为给定物体表面热通量分布随时间的变化，相当于给定系统边界上的温度梯度，其数学描述为

$$\theta > 0, \; -\lambda \left(\frac{\partial T}{\partial n} \right)_w = f(\theta) \tag{6-9b}$$

特殊情况为边界上的热流密度或热通量为常数，即 q_w = 常数。若边界处为绝热，则可进一步简化为 $q_w = 0$。

第三类边界条件为第一类和第二类边界条件的线性组合，常为给定系统边界面与流体间的对流传热系数 α 和流体的温度 T_0，这两个量可以是时间和空间的函数，也可为给定不变的常数值。这类边界条件又称为对流边界条件。根据热平衡原理，第三类边界条件可表示为导热量与表面温度的函数，以物体被冷却为例，可表示成

$$\lambda \left(\frac{\partial T}{\partial x} \right)_w = \alpha(T_w - T_0) \tag{6-9c}$$

应注意导热方向对表达式的正负号有影响。

6.2.2.2 求解方法

导热微分方程的求解方法相当复杂，归纳起来可分为两大类，即分析解法（又称为精确解法）和近似解法。

（1）精确解法。精确解又称为分析解，通常指的是用数学分析方法求解问题。分析解的优点是整个求解过程中的物理概念与逻辑推理都比较清晰，求解过程所依据的数学基础大都已有严格的证明，求解的最后结果能比较清楚地表示出各种因素对物体内部温度分布的影响。

分析解的缺点是显而易见的，它只能用于求解比较简单的问题，绝大部分问题的求解通常需要采用数值计算等近似求解方法。

（2）近似求解法。除精确求解外，其他的求解方法均可归结为近似求解法，如数值计算法、图解法等。本章主要介绍数值计算方法，其他方法在需要时可以参考传热学的有关专著。

数值计算法是以离散数学为基础，以计算机为工具的一种求解方法。它的理论远不如分析解那么严谨，但在实际应用方面有着很好的优势。一些用分析解法不能解决的问题，用数值求解方法都能较好地得到解决。

6.3 稳态热传导

稳态热传导在具体求解过程中可以忽略物体温度在不同时刻的差异。严格地讲，完全的稳态导热现象是不存在的，物体温度或多或少地会随时间而变化，但当这种变化相对较小时，可近似作为稳态导热进行处理。由于温度与时间无关，此时的热传导方程变为

$$a \, \nabla^2 T + \frac{\dot{q}}{\rho c_p} = 0 \tag{6-10}$$

在工程设计中，换热设备散热量、加热器的加热量、通电电缆的发热量等的计算，大都以稳态导热为基础。研究稳态导热问题的目的，主要是探讨导热理论在工程实际中的应用，解决物体内部稳态温度场的分布及热通量的计算问题。

6.3.1　无内热源的一维稳态热传导

工业上一维稳态导热的情况很多，加热炉的炉壁、球形压力容器的器壁、列管式换热器的管壁等，当忽略它们沿壁面方向的导热，只考虑厚度方向的导热时，就可视为一维导热问题来处理。

此时，式（6-10）简化为一维拉普拉斯方程，在不同坐标系下的形式为

直角坐标 $$\frac{d^2 T}{dx^2} = 0 \qquad\qquad (6\text{-}11a)$$

柱坐标 $$\frac{d}{dr}\left(r \frac{dT}{dr} \right) = 0 \qquad\qquad (6\text{-}11b)$$

球坐标 $$\frac{d}{dr}\left(r^2 \frac{dT}{dr} \right) = 0 \qquad\qquad (6\text{-}11c)$$

针对所处理问题的特点，选择合理的坐标系，研究起来较为便利。

6.3.1.1　单层平壁

对于厚度为 b 的单层平壁的一维导热问题，导热微分方程式（6-11a）为

$$\frac{d^2 T}{dx^2} = 0$$

边界条件为

$$x = 0, T = T_1 \ ; \ x = b, T = T_2$$

将式（6-11a）积分两次，得 $T = c_1 x + c_2$，代入上述边界条件，可得到平壁的温度分布

$$T = \frac{T_2 - T_1}{b} x + T_1 \ 或 \ \frac{T - T_1}{T_2 - T_1} = \frac{x}{b} \qquad\qquad (6\text{-}12)$$

可见，在无内热源而热导率又为常数的情况下，平壁的温度分布为一条直线。对上式求导后代入傅里叶定律 $q = -\lambda \dfrac{dT}{dx}$，可得

$$q = \frac{\lambda}{b}(T_1 - T_2) \ 或 \ q = \frac{T_1 - T_2}{b/\lambda} \qquad\qquad (6\text{-}13)$$

此即计算通过平壁的导热热流密度或热通量的公式，后一式为热阻表达形式。

6.3.1.2　单层筒壁

工业生产过程中，经常遇到筒壁的导热问题。当管子的壁厚相对于管长而言非常小，且管子的内外壁面又保持均匀的温度时，通过管壁的导热就是柱坐标系中的一维导热问题。

由单一材料制成的圆管管壁中的导热是典型的通过单层圆筒壁导热的例子。当筒壁的长度与管径相比很大，即 $L \gg r$ 时，可忽略轴向导热，只考虑温度沿径向的变化。此时，可以用柱坐标下的一维稳态导热方程来描述这种导热过程，即式（6-11b）

$$\frac{d}{dr}\left(r \frac{dT}{dr} \right) = 0$$

设圆筒的内外半径分别为 r_1 和 r_2，长为 L，内外表面分别维持均匀不变的温度 T_1 和 T_2，材料的热导率为 λ，且为常数。则微分方程的边界条件为

$$r = r_1, T = T_1 \tag{6-14a}$$

$$r = r_2, T = T_2 \tag{6-14b}$$

对式（6-11b）进行两次积分，得到其通解为

$$T = C_1 \ln r + C_2 \tag{6-15}$$

式中，C_1、C_2 为积分常数，代入边界条件式（6-14）可得

$$C_1 = \frac{T_1 - T_2}{\ln \dfrac{r_1}{r_2}}, \ C_2 = T_1 - \frac{T_1 - T_2}{\ln \dfrac{r_1}{r_2}} \ln r_1$$

于是得出圆筒壁的温度分布方程为

$$\frac{T - T_1}{T_2 - T_1} = \frac{\ln (r/r_1)}{\ln (r_2/r_1)} \tag{6-16}$$

该式表明，圆筒壁内的温度分布为半径 r 的对数函数，温度分布曲线为一条对数曲线。

柱坐标下，傅里叶定律的表达形式为 $Q = qA = -\lambda \dfrac{\mathrm{d}T}{\mathrm{d}r}(2\pi rL)$，由式（6-15）可得 $\dfrac{\mathrm{d}T}{\mathrm{d}r}$ $= \dfrac{C_1}{r}$，故而通过圆筒壁的导热量为

$$Q = \frac{2\pi \lambda L}{\ln \dfrac{r_2}{r_1}}(T_1 - T_2) = \frac{T_1 - T_2}{\dfrac{1}{2\pi \lambda L}\ln \dfrac{r_2}{r_1}} \tag{6-17}$$

上述导热问题中，如果材料的热导率不为常数，并且 $\lambda = \lambda_0(1 + bT)$，则由傅里叶定律可知，通过圆筒壁的导热量可以表示为 $Q = -\lambda_0(1 + bT)\dfrac{\mathrm{d}T}{\mathrm{d}r}(2\pi rL)$。由于在稳态条件下 $Q =$ 常数，因而可以用分离变量积分的办法得到其温度分布，积分结果为

$$\frac{(T - T_1)\left[1 + \dfrac{b}{2}(T + T_1)\right]}{(T_2 - T_1)\left[1 + \dfrac{b}{2}(T_2 + T_1)\right]} = \frac{\ln \dfrac{r}{r_1}}{\ln \dfrac{r_2}{r_1}} \tag{6-18}$$

不难看出变热导率的温度分布仍然是一条对数曲线。进而也就可以得到通过圆筒壁的热流量

$$Q = \frac{T_1 - T_2}{\dfrac{1}{2\pi \lambda_m L}\ln \dfrac{r_2}{r_1}} \tag{6-19}$$

式中，$\lambda_m = \lambda_0\left[1 + \dfrac{b}{2}(T_1 + T_2)\right] = \lambda_0(1 + bT_m)$，为圆筒壁的平均热导率；$T_m = \dfrac{T_1 + T_2}{2}$ 为内外壁面温度的算术平均值。

6.3.2 有内热源的一维稳态热传导

工程实际中一些有内热源的导热过程，其导热设备外形多为柱体，例如电热棒、核反应堆的铀棒、管式反应器等，若柱体的轴长较半径大得多，且温度分布沿轴向是对称的，则可作为沿径向的一维导热问题进行处理。

设半径为 R，内热源 $\dot{q}$ 和热导率 λ 均为常数的无限长实心圆柱体，稳态进行导热。下面讨论其在给定等温边界条件（T_w 已知）时的一维稳态导热问题。由于物体内的温度不随长度及方位角变化，仅为半径 r 的函数，因而柱坐标下的能量方程变为

$$\frac{1}{r}\frac{\mathrm{d}}{\mathrm{d}r}\left(r\frac{\mathrm{d}T}{\mathrm{d}r}\right) + \frac{\dot{q}}{\lambda} = 0 \tag{6-20}$$

方程的边界条件为

$$r = R, T = T_w \tag{6-21a}$$

$$r = 0, \frac{\mathrm{d}T}{\mathrm{d}r} = 0 \tag{6-21b}$$

将式（6-20）积分两次得

$$T = -\frac{\dot{q}}{4\lambda}r^2 + C_1\ln r + C_2 \tag{6-22}$$

式中，C_1、C_2 为积分常数，代入式（6-21）所给出的边界条件，可得 $C_1 = 0$，$C_2 = T_w + \dfrac{\dot{q}R^2}{4\lambda}$，将所得结果代入式（6-22），得到圆柱体内温度分布为

$$T = T_w + \frac{\dot{q}}{4\lambda}(R^2 - r^2) \tag{6-23}$$

圆柱体中心处的最高温度为

$$T_{\max} = T\mid_{r=0} = T_w + \frac{\dot{q}}{4\lambda}R^2 \tag{6-24}$$

根据傅里叶定律，可得半径 r 处的总热流量 Q 为

$$Q = -\lambda A_r\frac{\mathrm{d}T}{\mathrm{d}r} \tag{6-25}$$

式中，$A_r = 2\pi rL$，L 为圆柱体长度。由式（6-23）求出温度梯度，代入式（6-25）得

$$\frac{Q}{L} = \frac{\lambda\pi\dot{q}r^2}{\lambda} = \pi\dot{q}r^2 \tag{6-26}$$

该式给出了单位长度圆柱体的热流量与半径的关系。

对于其他边界情况，如绝热外壁面（此时，外壁面上 $\lambda\dfrac{\mathrm{d}T}{\mathrm{d}r} = 0$），可根据边界条件由式（6-22）确定相应的积分常数 C_1、C_2，进而得到温度分布的具体表达式。

6.3.3 无内热源的二维稳态热传导

前面所介绍的都只限于一维稳态导热，所涉及的导热微分方程是具有一个空间自变量的常微分方程。应该说，在实际中确有一些问题可以简化为一维导热问题，但更多的是二维、三维稳态导热问题，相应的导热微分方程为偏微分方程。

由式（6-5）可知，在直角坐标系中，描述无内热源二维稳态导热的偏微分方程为二阶拉普拉斯方程

$$\frac{\partial^2 T}{\partial x^2} + \frac{\partial^2 T}{\partial y^2} = 0 \tag{6-27}$$

该方程的求解方法有数学分析法、数值计算法或图解法等。求解的目的是计算热流速率和温度分布。

6.3.3.1 二维稳态热传导的解析解

二阶拉普拉斯方程可用分离变量法求解，设解的形式为

$$T(x,y) = m(x) \cdot n(y) \tag{6-28}$$

则有

$$\frac{\partial T(x,y)}{\partial x} = \frac{\partial}{\partial x}[m(x) \cdot n(y)] = n(y) \cdot \frac{dm(x)}{dx} = n \cdot m' \tag{6-28a}$$

$$\frac{\partial^2 T(x,y)}{\partial x^2} = \frac{\partial}{\partial x}\left[n(y) \cdot \frac{dm(x)}{dx}\right] = n(y) \cdot \frac{d^2 m(x)}{dx^2} = n \cdot m'' \tag{6-28b}$$

$$\frac{\partial T(x,y)}{\partial y} = \frac{\partial}{\partial y}[m(x) \cdot n(y)] = m(x) \cdot \frac{dn(y)}{dy} = m \cdot n' \tag{6-28c}$$

$$\frac{\partial^2 T(x,y)}{\partial y^2} = \frac{\partial}{\partial y}\left[m(x) \cdot \frac{dn(y)}{dy}\right] = m(x) \cdot \frac{d^2 n(y)}{dy^2} = m \cdot n'' \tag{6-28d}$$

将以上结果代入方程（6-27）中，可得

$$n(y) \cdot \frac{d^2 m(x)}{dx^2} + m(x) \cdot \frac{d^2 n(y)}{dy^2} = 0 \tag{6-29}$$

两边同除以 $m(x) \cdot n(y)$，则

$$\frac{\left[\dfrac{d^2 m(x)}{dx^2}\right]}{m(x)} + \frac{\left[\dfrac{d^2 n(y)}{dy^2}\right]}{n(y)} = 0 \tag{6-30}$$

该方程左侧第一项为 x 的函数、第二项为 y 的函数，而 x、y 又是两个独立的变量，等式要成立，该两项必然同等于某一常数 β^2，故有

$$\frac{\left[\dfrac{d^2 m(x)}{dx^2}\right]}{m(x)} = -\frac{\left[\dfrac{d^2 n(y)}{dy^2}\right]}{n(y)} = -\beta^2 \tag{6-31}$$

式中，β 称为分离常数，与 x,y 无关，其值由边界条件决定。

这样，就把偏微分方程转化为如下两个常微分方程

$$\frac{d^2 m(x)}{dx} + \beta^2 m(x) = 0 \tag{6-32a}$$

$$\frac{d^2 n(y)}{dy} - \beta^2 n(y) = 0 \tag{6-32b}$$

其通解分别为

$$m(x) = C_1 \cos(\beta x) + C_2 \sin(\beta x) \tag{6-33a}$$

$$n(y) = C_3 e^{\beta y} + C_4 e^{-\beta y} \tag{6-33b}$$

$$T(x,y) = [C_1 \cos(\beta x) + C_2 \sin(\beta x)] \times [C_3 e^{\beta y} + C_4 e^{-\beta y}] \tag{6-33c}$$

对应不同的边界条件所得到的解也不相同。下面针对较为简单的边界条件，说明分析的技巧和具体求解过程，

考察一无内热源的矩形平板，热导率为常数。x 方向宽为 L，y 方向一侧有界，一侧为

无界，z 方向可以理解为无穷大，也可以理解为非常小，总之可以认为 $\partial T/\partial z = 0$，即该方向的温度为一常数。则该导热问题为二维导热。

设齐次边界条件为

$$x = 0, T = 0 \tag{6-34a}$$

$$x = L, T = 0 \tag{6-34b}$$

$$y = 0, T = T_0 \tag{6-34c}$$

$$y = \infty, T = 0 \tag{6-34d}$$

由边界条件（6-34a）可知，通解式（6-33c）中的系数 $C_1 = 0$；为满足边界条件（6-34b），应有 $C_2 \sin(\beta L) = 0$，而若 $C_2 = 0$ 将得到零解，故必然有

$$\sin(\beta L) = 0 \tag{6-35}$$

由此可得

$$\beta = \frac{n\pi}{L} \quad (n = 1,2,3,\cdots) \tag{6-36}$$

方程式（6-35）即为常微分方程（6-32a）满足边界条件（6-34a）、（6-34b）的本征方程，它的解为式（6-36），又称本征值。本征值有无穷多个，代入式（6-33c）可得具有不同常数值的无穷多个解。将常数 C_2 并入 C_3 和 C_4，并以 A_n 和 B_n 代表合并后的常数，根据解的叠加原理，可得

$$T(x,y) = \sum_{n=1}^{\infty} [A_n e^{-\frac{n\pi}{L}y} + B_n e^{\frac{n\pi}{L}y}] \sin\left(\frac{n\pi}{L}x\right) \tag{6-37}$$

根据边界条件（6-34d），当 $y = \infty$ 时，$T = 0$，代入式（6-37）可知 $B_n = 0$，所以

$$T(x,y) = \sum_{n=1}^{\infty} A_n e^{-\frac{n\pi}{L}y} \sin\left(\frac{n\pi}{L}x\right) \tag{6-38}$$

将边界条件（6-34c）代入式（6-38），得

$$T_0 = \sum_{n=1}^{\infty} A_n \sin\left(\frac{n\pi}{L}x\right) \tag{6-39}$$

只要能求出 A_n，温度分布即可求出。为此，将式（6-39）两侧同乘以 $\sin\left(\frac{m\pi}{L}x\right)$ 并在 $(0 \sim L)$ 之间积分，则

$$T_0 \int_0^L \sin\left(\frac{m\pi}{L}x\right) dx = \int_0^L \sum_{n=1}^{\infty} A_n \sin\left(\frac{n\pi}{L}x\right) \sin\left(\frac{m\pi}{L}x\right) dx \tag{6-40}$$

根据三角函数的正交性，上式右侧所有 $m \neq n$ 项的积分值为零，故可简化为

$$T_0 \int_0^L \sin\left(\frac{n\pi}{L}x\right) dx = \int_0^L \sum_{n=1}^{\infty} A_n \sin^2\left(\frac{n\pi}{L}x\right) dx \tag{6-41}$$

将式（6-41）两边分别积分，可得

$$A_n = \frac{2T_0}{n\pi} \left[(-1)^{n+1} + 1\right]$$

代入式（6-38）可得温度分布为

$$T(x,y) = \frac{2T_0}{\pi} \sum_{n=1}^{\infty} \frac{(-1)^{n+1} + 1}{n} e^{-\frac{n\pi}{L}y} \sin\left(\frac{n\pi}{L}x\right) \tag{6-42}$$

根据所得的温度分布方程，可以求得温度梯度。热通量可由傅里叶定律得出

$$q_x = -\lambda\frac{\partial T}{\partial x}$$

$$q_y = -\lambda\frac{\partial T}{\partial y}$$

则热通量 q 可以表示为

$$q = \sqrt{q_x^2 + q_y^2} \tag{6-43}$$

一般说来，热流线和等温线相互垂直，这种情况类似于动量传递中所介绍的等势线与流线的关系。

当所给定的边界条件为非齐次时，为了便于运算，需要将边界条件进行齐次化处理。在实际问题中，往往由于几何形状和边界条件的复杂性，导致分析求解很困难甚至无法得到其分析解，此时数值计算法成为解决问题的有效方法。

6.3.3.2 二维稳态热传导的数值计算方法

分析法的优点是计算精度高，缺点是导热体的边界条件和几何形状要简单，而且表达式本身比较复杂。数值计算法借助计算机，能克服分析法的不足。数值求解通常是对微分方程直接进行数值积分或者把微分方程转化为一组代数方程组再求解。如何实现从微分方程到代数方程的转化又可以采用不同的数学方法，如有限差分法、有限元法和边界元法等。在此简要介绍用有限差分方法由微分方程确立代数方程的处理过程。有限差分法的基本思想是把原来在时间和空间坐标中连续变化的物理量（如温度、压力、速度和热流等），用有限个离散点上的数值集合来近似表示。有限差分的数学基础是用差商代替微商（导数），而几何意义是用函数在某区域内的平均变化率代替函数的真实变化率。

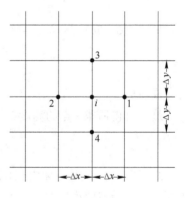

图 6-1 温度场内的结点

二维稳态导热的微分方程为

$$\frac{\partial^2 T}{\partial x^2} + \frac{\partial^2 T}{\partial y^2} = 0 \tag{6-27}$$

数值计算即是将上述连续变化的偏微分方程用梯级变化的差分方程近似地表达，以求出温度分布。根据所处位置的差异，导热差分方程可分为物体内部的结点温度方程和物体边界上的结点温度方程，下面分别加以介绍。

A 物体内部的结点温度方程

如图 6-1 所示，将物体分割成若干个由 Δx、Δy 组成的小方格，分割线的交点称作结点，步长 Δx 及 Δy 的长度视对计算精度的要求来选取。Δx 或 Δy 越小，所得结果就越接近于真实温度分布，但相应的计算量也随之增加。

对于二维稳态导热，温度分布只是空间坐标的函数，即 $T = f(x, y)$。对应图 6-1 所示的温度场内的结点分布，将该温度分布式在 i 点附近沿 x 方向展开成泰勒级数，若向右展开，则

$$T_1 = T_i + \left(\frac{\partial T}{\partial x}\right)_{x=i} \Delta x + \left(\frac{\partial^2 T}{\partial x^2}\right)_{x=i} \frac{\Delta x^2}{2!} + \left(\frac{\partial^3 T}{\partial x^3}\right)_{x=i} \frac{\Delta x^3}{3!} + \cdots$$

再向左展开，则

$$T_2 = T_i - \left(\frac{\partial T}{\partial x}\right)_{x=i} \Delta x + \left(\frac{\partial^2 T}{\partial x^2}\right)_{x=i} \frac{\Delta x^2}{2!} - \left(\frac{\partial^3 T}{\partial x^3}\right)_{x=i} \frac{\Delta x^3}{3!} + \cdots$$

将以上两式相加，得到如下结果

$$T_1 + T_2 = 2T_i + \left(\frac{\partial^2 T}{\partial x^2}\right)_{x=i} \Delta x^2 + O\left[(\Delta x)^4\right] \tag{6-44}$$

式中，$O\left[(\Delta x)^4\right]$ 为余项的量阶（数量级）。

由式（6-44）得

$$\left(\frac{\partial^2 T}{\partial x^2}\right)_{x=i} = \frac{T_1 + T_2 - 2T_i}{\Delta x^2} + O\left[(\Delta x)^4\right] \tag{6-45a}$$

同理，将 $T = f(x,y)$ 在 y 方向展开，进行同样处理，得

$$\left(\frac{\partial^2 T}{\partial y^2}\right)_{y=i} = \frac{T_3 + T_4 - 2T_i}{\Delta y^2} + O\left[(\Delta y)^4\right] \tag{6-45b}$$

令 $\Delta x = \Delta y$，并略去余项 $O\left[(\Delta x)^4\right]$ 和 $O\left[(\Delta y)^4\right]$，则有

$$\left(\frac{\partial^2 T}{\partial x^2}\right)_{x=i} + \left(\frac{\partial^2 T}{\partial y^2}\right)_{y=i} = \frac{T_1 + T_2 + T_3 + T_4 - 4T_i}{\Delta x^2} \tag{6-45c}$$

将式（6-45c）与式（6-27）比较，得

$$\frac{T_1 + T_2 + T_3 + T_4 - 4T_i}{\Delta x^2} = 0$$

或写成　　　　　　　　　$T_1 + T_2 + T_3 + T_4 - 4T_i = 0$

最终可得所求 i 点的温度 T_i 为

$$T_i = \frac{1}{4}(T_1 + T_2 + T_3 + T_4) \tag{6-46}$$

式（6-46）说明，无内热源的二维稳态温度场中，其内部某结点的温度，等于与之相邻的 4 个结点温度的算术平均值。如果将所有结点的温度分别与其相邻 4 个结点的温度按式（6-46）的形式联系起来，便可得到物体内部的结点温度方程组。

　　B　物体边界上的结点温度方程

处于物体边界上的结点，受周围环境的影响，结点温度不能采用式（6-46）来计算。此时，可通过边界热平衡关系建立边界结点温度方程，用以计算物体边界上的结点温度。图 6-2 给出了几种常见的边界情况，下面分别推导其边界结点温度方程。

（1）绝热边界。如图 6-2a 所示，根据傅里叶第一定律，对虚线所围微元体进行热量衡算。设 $\Delta x = \Delta y$，垂直于纸面的距离为 1 单位，微元在 x 方向为 $\Delta x/2$，y 方向为 Δx。

左侧面导入热量：$\lambda \dfrac{T_1 - T_i}{\Delta x}\left[\Delta y(1)\right]$

上侧面导入热量：$\lambda \dfrac{T_2 - T_i}{\Delta y}\left[\dfrac{\Delta x}{2}(1)\right]$

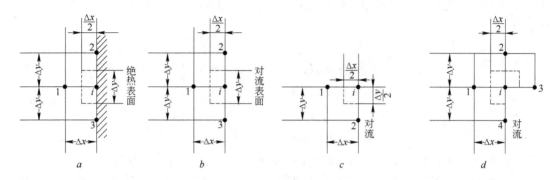

图 6-2 物体边界上的结点及热衡算

a—绝热边界；b—对流边界；c—对流边界上的外角；d—对流边界上的内角

下侧面导入热量：$\lambda \dfrac{T_3 - T_i}{\Delta y}\left[\Delta x(1)\right]$

右侧面为绝热，导热速率为零，前侧面和后侧面为恒温，微元体的热衡算式为

$$\lambda \frac{T_1 - T_i}{\Delta x}\left[\Delta y(1)\right] + \lambda \frac{T_2 - T_i}{\Delta y}\left[\frac{\Delta x}{2}(1)\right] + \lambda \frac{T_3 - T_i}{\Delta y}\left[\Delta x(1)\right] = 0$$

通过化简得

$$2T_1 + T_2 + T_3 - 4T_i = 0 \qquad (6\text{-}47a)$$

即

$$T_i = \frac{1}{4}(2T_1 + T_2 + T_3) \qquad (6\text{-}47b)$$

式（6-47）表示结点 i 位于绝热边界的结点温度方程。

（2）对流边界。参照图 6-2b，对虚线范围进行热量衡算，y 方向为 $\Delta y = \Delta x$，x 方向为 $\Delta x/2$，周围流体主体温度为 T_b，微元体表面与环境的对流传热系数为 α，且二者维持恒定，则由左、上和下三面导入的热流速率，应等于右平面与流体对流传热所输出的热流速率，即

$$\lambda \frac{T_1 - T_i}{\Delta x}\left[\Delta y(1)\right] + \lambda \frac{T_2 - T_i}{\Delta y}\left[\frac{\Delta x}{2}(1)\right] + \lambda \frac{T_3 - T_i}{\Delta y}\left[\frac{\Delta x}{2}(1)\right]$$

$$= \alpha \left[\Delta y(1)\right](T_i - T_b)$$

通过化简得

$$\frac{1}{2}(2T_1 + T_2 + T_3) - \left(\frac{\alpha \Delta x}{\lambda} + 2\right)T_i = -\frac{\alpha \Delta x}{\lambda}T_b \qquad (6\text{-}47c)$$

对于图 6-2c、d 的情况，可用相同的方法进行推导，最后分别得到

$$T_1 + T_2 - 2\left(\frac{\alpha \Delta x}{\lambda} + 1\right)T_i = -2\frac{\alpha \Delta x}{\lambda}T_b \qquad (6\text{-}47d)$$

$$2T_1 + 2T_2 + T_3 + T_4 - 2\left(\frac{\alpha \Delta x}{\lambda} + 3\right)T_i = -2\frac{\alpha \Delta x}{\lambda}T_b \qquad (6\text{-}47e)$$

C 二维稳态温度场的结点温度方程组

式（6-46）、式（6-47）表达了无内热源二维稳态温度场中结点温度之间的关系，各式均为线性代数方程。求解温度场时，可根据物体内部及边界情况，并考虑精度要求，将物体分割成若干个等边的小方格，将分割线的交点统一编号，$i = 1, 2, 3 \cdots, n$，然后根据每

个结点所在的位置，分别写出相应的结点温度方程，从而得到整个温度场的结点温度方程组，即

$$\left.\begin{array}{l} a_{11}T_1 + a_{12}T_2 + \cdots + a_{1n}T_n = b_1 \\ a_{21}T_1 + a_{22}T_2 + \cdots + a_{2n}T_n = b_2 \\ \quad\vdots \qquad\qquad \vdots \qquad\qquad \vdots \\ a_{n1}T_1 + a_{n2}T_2 + \cdots + a_{nn}T_n = bn \end{array}\right\} \qquad (6\text{-}48)$$

式中，a_{ij} 和 $b_i(i,j = 1,2,\cdots,n)$ 均为常数；$T_i(i = 1,2,\cdots,n)$ 为未知温度。

式（6-48）为线性方程组，共有 n 个方程，n 个未知温度，因此方程组是封闭的。求解此方程组即可得出（$T_1,T_2,\cdots,T_n$）的数值，于是整个温度场即可解出。

求解上述结点温度方程组可采用求逆矩阵法、迭代法和高斯消去法等。

6.4　非稳态热传导

物体内任意点的温度随时间而变的导热过程称非稳态热传导。一般说来，当边界上的换热情况突然变化时，随着时间的推移，物体内的温度将由表及里逐渐发生变化。如果边界上维持变化后的换热状态，则非稳态过程将过渡到稳态过程。作为非稳态过程的起因，边界换热情况不同，对物体内温度随时间和空间变化的影响也有所不同。但 3 种不同的边界条件其影响实质相同，即都是由于边界条件的变化引起物体内能的变化而造成的。由于非稳态导热过程中物体内的温度随时间而变化，所以过程的分析和计算要比稳态导热困难得多。

在工程实践中不乏非稳态导热的实例，如食物冷却或化冻、工件的淬火、铸件的冷却、金属的熔化、热动力设备起停时部件温度的变化等，均涉及热量传递的非稳态过程。即便是稳态导热过程，其初期阶段也常常存在非稳态导热。此外，在许多工程问题中，要求知道当物体表面的热状态发生变化时，物体内给定点的温度变化到某一确定值所需要的时间，这也涉及到非稳态导热问题。

因此，对非稳态导热过程进行分析，研究不同时刻物体内的温度分布、探讨温度场内任意点的温度随时间的变化关系，就显得非常必要。一般在加热或冷却物体时，传热速率取决于物体内部热阻和表面热阻的大小，两种极端的情况为忽略内部热阻或忽略外部热阻。本节将着重对几种典型的无内热源一维非稳态导热过程进行分析求解，以利于读者掌握非稳态导热过程的分析方法，便于进行实际工程应用。

6.4.1　非稳态热传导方程

在本章开始已经给出了热传导方程式（6-4b）

$$\frac{\partial T}{\partial \theta} = a\,\nabla^2 T + \frac{\dot{q}}{\rho c_p}$$

若无内热源，则有式（2-96）

$$\frac{\partial T}{\partial \theta} = a\,\nabla^2 T$$

对于一维导热，热传导方程为

$$\frac{\partial T}{\partial \theta} = a \frac{\partial^2 T}{\partial x^2} \tag{6-49}$$

6.4.2 忽略内部热阻的非稳态热传导——集总热容法

当一个体积为 V，表面积为 A，初始温度为 T_0 的物体，突然被完全置于温度恒为 T_b 的流体环境中（设 $T_0 > T_b$）。此时，由于温度差的存在，物体与环境之间便会发生热量传递。该传热过程的阻力来自两个方面，其一为固体内部的导热阻力，二是物体外表面与环境流体间的对流传热阻力。根据这两种阻力的相对大小不同，可采取不同的处理方法。与对流传热热阻相比，当固体内部的热阻很小或导热系数很大时，导热阻力便可忽略不计，这种情况等价于固体内部各处的温度是均匀一致的，不存在温度梯度。在传热学上将这种情况称为薄壁（或薄材）。例如在金属物体的冷却降温或加热升温过程中，由于金属的导热系数一般都很大，在分析计算时就可以认为其温度是均匀的。这种忽略物体内部导热热阻的分析方法称为集总参数法（集总热容法），它是非稳态导热问题中最简单的物理模型。对于这类非稳态导热问题，由于物体的温度仅随时间而改变而与空间位置无关，故不存在边界条件，因此也就不能直接采用导热微分方程求解。

在符合集总热容的情况下，固体放出或吸收的热量应等于环境流体获得或放出的热量。设边界上的对流换热系数 α 保持为常数，在 $\mathrm{d}\theta$ 时间间隔内，物体的温度变化为 $\mathrm{d}T$，则根据热量衡算可得

$$-\rho c V \frac{\mathrm{d}T}{\mathrm{d}\theta} = \alpha A (T - T_b) \tag{6-50}$$

初始条件为

$$\theta = 0, T = T_0$$

式中，c 为固体的比热容，$kJ/(kg \cdot K)$；T 为任意瞬时固体表面的温度，K。由于忽略固体的导热热阻，因此，固体内部各点的温度均为 T。式中的负号表示固体内的温度随时间而降低。

积分式（6-50）可得

$$\ln \frac{T - T_b}{T_0 - T_b} = -\frac{\alpha A}{\rho c V} \theta \tag{6-51a}$$

或写成

$$\frac{T - T_b}{T_0 - T_b} = e^{-\frac{\alpha A}{\rho c V} \theta} \tag{6-51b}$$

将式中右端指数作如下变换

$$\frac{\alpha A \theta}{\rho c V} = \frac{\alpha (V/A)}{\lambda} \frac{\lambda A^2 \theta}{\rho c V^2} = Bi \cdot Fo \tag{6-52}$$

则式（6-51b）可写成

$$\frac{T - T_b}{T_0 - T_b} = e^{-(Bi)(Fo)} \tag{6-53}$$

式（6-53）中，第一个无因次数群 $Bi = \dfrac{\alpha(V/A)}{\lambda} = \dfrac{\alpha l}{\lambda} = \dfrac{l/\lambda}{1/\alpha}$，称为毕渥数（Biot number），其中 $V/A = l$，具有长度的因次，称为集总参数系统的特征尺寸。可见，毕渥

数的物理意义为物体内部导热热阻与边界处对流传热热阻之比。

　　Bi 数越小，说明与表面对流换热热阻相比，其内部热阻越小，采用集总参数法得到的计算结果越接近于实际情况。因此，可以用 Bi 数的大小作为判据，来判断某一不稳定导热问题是否能够采用集总热容法处理。研究表明，对于如平板、圆柱体和球状体等物体，如果 $Bi < 0.1$，采用式（6-51）计算的结果与实际比较，偏差小于5%，此时可作为薄壁物体采用集总热容法处理。

　　第二个无因次数群 $Fo = \dfrac{\lambda\theta}{\rho c\,(V/A)^2} = \dfrac{a\theta}{(V/A)^2} = \dfrac{a\theta}{l^2}$，称为傅里叶数。其中 $a = \dfrac{\lambda}{\rho c}$，即导温系数，单位为 m²/s，代表了物体导热与储热能力的比值，是衡量物体内部温度变化快慢的指标。Fo 的物理意义为物体同环境之间发生热交换的时间与热扰动传播时间的比值，即无因次时间。Fo 愈大，表示扰动愈深入物体内部，内部温度也就越接近于周围介质温度。

　　例 6.1　半径为 $r_0 = 0.6\text{mm}$ 的钢球，初始温度均匀，为 800K。现将其突然放入温度恒定为 400K 的某流体介质当中。设钢球表面与流体介质间的对流传热系数为 $\alpha = 11.4\text{W}/(\text{m}^2 \cdot \text{K})$，且不随温度而变化。钢球的密度 $\rho = 7849\text{kg}/\text{m}^3$，热导率 $\lambda = 43.3\text{W}/(\text{m} \cdot \text{K})$，比热容 $c = 0.46\text{kJ}/(\text{kg} \cdot \text{K})$。试求经过 1h 后钢球的温度。

　　解： 首先计算 Bi 数，由此判断是否能够采用集中热容法。

$$Bi = \frac{\alpha(V/A)}{\lambda} = \frac{11.4 \times \left[\dfrac{(4/3)\pi r_0^3}{4\pi r_0^2}\right]}{43.3} = \frac{(11.4 \times r_0/3)}{43.3}$$

$$= \frac{11.4 \times 2 \times 10^{-2}}{43.3} = 0.00527 < 0.1$$

因此，可以采用集总热容法进行处理。由式（6-53）可得

$$\frac{T - 400}{800 - 400} = e^{-\frac{\alpha A}{\rho Vc}\theta}$$

式中，$\dfrac{\alpha A}{\rho Vc}\theta = \dfrac{11.4 \times 3600}{7849 \times 2 \times 10^{-2} \times 0.46 \times 10^3} = 0.568$。

　　解得　　　　　　　　　　　　　　　$T = 627\text{K}$

6.4.3　忽略外部热阻的非稳态热传导

　　当 Bi 数值很大时，表明界面的对流热阻远远小于固体内部的导热热阻，此时，对流热阻可忽略不计，因此固体表面温度近似等于环境温度。工程上一般以 $Bi > 100$ 作为判据。这种情况相当于给定了第一类边界条件，即固体表面温度恒等于流体环境温度。

6.4.3.1　半无限大固体

　　半无限大固体只有一个外边界面，而沿着该面内法线方向则是无限大的。作用于物体表面的热流逐步向物体内部传递，固体本身的温度变化也逐步向其内部延伸。很多实际物体在加热或冷却过程初期都可以视为是一个半无限大固体的非稳态导热过程。图 6-3 给出了一个半无限大固体的导热系统，其左端为有界，面积为 A，右端为无限。该固体可以是无限厚的平板或无限长的圆柱体等。

　　设导热开始时，物体的初始温度为 T_0，现将左端面的表面温度突然升高到 T_w 并维持

不变。由于右端面在无穷远处，其温度将维持 T_0 不变。该情况下的导热微分方程为式（6-49）

$$\frac{\partial T}{\partial \theta} = a \frac{\partial^2 T}{\partial x^2}$$

初始条件和边界条件为

$$\theta = 0, T = T_0 \tag{6-54a}$$
$$x = 0, T = T_w(\theta > 0) \tag{6-54b}$$
$$x = \infty, T = T_0(\theta \geqslant 0) \tag{6-54c}$$

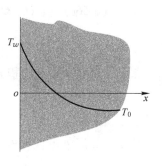

图6-3 半无限大固体的导热系统

式（6-49）可以用拉普拉斯变换法或分离变量法求解，也可以采用变量代换法，即通过适当的变量代换将偏微分方程变换为常微分方程，然后进行分析求解。以下简要介绍变量代换法的求解过程。

引入与时间、位置有关的一个新变量 η ，令 $\eta = x/\sqrt{4a\theta}$ ，利用该变量对方程进行变换，则有

$$\frac{\partial T}{\partial \theta} = \frac{\partial T}{\partial \eta} \frac{\partial \eta}{\partial \theta} = -\frac{\eta}{2\theta} \frac{\partial T}{\partial \eta} \tag{6-55a}$$

$$\frac{\partial T}{\partial x} = \frac{\partial T}{\partial \eta} \frac{\partial \eta}{\partial x} = \frac{\partial T}{\partial \eta} \frac{1}{\sqrt{4a\theta}} \tag{6-55b}$$

$$\frac{\partial^2 T}{\partial x^2} = \frac{\partial}{\partial \eta} \left(\frac{\partial T}{\partial x} \right) \frac{\partial \eta}{\partial x} = \frac{\partial}{\partial \eta} \left(\frac{\partial T}{\partial \eta} \frac{\partial \eta}{\partial x} \right) \frac{\partial \eta}{\partial x} = \frac{1}{4a\theta} \frac{\partial^2 T}{\partial \eta^2} \tag{6-55c}$$

将式（6-55a）和式（6-55c）代入式（6-49）中，整理得

$$\frac{\partial^2 T}{\partial \eta^2} + 2\eta \frac{\partial T}{\partial \eta} = 0 \tag{6-56a}$$

式（6-56a）中的自变量仅有一个 η ，故可写成常微分方程形式

$$\frac{d^2 T}{d\eta^2} + 2\eta \frac{dT}{d\eta} = 0 \tag{6-56b}$$

该方程的初始条件和边界条件相应化为

$$\eta = \infty, T = T_0 \tag{6-56c}$$
$$\eta = 0, T = T_w \tag{6-56d}$$

为求解上述定解问题，令 $\frac{dT}{d\eta} = p$ ，代入式（6-56b）中，得

$$\frac{dp}{d\eta} + 2\eta p = 0 \tag{6-57}$$

将式（6-57）分离变量积分得

$$p = C_1 e^{-\eta^2}$$

即

$$\frac{dT}{d\eta} = C_1 e^{-\eta^2} \tag{6-58}$$

积分式（6-58），得

$$T = C_1 \int_0^\eta e^{-\eta^2} d\eta + C_2 \tag{6-59}$$

将式（6-56c）和（6-56d）代入式（6-59）中，可得积分常数 C_1 和 C_2

$$C_1 = \frac{2}{\sqrt{\pi}}(T_0 - T_b) , \quad C_2 = T_w$$

最后，再将所得到的积分常数代入式（6-59），得到温度分布为

$$T = \frac{2}{\sqrt{\pi}}(T_0 - T_w) \int_0^{\eta} e^{-\eta^2} d\eta + T_w \tag{6-60}$$

将 $\eta = x/\sqrt{4a\theta}$ 代入式（6-60），并令 $\mathrm{erf}(\eta) = \mathrm{erf}\left(\dfrac{x}{\sqrt{4a\theta}}\right) = \dfrac{2}{\sqrt{\pi}} \int_0^{\eta} e^{-\eta^2}\mathrm{d}\eta$ ，整理可得温度分布方程

$$\frac{T - T_w}{T_0 - T_w} = \mathrm{erf}\left(\frac{x}{\sqrt{4a\theta}}\right) \tag{6-61}$$

式中，$\mathrm{erf}\left(\dfrac{x}{\sqrt{4a\theta}}\right)$ 或 $\mathrm{erf}(\eta)$ 称为高斯误差积分或误差函数。$\mathrm{erf}(\eta)$ 与 η 的对应值可由本书附录 B 中查得，也可在有关数学手册中查取。

由误差函数的性质知，随着 $\eta = x/\sqrt{4a\theta}$ 由 0 不断增大，$\dfrac{T - T_w}{T_0 - T_w}$ 则由 1 单调下降，逐渐趋于零，如图 6-4 所示。如果 x 为某一定值，随着时间的增加，T 将趋于 T_w ，表明物体内部各点的温度都趋于表面温度。如果时间 θ 为某一定值，则随着 x 的增加，T 趋近于 T_0 ，表明物体内部远离边界处的温度仍保持初始状态。

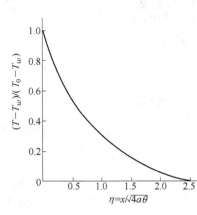

图 6-4　$(T - T_w) / (T_0 - T_w)$
　　　　与 η 的关系

实际应用中，对于几何上具有有限厚度的平板，当傅里叶数 $Fo = \dfrac{a\theta}{l^2} < 0.05$ 时，可作为半无限大物体进行处理。

下面由温度分布方程和傅里叶定律确定在时间 θ 内的传热量。为此，只要求得瞬时导热通量，在时间间隔 $0 \sim \theta$ 内积分即可。由傅里叶定律，在某一时刻 θ 时的瞬时热通量为

$$q_\theta = -\lambda \frac{\partial T}{\partial x}\bigg|_{x=0} = -\lambda \left(\frac{\partial T}{\partial \eta}\frac{\partial \eta}{\partial x}\right)_{x=0} \tag{6-62}$$

由式（6-60）及 $\eta = x/\sqrt{4a\theta}$ ，可得

$$\frac{\partial T}{\partial \eta} = (T_0 - T_w)\frac{2}{\sqrt{\pi}}e^{-x^2/4a\theta}$$

$$\frac{\partial \eta}{\partial x} = \frac{1}{\sqrt{4a\theta}}$$

于是

$$q_\theta = -\lambda \frac{\partial T}{\partial x}\bigg|_{x=0} = -\lambda \left(\frac{\partial T}{\partial \eta}\frac{\partial \eta}{\partial x}\right)_{x=0} = -\lambda \frac{T_0 - T_w}{\sqrt{\pi a\theta}} \tag{6-63}$$

则传热量为

$$Q_\theta = \int_0^\theta q_\theta A d\theta = \int_0^\theta -\frac{\lambda(T_0 - T_w)}{\sqrt{\pi a\theta}} A d\theta = -2\lambda A(T_0 - T_w)\sqrt{\frac{\theta}{\pi a}} \qquad (6\text{-}64)$$

式中，A 为半无限大固体左端面的面积。

半无限大固体非稳态导热的工程应用实例很多，如地面气温突然变化时土壤温度随之变化的问题、大建筑物表面温度变化时内部温度随之变化的问题、大块钢锭的热处理问题等等。

例 6.2 一具有两平行端面的长铝板，除两端面之外，铝板周围绝热，初始均匀温度为 200℃。现将该铝板的一个端面的温度突然降为 70 ℃并维持不变，试求

（1）距离降温面 4cm 处的温度降到 120℃时所需的时间；

（2）在上述时间范围内通过单位端面积的总热量。

已知铝板的热导率 λ 为 215W/(m·K)，热扩散系数 a 为 $8.40 \times 10^{-5} \text{m}^2/\text{s}$

解： 本题为半无限大固体的冷却问题。题目所给定的条件为

$$T_0 = 200℃，T_w = 70℃，x = 0.04\text{m}，T = 120℃$$

将上述条件代入式（6-61）中，可得

$$\text{erf}\left(\frac{x}{\sqrt{4a\theta}}\right) = \frac{120 - 70}{200 - 70} = 0.3846$$

查书末附录 B 可得

$$\frac{x}{\sqrt{4a\theta}} = 0.3553$$

将 $x = 0.004\text{m}$ 和 $a = 8.40 \times 10^{-5}\text{m}^2/\text{s}$ 代入该式中，解得

$$\theta = 37.72\text{s}$$

由式（6-64）可得

$$Q_\theta/A = -2\lambda(T_0 - T_w)\sqrt{\frac{\theta}{\pi a}}$$

将 $\lambda = 215\text{W}/(\text{m·K})$，$a = 8.40 \times 10^{-5}\text{m}^2/\text{s}$，$T_0 = 200℃$，$T_w = 70℃$ 及 $\theta = 37.72\text{s}$ 代入 Q_θ/A 的表达式，解得在上述时间内通过单位端面积的总热量为

$$Q_\theta/A = -2.11 \times 10^7 \text{ J/m}^2$$

所得解中的负号表示放热。

6.4.3.2 端面温度维持恒定的无限大平板

具有两个平行端面的大平板导热，可视为一维导热问题。设无限大平板两个端面相互平行，其间距为 $2l$，平板的初始温度各处均为 T_0。现将两个端面的温度突然变为 T_w，且在整个导热过程中维持不变。

此类导热问题的热传导方程仍为式（6-49），只不过边界条件发生了变化，属于第一类边界条件。为简化求解过程，取平板的一半进行研究。因大平板的温度分布在中心面两侧完全对称，可将板的中心定为坐标原点，热传导方程及相应的初始条件和边界条件为

$$\frac{\partial T}{\partial \theta} = a\frac{\partial^2 T}{\partial x^2}$$

$$\theta = 0，T = T_0 \qquad (6\text{-}65a)$$

$$x = \pm l，T = T_w \qquad (6\text{-}65b)$$

$$x = 0 , \frac{\partial T}{\partial x} = 0 \tag{6-65c}$$

边界条件 $x = 0$，$\partial T / \partial x = 0$，系由于平板内的温度分布沿中心面对称之故。

在满足上述初始条件及边界条件的情况下，可采用分离变量法求解热传导方程。

为了使求解过程简化，首先将边界条件齐次化。为此，引入无因次温度 T^*、无因次长度 L^* 及无因次时间（傅里叶数）Fo 来分别代替温度 T、长度 x 和时间 θ，它们的定义分别为

$$T^* = \frac{T - T_w}{T_0 - T_w} \tag{6-66a}$$

$$L^* = \frac{x}{l} \tag{6-66b}$$

$$Fo = \frac{a\theta}{l^2} \tag{6-66c}$$

将式（6-66）代入式（6-49）中整理，得

$$\frac{\partial T^*}{\partial Fo} = \frac{\partial^2 T^*}{\partial L^{*2}} \tag{6-67}$$

相应的定解条件变为

$$Fo = 0 , \quad T^* = 1 \tag{6-67a}$$

$$L^* = 1 , \quad T^* = 0 \tag{6-67b}$$

$$L^* = 0 , \frac{\partial T^*}{\partial L^*} = 0 \tag{6-67c}$$

式（6-67）为线性齐次偏微分方程，其中，L^* 和 Fo 为自变量，而 T^* 为函数。可用分离变量法求解。采用与 6.3.3 节中类似的方法进行处理，最后可得温度分布方程

$$T^* = \frac{4}{\pi} \left[e^{-(\pi/2)^2 Fo} \cos\left(\frac{\pi}{2}L^*\right) - \frac{1}{3} e^{-(3\pi/2)^2 Fo} \cos\left(\frac{3\pi}{2}L^*\right) + \frac{1}{5} e^{-(5\pi/2)^2 Fo} \cos\left(\frac{5\pi}{2}L^*\right) - \cdots \right] \tag{6-68}$$

对于给定的时间和位置，可确定 Fo 和 L^*，由上式即可得到给定时间和位置的温度。

工程上，防火墙温度的计算、将木板用蒸汽加热、钢板的淬火等均为平板加热或冷却的实例。

6.4.4　两种热阻均不能忽略的非稳态热传导

当表面热阻和内部热阻皆为有限值时，两种热阻均不可忽略。此时毕渥数范围为 $0.1 < Bi < 100$，相当于是给定了第三类边界条件的半无限大平板的导热问题，这种情况在实际过程中较为常见。

6.4.4.1　半无限大固体

将表面初始温度为 T_0 的半无限大物体，突然暴露在温度为恒定值 T_b 的流体中，且流体与表面之间的对流换热系数 α 保持不变，此时导热微分方程及其定解条件为

$$\frac{\partial T}{\partial \theta} = \alpha \frac{\partial^2 T}{\partial x^2} \tag{6-49}$$

$$\theta = 0 , x \geqslant 0 , T = T_0 \tag{6-69a}$$

$$\theta > 0, x = 0, \alpha(T_b - T) = -\lambda \frac{\partial T}{\partial x}\bigg|_{x=0} \qquad (6\text{-}69b)$$

式中，T 为任意瞬时物体表面的温度，其随时间而变化。式（6-49）在式（6-69）的边界条件下，求解过程相当复杂，施耐德进行了详细的求解，在此略去其求解过程，仅给出方程的解的最终结果为

$$\frac{T - T_b}{T_0 - T_b} = 1 - \operatorname{erf}(\eta) - \left[\exp\left(\frac{\alpha x}{\lambda} + \frac{\alpha^2 a\theta}{\lambda^2}\right)\right]\left[1 - \operatorname{erf}\left(\eta + \frac{\alpha \sqrt{a\theta}}{\lambda}\right)\right] \qquad (6\text{-}70)$$

式中，$\eta = x/\sqrt{4a\theta}$。当对流换热系数 $\alpha \to \infty$ 时，壁面的温度将等于流体的温度，问题即转化为忽略表面阻力的半无限大固体的导热。

6.4.4.2 无限大平板

设无限大平板两个端面相互平行，厚度为 $2l$，初始温度各处均为 T_0。现将两个端面的温度突然放进主体温度恒定为 T_b 的环境流体当中，端面与流体之间的对流换热系数 α 为已知，且在整个导热过程中维持不变。热流沿与两端面垂直的 x 方向进行传递。

此类导热问题的热传导方程仍为式（6-49），仍然是边界条件发生了改变。为简化求解过程，取平板的一半进行研究。因大平板的温度分布在中心面两侧完全对称，可将板的中心定为坐标原点，热传导方程及相应的初始条件和边界条件为

$$\frac{\partial T}{\partial \theta} = a \frac{\partial^2 T}{\partial x^2} \qquad (6\text{-}49)$$

$$\theta = 0, T = T_0 \qquad (6\text{-}71a)$$

$$x = l, -\lambda \frac{\partial T}{\partial x} = \alpha(T - T_b) \qquad (6\text{-}71b)$$

$$x = -l, \lambda \frac{\partial T}{\partial x} = \alpha(T - T_b) \qquad (6\text{-}71c)$$

式中，T 为任意瞬时平板表面的温度。

采用分离变量法求解上述方程，并使结果满足定解条件，可得温度分布方程为

$$\frac{T - T_b}{T_0 - T_b} = \sum_{i=1}^{\infty} e^{-\lambda_i^2 a\theta} \frac{2\sin(\lambda_i l)\cos(\lambda_i x)}{\lambda_i l + \sin(\lambda_i l)\cos(\lambda_i l)} \qquad (6\text{-}72)$$

式中，λ_i 为特征值，可通过下式确定

$$\cos(\lambda_i l) = \frac{\lambda}{\alpha}\lambda_i = \frac{l}{Bi}\lambda_i \qquad (6\text{-}73)$$

式中，λ 为热导率；Bi 为毕渥数。

在工程实际中，应用上式进行求解相当麻烦，一般采用图解法进行计算。

6.4.4.3 各种几何尺寸物体的不稳定热传导的图解

在第三类边界条件下，常见几何形状的物体，如半无限大固体、无限大平板、无限长圆柱体、球体等的不稳定导热问题已经有解析解，但所得解的形式很复杂，用来计算 T 与 x、θ 的关系时显得相当麻烦。为此，海斯勒（Heisler）等人出于便于工程计算的目的，做了大量的工作，将这几种情况的分析计算结果绘成图表，称为诺谟图，可供查阅使用。在使用时应注意它们的条件。鉴于一般手册及相关传热教材中均有此类图表，本书不再赘述。

6.4.5　一维非稳态热传导的数值解

非稳态导热问题的分析解，一般都是针对较简单的边界条件和初始条件而言的，但从求解过程和结果表达式来看，还是相当复杂的。当几何形状复杂，边界条件也复杂时，应用分析解法就更加困难甚至不可能，此时，数值求解方法就成为一种有效的解决办法。

数值解的本质，在于将所要求的物体人为地划分网格，形成许多结点，然后对每个结点列出结点方程并求解，从而获得各结点的温度值。和稳态导热的数值解类似，非稳态导热的数值解法仍然是用阶梯变化的差分方程取代连续变化的微分方程。

非稳态导热的微分方程仍为式（6-49），即

$$\frac{\partial T}{\partial \theta} = a\,\frac{\partial^2 T}{\partial x^2}$$

为了采用数值法求解上述方程，可将该方程左侧和右侧分别写成差分方程形式。为此，将物体分割成相距为 Δx 的若干等份，并参照 6.3.3 节中稳态导热数值解的处理方法进行求解。

6.4.5.1　物体内部结点的温度分布方程

如图 6-5a 所示，在物体内部某一平面 i 处附近，将式（6-49）中右侧的二阶导数化为下式，即

$$\frac{\partial^2 T}{\partial x^2} = \frac{T_{i+1} + T_{i-1} - 2T_i}{\Delta x^2} \tag{6-74}$$

式中，T_{i-1}、T_{i+1} 为与 i 点相距 Δx 长度的左侧及右侧两点的温度。

再将式（6-49）左侧的导数写成差分形式为

$$\frac{\partial T}{\partial \theta} = \frac{T'_i - T_i}{\Delta \theta} \tag{6-75}$$

式中，$\Delta \theta$ 为所选取的时间间隔；T'_i，T_i 为点 i 处在 θ 瞬时和（$\theta + \Delta \theta$）瞬时的温度。

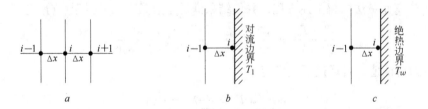

图 6-5　一维非稳态导热的数值解

a—物体内部结点温度；b—对流边界结点温度；c—绝热边界结点温度

将式（6-74）、式（6-75）代入式（6-49）中，可得物体内部非稳态导热时的结点温度方程为

$$\frac{T_{i+1} + T_{i-1} - 2T_i}{\Delta x^2} = \frac{1}{a} \cdot \frac{T'_i - T_i}{\Delta \theta} \tag{6-76a}$$

或

$$T_{i+1} + T_{i-1} - 2T_i = \frac{\Delta x^2}{a\Delta \theta}(T'_i - T_i) \tag{6-76b}$$

式（6-76）中的 Δx 和 $\Delta\theta$ 为计算时所选用的距离间隔和时间间隔，其大小可以根据精度的要求确定。计算式中 $\Delta x^2/(a\Delta\theta)$ 的值必须满足一定的条件才不至于引起数值计算出现不收敛的问题，这在数值计算中称为差分格式的不稳定性。一般来说，精度要求愈高，选取的 Δx 或 $\Delta\theta$ 就越小，相应所需的计算量也就越大。为了使计算过程简化，可令

$$\frac{\Delta x^2}{a\Delta\theta} = M = 2 \tag{6-77}$$

将式（6-77）代入式（6-76）中，则

$$T'_i = \frac{T_{i-1} + T_{i+1}}{2} \tag{6-78}$$

此即物体内部进行非稳态导热时的结点温度方程，该方程表明，物体内部任一点 i 处在 $(\theta + \Delta\theta)$ 时刻的温度，等于与其相邻的两点在 θ 时刻温度的算术平均值。计算时，时间步长和空间步长是相互制约的，Δx 和 $\Delta\theta$ 不能同时独立选取。而是根据精度的要求先选定其一，然后再应用式（6-77）决定另一个量的值。

6.4.5.2 物体边界上的结点温度方程

物体表面的结点温度方程，可通过热量衡算得出。

如图 6-5b 所示，$(i-1)$ 面为物体内部距边界 Δx 处的平面，设其温度为 T_2。物体通过对流表面与外侧的流体进行热交换，流体主体平均温度为 T_b，物体表面（i 平面处）的温度为 T_1。在 $\Delta\theta$ 时间内，经由右侧物体表面进入的热量是以对流传热方式进入，故为

$$\alpha A(T_b - T_1)\Delta\theta$$

式中，α 为对流传热系数，W/（$m^2 \cdot$ K）；A 为传热面积，m^2。

$\Delta\theta$ 时间内，经由衡算范围的左侧平面（位于 $(i-1)$ 点处的平面）移出的热量系以导热方式传出，故为

$$\frac{\lambda A}{\Delta x}(T_1 - T_2)\Delta\theta$$

在 $\Delta\theta$ 时间内，相距 Δx 的 i 和 $(i-1)$ 两平面间物体累积的热量可近似表示为

$$\frac{A\rho c\Delta x}{2\Delta\theta}(T'_1 - T_1)\Delta\theta$$

式中，T'_1 和 T_1 分别表示物体表面（i 平面处）在 θ 时刻和 $(\theta + \Delta\theta)$ 时刻的温度；ρ 为物体的密度 kg/m^3；c 为物体的比热容，J/（kg $\cdot$ K）。

根据热平衡，有

$$\alpha A(T_b - T_1)\Delta\theta - \frac{\lambda A}{\Delta x}(T_1 - T_2)\Delta\theta = \frac{A\rho c\Delta x}{2\Delta\theta}(T'_1 - T_1)\Delta\theta \tag{6-79a}$$

将 $a = \dfrac{\lambda}{\rho c}$ 和条件 $\dfrac{\Delta x^2}{a\Delta\theta} = M = 2$ 代入式（6-79a），整理可得

$$T'_1 = \frac{\alpha\Delta x}{\lambda}(T_b - T_1) + T_2 \tag{6-79b}$$

此即非稳态一维导热时对流边界上的结点温度方程。

绝热边界上的结点温度方程可参考图 6-5c，采用类似的方法推导，结果为

$$T'_i = T_{i-1} \tag{6-80}$$

式中，T'_i 为绝热边界（图中的 i 点所处平面）经过 $\Delta\theta$ 时间后的温度，K；T_{i-1} 则为与绝热

边界相距 Δx 的平面上（图中的 $(i-1)$ 点所处平面）未经历 $\Delta \theta$ 时间以前的温度，K。

6.4.6 多维非稳态热传导

实际遇到的问题多为二维、三维非稳态导热问题，如与壁厚相比，壁面的高、宽并不是很大的长方体；或与直径相比，圆柱体的长度也并不是太长，只能看做是短圆柱体等。对于这类情况，就不能视为一维导热，而应看做是多维非稳态热传导进行处理。

在多维非稳态热传导中，按照 Bi 数的大小不同，处理方法也不同。当 $Bi \leqslant 0.1$ 时，仍可按集总参数法进行求解；当 $Bi > 0.1$ 时，对于第一类边界条件中边界温度为定值且初始温度为常数时，可以将多维问题分解成几个一维问题来求解，最终解为这几个一维问题解的乘积，该方法称为诺曼（Neuman）法。如短圆柱体可以看做是无限长圆柱体和无限大平板正交而成；长方体则可以视为由三个无限大平板正交而成，等等。对此类问题有兴趣的读者可进一步参考传热学方面的相关教材或专著。

习   题

1. 试由傅里叶定律出发，导出单层筒壁中沿 r 方向进行一维稳态导热时的温度分布方程。已知圆筒长度为 L；边界条件为：$r = r_1$，$T = T_1$；$r = r_2$，$T = T_2$。

2. 有一具有均匀发热速率 q 的球形固体，其半径为 R。球体沿径向向外对称导热。球表面的散热速率等于球内部的发热速率，球表面上维持恒定温度 T_w 不变。试推导球心处的温度表达式。

3. 有一厚度为 0.45m 的铝板，其初始温度均匀，为 500K。立即将该铝板暴露在 340K 的介质中进行冷却。铝板表面与周围环境间的对流传热系数 α 为 455 W/(m · K)，试计算铝板中心面温度降至 470K 时所需的时间。已知铝板的平均热扩散系数 $a = 0.34 \text{m}^2/\text{s}$，热导率 $\lambda = 208$ W/(m · K)。

4. 有一厚度为 300mm 的砖墙，其初始温度均匀为 293K。由于环境温度的变化，使得砖墙两侧表面的温度每隔 2500s 上升 10K，试计算 1×10^4 s 后砖墙内各处温度的变化值（已知砖的平均热扩散系数 $a = 5.0 \times 10^{-7} \text{m}^2/\text{s}$）。

7 对流传热

对流传热系指两种流体之间或流体与其接触的固体壁面之间因存在温度差异而产生的传热过程。根据流体受力情况，可分为强制对流传热和自然对流传热两种不同类型。对流传热在工程上应用非常广泛，对其进行研究具有工程实际意义。

对流传热为流体的对流与导热联合作用的结果，流体流动是对流传热的前提。由第 2 章可知，在描述热量传递的能量方程中出现了速度项，说明对流传热过程中温度场是受速度场影响的，亦即在对流传热过程中温度场与速度场之间将会发生相互作用。因此，解决对流传热问题需要用到前面学习过的动量传递基本知识。

本章将以运动方程、连续性方程和能量方程为基础，运用边界层理论和湍流理论，解释对流传热的机理，分析流体内部温度的变化规律，解决对流传热的计算问题。

7.1 对流传热的基本理论

7.1.1 对流传热机理

对流传热与流体运动及流体内部的导热情况密切相关，是微观分子热传导和宏观微元热对流两者结合的综合过程。流体的流动状态不同，其对流传热机理也有所不同。

处于层流状态下的流体，在与其流动相垂直的方向上进行热量传递时，由于不存在流体的漩涡运动和混合，故传热方式为导热。但由于在流动方向上存在温度差，且流动对传热的影响非常显著，因此一般常将运动流体与固体壁面之间的热量传递过程统称为对流传热。

当湍流状态下的流体流经固体壁面时，将形成湍流边界层。湍流边界层由层流内层、缓冲层和湍流核心三部分组成，每一层中流体运动的速度和状态是不同的。当流体与固体壁面的温度不同时，导致每一层的传热机理也不同。在层流内层，由于黏性作用，流体粘附于固体表面上，即贴壁处流体相对于固体表面是静止不动的。当固体对流体传递热量，或反向传递热量时，在热量传递到运动流体之前，必须以纯导热的方式通过那层静止的流体层，继而再被运动的流体带走，因此流体与固体壁面间的对流传热量等于贴壁静止流体层中的导热量。亦即在层流内层中的传热方式为热传导；在缓冲层中，既有流体微元的层流流动，也有流体微元在热流方向上以漩涡形式运动的宏观运动，传热以导热与对流传热两种形式进行；在湍流核心，由于流体剧烈湍动，涡流传热较分子传热强烈得多，后者可以忽略。因此在湍流核心的热量传递主要是漩涡运动所引起的对流传热。

一般来说，层流内层虽然很薄，但热阻却很大，对流传热过程中的热阻大部分集中在该区域当中，相应地，温度梯度也很大。在湍流核心则温度分布较为均匀，热阻也较小。这种关系类似于动量传递过程中速度梯度和流动阻力的关系。

对于存在相变的传热过程，例如冷凝和沸腾过程，其传热机理与一般的强制对流传热有所不同，前者主要有相变，界面不断骚动，可大大地加速传热速率。有相变的传热过程可应用对流传热的规律进行处理。

7.1.2 传热边界层的形成和发展

在动量传递的相关章节中曾经说明，当流体等温流过固体壁面时，在壁面附近会出现厚度为 δ 的流动边界层。对于非等温流动过程，当壁面温度与流体温度不同时，壁面附近的流体会受到壁面温度的影响而建立起一个温度梯度，一般将流动流体中存在着温度梯度的区域定义为传热边界层，又称为温度边界层，它与速度边界层的概念类似。在温度边界层外流体的温度几乎不变。

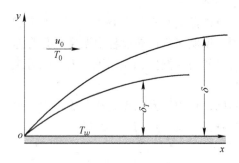

图 7-1　传热边界层的形成和发展

7.1.2.1　传热边界层的形成和发展

现以流体流过平板为例，说明平板壁面上传热边界层的形成过程。如图 7-1 所示，假定主体温度为 T_0 的热流体，沿温度恒定为 T_w 的冷壁面流动。由于两者存在温度差，流体进入平板后，流体向壁面传递热量，与壁面接触的流体温度首先下降，然后沿壁面法向，温度发生连续变化，在壁面附近形成温度梯度。

传热边界层厚度在平板前沿处为零。此后随着流体流过平板的距离的增大，温度发生变化的范围也增大。由于流体层温度由壁面处的 T_w 向 T_0 的变化具有渐进趋势，只有在法向距离无限大处温度才会等于 T_0。因此，在实际应用中，可比照速度边界层厚度的定义，将流体与壁面之间的温度差（$T - T_w$）达到最大温度差（$T_0 - T_w$）的 99% 时，流体距固体表面的距离，称为传热边界层，用 δ_T 表示。δ_T 又称温度边界层厚度。与速度边界层类似，对影响温度边界层的因素进行分析可知，随着流体流过平板的距离的增大，边界层厚度增加。因此，传热边界层厚度也是流动距离 x 的函数，即 $\delta_T = \delta_T(x)$。

根据传热边界层的概念，可将温度场划分为传热边界层和边界层外近似等温区两个区域。流体在沿壁面流动过程中，温度变化主要集中在传热边界层内。δ_T 愈薄，壁面附近温度梯度愈大，热阻越小。因此传热过程的阻力主要取决于传热边界层的厚度。

通常传热边界层的发展和流动边界层的发展并不同步，流动边界层形成于固壁的前缘，而传热边界层则形成于开始发生热交换的地点。即使两者起始于同一地点，一般两者的厚度也不相等，其厚度之间的关系取决于 Pr 数的大小。

在第 1 章传递现象导论部分已经指出，普朗特数 $Pr = \dfrac{\nu}{a} = \dfrac{\mu c_p}{\lambda}$，反映了分子动量传递能力与分子能量传递能力的比值。其中的运动黏度 ν 作为影响速度分布的重要物性，反映了动量传递的特征；热扩散系数 a 则为影响温度分布的重要物性，反映了热量传递的特征。

当流体流过温度高于流体的平板壁面，壁面传递的热量一定时，如果流体的 ρ、c_p 大，则此热量使流体温度上升就慢，传热边界层厚度就较小；若热导率 λ 大，则一定热量引起的温度变化大，传热边界层厚度较大。由于热扩散系数 $a = \dfrac{\lambda}{\rho c_p}$，可见随着热扩散系数 a

的增大，传热边界层变厚。流体的黏度则影响流动边界层的厚度，黏度越大，表明动量传递能力越大，由壁面所引起的动量损失范围广，导致流动边界层增厚。因此，通过由黏度和导温系数所组成的普朗特数，即可建立速度场和温度场的相互联系。

此外，流体的流动速度对边界层厚度也有影响。当流体流动速度 u_0 较小时，流体流过一定距离的时间增长，从而使流体从平板壁面接受或传出的热量增加，此热量一部分由表面传递，一部分随流体流到下游，它们均使流体温度变化的范围增大，可见 u_0 减小，边界层厚度增加。

综述以上分析结果，可知 $\delta_T \propto \dfrac{ax}{u_0}$。又由动量传递部分的分析结果，对于速度边界层，$\delta \propto \dfrac{\nu x}{u_0}$。将传热边界层与速度边界层进行对比，可以得到

$$\frac{\delta_T}{\delta} \propto \frac{a}{\nu} = \frac{1}{Pr} \tag{7-1}$$

若 a 和 ν 不随温度而变化，则经严格分析可得

$$\frac{\delta_T}{\delta} = A \left(\frac{a}{\nu} \right)^m = A \left(\frac{1}{Pr} \right)^m \tag{7-2}$$

波尔豪森对于普朗特数 $Pr = \dfrac{\nu}{a} \geq 0.5$ 的流体，对速度边界层和传热边界层进行比较得到

$$\frac{\delta}{\delta_T} = Pr^{1/3} \tag{7-3}$$

该式表明，只有当 $Pr = 1$ 时（如气体传热），速度边界层厚度和温度边界层厚度才相等。对于黏性油类、水、气体和液态金属，它们的 Pr 数的量级分别为 $10^2 \sim 10^5$、$1 \sim 10$、$0.7 \sim 1$ 和 $10^{-3} \sim 10^{-2}$。由式 (7-3) 可见，对于高黏度的油类和水等一般流体，$\delta > \delta_T$，动量扩散速率比热扩散速率要快，传热边界层很薄，近壁处温度梯度很大，温度变化主要发生在层流底层；对于黏度极低的液态金属，则 $\delta < \delta_T$，传热边界层很厚，以致分子传递在整个过程中占主导地位。

7.1.2.2 圆管进口段传热边界层的发展

当流体流过圆管并进行传热时，管内传热边界层的形成和发展与在进口附近速度边界层的形成和发展过程很相似，如图7-2所示。温度为 T_0 的流体进入管道，管壁温度为 T_w，管截面流体的平均温度为 T_m，由于流体和管壁温度不同，进入管内的流体和管壁之间就会发生热交换（流体被加热或被冷却），并在流动传热过程中形成传热边界层。传热边界层沿程不断增厚，在离管进口一定距离处传热边界层在管中心汇交。

从流体被加热（或冷却）使热边界层开始发展起来，到热边界层厚度等于半径时，流体所经过的距离称为传热进口段，其长度以 L_{eT} 表示。在传热进口段，管道中心处的流体温度保持进口温度 T_0 不变，而管截面流体的平均温度 T_m 则不断升高。L_{eT} 以后的管段称为传热充分发展段。在充分发展段，流体的平均温度和管中心的温度均发生变化，并随着流体不断向下游流动，温度逐渐趋近于管壁温度 T_w。

流体的流动状态不同，其传热进口段长度也不一样。层流条件下，传热进口段长度为

$$L_{eT} = 0.05 d RePr \tag{7-4}$$

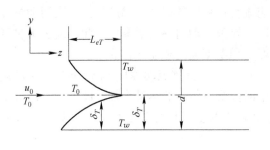

图 7-2　圆管内传热边界层

湍流流动时，传热进口段长度为

$$L_{eT} = 50d \qquad (7\text{-}5)$$

式中，d 为圆管直径。

需要指出，对于圆管内的速度边界层而言，流体在圆管内流动达到充分发展后，就形成了稳定不变的径向速度分布，并且其速度分布沿管道轴向保持不变，即 $\partial u_z / \partial z = 0$。而在传热充分发展段，流体沿途仍不断地被加热（或冷却），截面径向温度分布沿程仍在不断变化，沿管道轴向的温度分布也会发生改变，即 $\partial T / \partial z \neq 0$。

7.1.3　对流传热系数

根据牛顿冷却定律，流体与壁面之间的对流传热速率可表示为

$$Q = \alpha A (T_w - T_0) \qquad (7\text{-}6a)$$

或

$$q = Q/A = \alpha (T_w - T_0) \qquad (7\text{-}6b)$$

式中，T_w 和 T_0 分别为壁面温度和远离壁面的流体主体平均温度，K；α 为对流传热系数，$W/(m^2 \cdot K)$。该式可看作是对流传热系数 α 的定义式。

采用式（7-6）来计算传热速率的关键在于确定对流传热系数 α。对流传热系数的大小与流体运动产生的原因（强制、自然）、运动状态（层流、湍流）、流体物性、物体形状及位置等因素有关。

根据前述分析，流体流过固体表面时，由于黏性作用，贴壁处流体相对于固体表面是静止不动的。当固体对流体传递热量，或反向传递热量时，在热量传递到运动流体之前，必须以纯导热的方式通过该静止的流体层，继而再被运动的流体带走，因此流体与固体壁面间的对流传热量等于贴壁静止流体层中的导热量。

对于平壁，设壁面温度高于流体温度，在距平壁前缘 x 处沿壁面法线方向的热通量，可由傅里叶定律和牛顿冷却公式计算

$$q_x = -\lambda \frac{\partial T}{\partial n} \bigg|_{n=0} = \alpha_x (T_w - T_0) \qquad (7\text{-}7)$$

则对流传热系数

$$\alpha_x = -\frac{\lambda}{T_w - T_0} \frac{\partial T}{\partial n} \bigg|_{n=0} \qquad (7\text{-}8)$$

式中，λ 为流体的热导率，$W/(m \cdot K)$；α_x 为局部对流传热系数 $W/(m^2 \cdot K)$；$\partial T / \partial n |_{n=0}$ 为壁面温度梯度。

同理，圆管内某处的局部对流传热系数可用式（7-9）来计算

$$\alpha_z = \frac{\lambda}{T_w - T_m} \frac{\partial T}{\partial r} \bigg|_{r=r_i} \qquad (7\text{-}9)$$

式中，T_m 为该位置截面上流体的平均温度，K；r_i 为管半径，m。

该式表明，圆管内对流传热时，α 的大小受沿程传热温度差（$T_w - T_m$）和壁面附近温度梯度 $\dfrac{\partial T}{\partial r} \bigg|_{r=r_i}$ 的影响。在流动过程中，随着热交换过程的不断进行，传热温度差（$T_w -$

T_m）与壁面附近温度梯度 $\left.\dfrac{\partial T}{\partial r}\right|_{r=r_i}$ 沿程不断减小。在传热进口段，由于 δ_T 的发展由剧烈而转为平缓，导致温度梯度 $\left.\dfrac{\partial T}{\partial r}\right|_{r=r_i}$ 的减小也相应由急剧而转为平缓。因此，在传热进口段的起始部分，α 主要受温度梯度 $\left.\dfrac{\partial T}{\partial r}\right|_{r=r_i}$ 急剧下降的影响而减小；一定距离后，$\left.\dfrac{\partial T}{\partial r}\right|_{r=r_i}$ 与传热温度差 $(T_w - T_m)$ 的变化幅度接近，α 趋于稳定，成为充分发展的传热。

实验证明，如果流体边界层在管中心处仍是层流，则对流传热系数 α 从进口处开始降低到某一极限值后保持恒定。若汇合前已达到湍流边界层，则从层流到湍流转变的过程中，α 将有一个回升，然后趋于一极限值，并保持稳定。当湍流十分激烈时，传热进口段的作用消失。

通过以上分析可以看出，要求解对流传热系数 α，必须首先确定壁面温度梯度，而要确定温度梯度，必需知道温度分布，因此需要求解能量方程。能量方程中包括有速度项，故在求解对流传热问题时，必须同时求解连续性方程、运动方程和能量方程。对于稳态过程，可结合过程具体的边界条件，首先运用运动方程和连续性方程解出速度分布，然后将速度分布代入能量方程中求出温度分布，再据此温度分布求温度梯度，最后代入式（7-8）或式（7-9）中，即可求得 α。

需要指出的是，上述求解步骤只是给出了求解传热系数 α 的基本原则。实际上，由于能量方程和运动方程的非线性特点以及边界条件的复杂性，利用解析法仅能求解一些较为简单的层流传热问题，对于湍流传热问题还多局限于使用经验关联的公式。目前在工程实际中，湍流时 α 的求解有主要两个基本途径：一是理论求解法，应用动量传递与热量传递的类似性，建立对流传热系数 α 和范宁摩擦系数 f 之间的定量关系；二是应用因次分析方法，并通过实验确定 α 的半经验关联式。例如圆管内湍流条件下对流传热系数的经验关联式：$Nu = 0.023Re^{0.8}Pr^{0.4}$，就是通过因次分析和实验研究得到的结果。此外，数值计算法也是解决复杂问题的一种有效方法。为较全面地认识对流传热系数的本质，本章将主要探讨理论求解的方法。

7.2 对流传热的控制方程

对流传热问题的一个重要方面是求出流体内的温度分布。为此，需要给出描述对流传热的微分方程。

（1）能量微分方程。对于不可压缩、具有内热源的流体，在第 2 章曾推导出了其能量微分方程

$$\frac{\mathrm{D}T}{\mathrm{D}\theta} = a\,\nabla^2 T + \frac{\dot{q}}{\rho C_p} \tag{7-10}$$

该方程在不同坐标系中的表示形式不同。式（7-10）中包含速度项，说明对流传热时温度场是受速度场影响的。方程（7-10）中共有温度和速度分量 4 个未知量，而方程只有一个，因而它不是封闭的，必须增加方程数目才能求解。

（2）动量微分方程。对于不可压缩黏性流体，其动量微分方程的矢量形式为

$$\rho\,\frac{\mathrm{D}\boldsymbol{u}}{\mathrm{D}\theta} = \rho\,\boldsymbol{F}_M - \nabla p + \mu\,\nabla^2\boldsymbol{u} \tag{7-11}$$

式（7-11）为不可压缩黏性流体的 $N-S$ 方程。它同样在不同的坐标系中有不同的表达形式。写成速度的分量微分方程共有 3 个。

（3）连续性方程。对于不可压缩黏性流体，其连续性方程的矢量形式为

$$\nabla \cdot u = 0 \tag{7-12}$$

式（7-12）在不同的坐标系中也有不同的表达形式。

至此共有 5 个方程来描述对流传热，5 个方程中共出现了 5 个未知量：T、p 和 3 个速度分量，因此方程组是封闭的，加上适当的定解条件即可求出 5 个未知量。

（4）定解条件。定解条件包括初始条件和边界条件。初始条件是研究对象在过程开始时所处的状态，如对流传热开始前流体的速度和温度分布。对于稳态过程而言，任何固定空间位置的任一物理量均与时间无关，故不需要问题的初始条件。

边界条件是在区域边界上研究对象所处的状态或状态变化率，如边界上流体的速度分布情况和温度或热量的分布情况等。

上述微分方程式（7-10）~式（7-12）加上适当的定解条件就构成了描述对流传热的完整的数学模型，由此可求得对流传热问题的解。

如前所述，研究对流传热的主要任务就是确定对流传热系数 α。在强制对流传热中，速度场不依赖于温度场，故求解速度场时无需考虑温度场的影响，可先独立于温度场求出速度场，即由运动方程和连续性方程求出速度场，然后再将求得的速度场代入能量方程求出温度场。在某些对流传热问题中如果温度差比温度本身小得多，或由于温度差所引起的物性变化足够小，则可认为物质是常物性，动量方程可独立于能量方程，先进行求解，特别是对于气体。但在大温差的对流传热问题中，如果物性随温度变化而发生变化，则不能将速度场与温度场隔离开来考虑，而必须将二者相互关联起来。本章主要研究常物性强制对流传热过程。

7.3　层流传热

7.3.1　平板层流传热

平板壁面的对流传热在工程实际和日常生活中经常遇到，如建筑物表面与空气之间的传热过程、尺度较大的设备表面同流体之间的传热过程等。由于平板壁面传热比较简单，因而可以在某些情况下通过理论分析方法得到其精确解；通过与卡门动量积分方程类似的处理方法，可以得到足够精确的近似解。

7.3.1.1　平板壁面层流传热的精确解

根据边界层理论，流体在与平板表面进行稳态层流传热时，在壁面附近将建立速度边界层和温度边界层，流体区域分为边界层区域和边界层外区域。在边界层区域内流体的速度和温度梯度有很大的变化，而在区域外速度和温度均不发生变化。因此，如果得到了边界层内流体的速度分布和温度分布，即可解决平板对流传热过程中的传热规律问题。

当流体平行流过大平板表面时，边界层内的流动可视为二维流动。现以不可压缩流体在平板壁面上做二维稳态流动为例进行讨论和分析。设速度为 u_0、温度为 T_0 的黏性不可压缩流体，流过表面温度恒定为 T_w 的半无限长平板，与平板表面间做稳态层流传热。在此条件下，对板面上流体的温度分布及对流传热系数 α 进行分析求解。

　　A　边界层能量方程及其精确解

　　速度边界层和传热边界层在壁面上的发展情况如图 7-3 所示。图 7-3a 表示传热自平板前缘开始形成；图 7-3b 表示传热过程在流体流过一段距离 x_0 后才开始进行，这种情况下，传热边界层与速度边界层的前缘相差一个 x_0 距离。两边界层的厚度一般不相等，视流体的普朗特数值的大小而定。

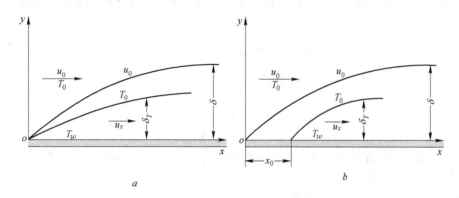

图 7-3　平板壁面上速度边界层和温度边界层的发展

　　由式（2-95），可得不可压缩流体流过平板进行二维稳态传热时的能量方程为

$$u_x \frac{\partial T}{\partial x} + u_y \frac{\partial T}{\partial y} = a\left(\frac{\partial^2 T}{\partial x^2} + \frac{\partial^2 T}{\partial y^2}\right) \tag{7-13}$$

　　考虑到热边界层内，y 的数量级为 $O(\delta)$，而 x 方向的长度比 δ 大得多，即有 $\dfrac{\partial^2 T}{\partial x^2} \ll \dfrac{\partial^2 T}{\partial y^2}$，将此条件代入式（7-13），则该式变为

$$u_x \frac{\partial T}{\partial x} + u_y \frac{\partial T}{\partial y} = a\frac{\partial^2 T}{\partial y^2} \tag{7-14}$$

　　在边界层理论中，所推导出的边界层运动方程为

$$u_x \frac{\partial u_x}{\partial x} + u_y \frac{\partial u_y}{\partial y} = \nu\frac{\partial^2 u_x}{\partial y^2} \tag{7-15}$$

　　连续性方程

$$\frac{\partial u_x}{\partial x} + \frac{\partial u_y}{\partial y} = 0 \tag{7-16}$$

　　上述方程组的边界条件为

$$y = 0, u_x = u_y = 0, T = T_w \tag{7-17a}$$

$$y \to \infty, u_x = u_0, T = T_0 \tag{7-17b}$$

　　假设流体具有常物性，速度场不受温度的影响，因此边界层内的速度可由运动方程和连续性方程预先求出，然后再求温度分布。方程式（7-14）和式（7-15）形式一样，求解方法也类似。先将未知量无量纲化，令无因次温度 $T^* = \dfrac{T - T_w}{T_0 - T_w}$，则方程（7-14）改写为

$$u_x \frac{\partial T^*}{\partial x} + u_y \frac{\partial T^*}{\partial y} = a\frac{\partial^2 T^*}{\partial y^2} \tag{7-18}$$

$$y = 0, T^* = 0 \tag{7-18a}$$

$$y \to \infty, T^* = 1 \tag{7-18b}$$

为便于采用无因次位置变量 η 来代替 x、y，采用与动量传递类似的处理方法，令 $\eta = y \sqrt{\dfrac{u_0}{\nu x}}$，则 T^* 仅为 η 的函数，由此可以推导出式（7-18）中各导数与 η 的关系为

$$\frac{\partial T^*}{\partial x} = \frac{\partial T^*}{\partial \eta} \frac{\partial \eta}{\partial x} = -\frac{1}{2x} \eta \frac{\partial T^*}{\partial \eta} \tag{7-19a}$$

$$\frac{\partial T^*}{\partial y} = \sqrt{\frac{u_0}{\nu x}} \frac{\partial T^*}{\partial \eta} \tag{7-19b}$$

$$\frac{\partial^2 T^*}{\partial y^2} = \frac{u_0}{\nu x} \frac{\partial^2 T^*}{\partial \eta^2} \tag{7-19c}$$

u_x、u_y 与 η 的关系已在前面的边界层理论部分给出，将上述结果代入式（7-18），经整理可得

$$\frac{d^2 T^*}{d^2 \eta} + \frac{1}{2} Pr f(\eta) \frac{dT^*}{d\eta} = 0 \tag{7-20}$$

$$\eta = 0, \quad T^* = 0 \tag{7-20a}$$

$$\eta \to \infty, \quad T^* = 1 \tag{7-20b}$$

式中，$f(\eta)$ 已由普朗特边界层方程求出，故方程式（7-20）所示的温度边界层方程为无因次化的二阶线性常微分方程。

将式（7-20）分离变量积分，得

$$\frac{dT^*}{d\eta} = C_1 \exp\left(-\frac{Pr}{2} \int_0^\eta f(\eta) \, d\eta\right) \tag{7-21}$$

二次积分，可得

$$T^* = C_1 \left[\int_0^\eta \exp\left(-\frac{Pr}{2} \int_0^\eta f(\eta) \, d\eta\right) d\eta\right] + C_2 \tag{7-22}$$

式中的积分常数 C_1 和 C_2 可由边界条件式（7-20a）、式（7-20b）确定。由式（7-20a）可得 $C_2 = 0$；再结合式（7-20b）可得 $C_1 = \left[\int_0^\infty \exp\left(-\dfrac{Pr}{2} \int_0^\eta f(\eta) \, d\eta\right) d\eta\right]^{-1}$，代入式（7-22）中，得到无因次温度 T^* 与无因次位置 η 之间的关系，即

$$T^* = \frac{T - T_w}{T_0 - T_w} = \frac{\left[\int_0^\eta \exp\left(-\dfrac{Pr}{2} \int_0^\eta f(\eta) \, d\eta\right) d\eta\right]}{\left[\int_0^\infty \exp\left(-\dfrac{Pr}{2} \int_0^\eta f(\eta) \, d\eta\right) d\eta\right]} \tag{7-23}$$

该式即为平板壁面上稳态传热时层流边界层内的温度分布方程。式中的 η、T^*、Pr 均为无因次变量。其中 η 表示与 x、y 有关的位置变量；$f(\eta)$ 表示速度变量，即 u_x、u_y，可按式（4-32）或表 4-1 计算。

波尔豪森（Pohlhausen）采用数值方法对式（7-23）进行了求解，计算结果如图 7-4 所示。图中的曲线表达了 Pr 在 0.016 ~ 1000 范围内，对应不同 Pr 值下，无因次温度 T^* 和无因次位置 η 之间的关系。为便于应用，将图 7-4 中的横坐标 η 用 $\eta Pr^{1/3}$ 来替代，在 Pr = 0.6 ~ 15 范围内进行描绘，得到一条单一的曲线，如图 7-5 所示。该曲线在 $\eta Pr^{1/3}$ = 0

处的斜率为 0.332。

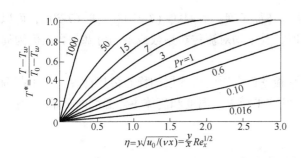
图 7-4 无因次温度 T^* 与 Pr 及 η 的关系

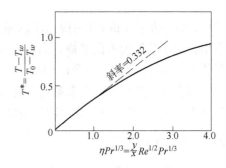
图 7-5 无因次温度 T^* 与 $\eta Pr^{1/3}$ 的关系

B 对流传热系数

应用式（7-23）或图 7-4、图 7-5 求得温度分布后，即可对对流传热系数进行求解。在距平板前缘 x 处，对流传热系数的表达式为

$$\alpha_x = \frac{\lambda}{T_0 - T_w} \frac{dT}{dy}\bigg|_{y=0} = \lambda \left[d\left(\frac{T - T_w}{T_0 - T_w} \right) \Big/ dy \right]_{y=0} = \lambda \frac{dT^*}{dy}\bigg|_{y=0} \tag{7-24}$$

将式（7-19b）代入式（7-24），整理得

$$\alpha_x = \lambda \sqrt{\frac{u_0}{\nu x}} \frac{dT^*}{d\eta}\bigg|_{\eta=0} \tag{7-25}$$

由图 7-5，在 $\eta Pr^{1/3} = 0$ 处曲线的斜率为 0.332，即 $\dfrac{dT^*}{d(\eta Pr^{1/3})}\bigg|_{\eta=0} = 0.332$。故

$$\frac{dT^*}{d\eta}\bigg|_{\eta=0} = 0.332 Pr^{1/3} \tag{7-26}$$

代入式（7-25），得

$$\alpha_x = 0.332 \frac{\lambda}{x} Re_x^{1/2} Pr^{1/3} \tag{7-27}$$

式（7-27）给出了在距平板前缘 x 处的局部对流传热系数值。可见，α 值随着 Re 和 Pr 数的增加而增加。在靠近前沿处 α 值最大，并随着平板长度 x 的增加而下降。应当指出，与速度边界层类似，在平板前沿邻域内，作为推导边界层方程前提的各项量级估计不成立，故边界层方程不适用，当然上述结果也不适用。

对于长度为 L 的平板，平均对流传热系数定义为 $\alpha_m = \dfrac{1}{L} \displaystyle\int_0^L \alpha_x dx$，因此平板表面上平均对流传热系数为

$$\alpha_m = \frac{1}{L} \int_0^L \alpha_x dx = 0.664 \frac{\lambda}{L} Re_L^{1/2} Pr^{1/3} \tag{7-28}$$

对流传热系数的大小也常用努塞尔数来说明，根据努塞尔数的定义可得局部努塞尔数和平均努塞尔数分别为

$$Nu_x = \frac{\alpha_x x}{\lambda} = 0.332 Re_x^{1/2} Pr^{1/3} \tag{7-29}$$

$$Nu_m = \frac{\alpha_m L}{\lambda} = 0.664 Re_L^{1/2} Pr^{1/3} \qquad (7\text{-}30)$$

式中，Re 下角标 x 或 L 分别表示以 x 或 L 为特征长度。对照式（7-27）～式（7-30），可以看出，对于长度为 L 的平板，当 $x = L$ 时，其平均对流传热系数或平均努塞尔数的值为局部值的两倍，即有 $\alpha_m = 2\alpha_x$，$Nu_m = 2Nu_x$。

以上各式适用于恒壁温条件下光滑平板壁面上层流边界层的稳态传热计算。应用范围为 $0.6 < Pr < 15$，$Re < 5 \times 10^5$。定性温度取平板表面温度和流体主体温度的算术平均值，即 $T_{av} = \frac{1}{2}(T_w + T_0)$。

C　速度边界层厚度和温度边界层厚度的关系

结合普朗特边界层方程的精确解，可以推导出速度边界层和温度边界层（热边界层）厚度之间的关系。在前面的分析中曾指出，波尔豪森认为二者的关系可近似用 $\frac{\delta}{\delta_T} = Pr^{1/3}$ 来表示，以下通过理论分析对该关系式进行推导。

根据式（7-26），$\left.\dfrac{\mathrm{d}T^*}{\mathrm{d}\eta}\right|_{\eta=0} = 0.332 Pr^{1/3}$，式中的无因次温度梯度，在边界层内可以近似地认为是恒定值。以下标 0 和 w 分别表示边界层外缘和壁面，根据无因次温度的定义，对该式进行如下变换

$$\left.\frac{\mathrm{d}T^*}{\mathrm{d}\eta}\right|_{\eta=0} \doteq \frac{T_0^* - T_w^*}{\eta_0 - \eta_w} = \frac{\dfrac{T_w - T_0}{T_w - T_0} - \dfrac{T_w - T_w}{T_w - T_0}}{\delta_T \sqrt{\dfrac{u_0}{\nu\,x}} - 0} = \frac{1}{\delta_T \sqrt{\dfrac{u_0}{\nu\,x}}} = 0.332 Pr^{1/3} \qquad (7\text{-}31)$$

同理，由表 4-1 可得

$$\left.\frac{\mathrm{d}(u_x/u_0)}{\mathrm{d}\eta}\right|_{\eta=0} = \left.\frac{\mathrm{d}f'(\eta)}{\mathrm{d}\eta}\right|_{\eta=0} = f''(0) = 0.332 \qquad (7\text{-}32a)$$

$$\left.\frac{\mathrm{d}(u_x/u_0)}{\mathrm{d}\eta}\right|_{\eta=0} \doteq \frac{\left(\dfrac{u_x}{u_0}\right)_0 - \left(\dfrac{u_x}{u_0}\right)_w}{\eta_0 - \eta_w} = \frac{\dfrac{u_0}{u_0} - 0}{\delta \sqrt{\dfrac{u_0}{\nu\,x}}} = \frac{1}{\delta \sqrt{\dfrac{u_0}{\nu\,x}}} \qquad (7\text{-}32b)$$

故

$$\frac{1}{\delta \sqrt{\dfrac{u_0}{\nu\,x}}} = 0.332 \qquad (7\text{-}33)$$

比较式（7-31）和式（7-33），可得 $\dfrac{\delta}{\delta_T} = Pr^{1/3}$。当 $Pr = 1$ 时，则 $\delta = \delta_T$，此时无因次温度分布 $\dfrac{T - T_w}{T_0 - T_w}$ 与无因次速度分布 $\dfrac{u_x}{u_0}$ 完全相同。

例 7.1　常压下 20℃ 的空气以 15m/s 的速度流过温度为 100℃ 的光滑壁面，已知在定性温度 60℃ 下，空气的各有关物性参数为：$\nu = 0.1897 \times 10^{-4}\,\mathrm{m^2/s}$，$\lambda = 2.893 \times 10^{-2}$ W/(m·K)，$Pr = 0.698$。设临界雷诺数 $Re_{xc} = 5 \times 10^5$，试求在临界长度 x_c 处的速度边界

层厚度、温度边界层厚度和对流传热系数。

解:（1）临界长度的计算。已知 $Re_{xc} = \dfrac{x_c u_0}{\nu} = 5 \times 10^5$，由此即可得出

$$x_c = (5 \times 10^5) \frac{0.1897 \times 10^{-4}}{15} = 0.63\text{m}$$

（2）速度边界层厚度 δ。由式（4-35）可得在临界长度 x_c 处的速度边界层厚度

$$\delta = 5.0 \sqrt{\nu x_c / u_0} = 5.0 \times \sqrt{(0.1897 \times 10^{-4})(0.63)/15}$$
$$= 4.45 \times 10^{-3}\text{m} = 4.45\text{mm}$$

（3）温度边界层厚度 δ_T。根据速度边界层和温度边界层厚度之间的关系，可得

$$\delta_T = \delta Pr^{-1/3} = (4.45 \times 10^{-3})(0.698)^{1/3} = 5.01 \times 10^{-3}\text{m} = 5.01\text{mm}$$

（4）对流传热系数 α_x 和 α_m。由式（7-27）得

$$\alpha_x = 0.332 \frac{\lambda}{x} Re_x^{1/2} Pr^{1/3} = (0.332)\left(\frac{2.893 \times 10^{-2}}{0.63}\right)(5 \times 10^5)^{1/2}(0.689)^{1/3}$$
$$= 9.52 \text{ W}/(\text{m}^2 \cdot \text{K})$$

$$\alpha_m = 2\alpha_x = 19.04 \text{ W}/(\text{m}^2 \cdot \text{K})$$

7.3.1.2　平板壁面层流传热的近似解

通过求解温度边界层的微分方程来解决对流传热问题，在理论上是比较严格的，所得结果精确度也很高，但求解过程较繁琐，并且仅适用于层流边界层的传热计算。另一种较为简单的求解方法，是通过建立温度边界层的热量流动方程（简称热流方程）进行近似求解。这种方法对层流边界层、湍流边界层的传热计算均适用，所求得的结果在精度上也能满足要求。

A　温度边界层热流方程

参照第 4 章边界层动量积分方程的推导方法，可建立满足边界层能量积分关系的温度边界层热流方程。

假设温度为 T_0 的不可压缩流体，其物性为定值，以速度 u_0 沿无限大平板壁面上方流动，平板表面温度为 T_w，速度边界层厚度 δ 和温度边界层厚度 δ_T 的关系为 $\delta_T < \delta$，系统内无内热源，现对此一维稳态流动问题进行热量衡算和分析。

如图 7-6 所示，在边界层内取一个流体微元 1234 进行分析，其是由相距 dx 的两个垂直于壁面的平面 1-2 和 3-4、壁面 1-4 及边界层外边界 2-3 所组成。在垂直于纸面的方向上，控

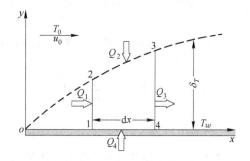

图 7-6　边界层热流方程的推导

制体 1234 具有单位长度。依据热平衡，对于无内热源的稳态传热，进入控制体的热流速率等于离开控制体的热流速率。

对于沿 x 方向的一维流动，单位时间通过 1-2 面流入控制体的热量为 $Q_1 = \rho c_p \displaystyle\int_0^{\delta_T} u_x T dy$；

单位时间通过 3-4 面流出控制体的热量为 $Q_3 = \rho c_p \int_0^{\delta_T} u_x T \mathrm{d}y + \rho c_p \dfrac{\mathrm{d}}{\mathrm{d}x} \left(\int_0^{\delta_T} u_x T \mathrm{d}y \right) \mathrm{d}x$ ；单位时间通过 1-4 面以导热方式传入控制体的热量为 $Q_4 = - \lambda (\mathrm{d}x)(1) \left. \dfrac{\mathrm{d}T}{\mathrm{d}y} \right|_{y=0}$ ；由第 4 章边界层动量积分方程的推导过程可知，通过 2-3 面进入控制体的质量流率为 $\dfrac{\mathrm{d}}{\mathrm{d}x} \left(\int_0^{\delta} \rho u_x \mathrm{d}y \right) \mathrm{d}x$ ，相应的热流速率为 $Q_4 = \rho c_p T_0 \dfrac{\mathrm{d}}{\mathrm{d}x} \left(\int_0^{\delta} u_x \mathrm{d}y \right) \mathrm{d}x$。

根据热量平衡，$Q_1 + Q_2 + Q_4 = Q_3$，得

$$\rho c_p \frac{\mathrm{d}}{\mathrm{d}x} \left(\int_0^{\delta_T} u_x T_0 \mathrm{d}y \right) \mathrm{d}x - \rho c_p \frac{\mathrm{d}}{\mathrm{d}x} \left(\int_0^{\delta_T} u_x T \mathrm{d}y \right) \mathrm{d}x - \lambda \left. \frac{\mathrm{d}T}{\mathrm{d}y} \right|_{y=0} (\mathrm{d}x) = 0$$

即
$$\frac{\mathrm{d}}{\mathrm{d}x} \int_0^{\delta_T} u_x (T_0 - T) \mathrm{d}y = a \left. \frac{\mathrm{d}T}{\mathrm{d}y} \right|_{y=0} \tag{7-34}$$

式（7-34）即为边界层的能量积分方程，又称作边界层热流方程。由于在推导过程中，并没有对流体的流动型态作任何限制，故该方程对层流边界层和湍流边界层的传热计算均适用，只是对于后者而言，u_x 和 T 应为相应的时均值。

该方程的边界条件为

$$y = 0, \ T = T_w \tag{7-34a}$$
$$y = \delta_T, \ T = T_0 \tag{7-34b}$$

B　层流传热的近似解

由于热流方程中含有两个未知量（u_x 和 T），需要给出温度分布方程和速度分布方程才能求解。在第 4 章中曾经假设速度分布为幂函数形式，采用三次多项式来表达速度分布方程。由于已经设定速度边界层厚度 δ 和温度边界层厚度 δ_T 的关系为 $\delta_T < \delta$，因此，温度分布方程也同样可以用三次多项式的形式来表达。在流体物性一定的条件下，可先由边界层动量积分方程求出速度分布，确定速度场。能量积分方程的求解步骤和动量积分方程的求解步骤大体相同。

仿照速度分布，假设温度分布可以用三次多项式的形式表示，即
$$T = a_0 + a_1 y + a_2 y^2 + a_3 y^3 \tag{7-35}$$
式中，a_0、a_1、a_2、a_3 为待定常数。该式的边界条件为

（1）$y = 0$，$T = T_w$

（2）$y = \delta_T$，$T = T_0$，$\dfrac{\mathrm{d}T}{\mathrm{d}y} = 0$

（3）$y = 0$，$\dfrac{\mathrm{d}^2 T}{\mathrm{d}y^2} = 0$

其中，边界条件（3）系由于在壁面处，$y = 0$，$u_x = 0$，$u_y = 0$，因此由边界层能量方程 $u_x \dfrac{\partial T}{\partial x} + u_y \dfrac{\partial T}{\partial y} = a \dfrac{\partial^2 T}{\partial y^2}$，即可得到 $\dfrac{\mathrm{d}^2 T}{\mathrm{d}y^2} = 0$。

与速度分布多项式中待定常数的确定相仿，将以上条件代入式（7-35），求得各待定常数，由此得边界层内温度分布方程的表达式为

$$\frac{T - T_w}{T_0 - T_w} = \frac{3}{2} \frac{y}{\delta_T} - \frac{1}{2} \left(\frac{y}{\delta_T} \right)^3 \tag{7-36}$$

式中，温度边界层厚度 δ_T 是依赖于 x 的未知函数。显然，只要知道温度边界层厚度 δ_T 的表达式，即可完全确定温度分布。

由于设定 $\delta_T < \delta$，所以在温度边界层内流体的速度分布可用第 4 章中式（4-50）表示

$$\frac{u_x}{u_0} = \frac{3}{2}\frac{y}{\delta} - \frac{1}{2}\left(\frac{y}{\delta}\right)^3$$

可见边界层内温度分布方程与速度分布方程在形式上完全一致。将式（7-36）变换可得

$$\frac{(T_0 - T_w) - (T - T_w)}{T_0 - T_w} = 1 - \frac{3}{2}\frac{y}{\delta_T} + \frac{1}{2}\left(\frac{y}{\delta_T}\right)^3$$

即

$$\frac{T_0 - T}{T_0 - T_w} = 1 - \frac{3}{2}\frac{y}{\delta_T} + \frac{1}{2}\left(\frac{y}{\delta_T}\right)^3 \tag{7-37a}$$

将式（7-37a）和速度分布方程代入热流方程式（7-34），方程左侧的积分项变为

$$\int_0^{\delta_T} u_x(T_0 - T)\mathrm{d}y = \int_0^{\delta_T} u_0\left[\frac{3}{2}\frac{y}{\delta} - \frac{1}{2}\left(\frac{y}{\delta}\right)^3\right]\left[1 - \frac{3}{2}\frac{y}{\delta_T} + \frac{1}{2}\left(\frac{y}{\delta_T}\right)^3\right](T_0 - T_w)\mathrm{d}y$$

$$= u_0(T_0 - T_w)\delta\left(\frac{3}{20}\xi^2 - \frac{3}{280}\xi^4\right) \tag{7-37b}$$

式中，$\xi = \delta_T/\delta$。因 δ 和 δ_T 均为 x 的函数，故 ξ 亦为 x 的函数。由于 $\xi < 1$，可知 $\frac{3}{20}\xi^2 \gg \frac{3}{280}\xi^4$，故可将 $\frac{3}{280}\xi^4$ 略去。则上式变为

$$\int_0^{\delta_T} u_x(T_0 - T)\mathrm{d}y = \frac{3}{20}\delta\xi^2 u_0(T_0 - T_w) \tag{7-38}$$

热流方程右侧的导数可由式（7-36）求出

$$\frac{\mathrm{d}T}{\mathrm{d}y}\bigg|_{y=0} = \frac{3}{2}\frac{(T_0 - T_w)}{\delta_T} = \frac{3}{2}\frac{(T_0 - T_w)}{\xi\delta} \tag{7-39}$$

将式（7-38）和式（7-39）代入热流方程式（7-34）中，可得

$$\frac{u_0}{10}\frac{\mathrm{d}}{\mathrm{d}x}(\delta\xi^2) = \frac{a}{\delta\xi} \tag{7-40}$$

在第 4 章边界层动量积分方程的推导过程中，曾得到式（4-53）及式（4-54）

$$\delta\mathrm{d}\delta = \frac{140}{13}\frac{\mu}{\rho u_0}\mathrm{d}x$$

$$\delta = 4.64\sqrt{\nu x/u_0}$$

将式（4-53）、式（4-54）代入式（7-40）并积分整理，得

$$\xi^3 = \frac{13}{14Pr} + Cx^{-3/4} \tag{7-41}$$

式中，C 为积分常数，可通过由温度边界层的起始位置确定边界条件来求取。

（1）若流动起始段不加热，温度边界层由 $x = x_0$ 开始发展，相当于图 7-3b 所示的情况。则对应的边界条件为 $x = x_0$，$\delta_T = 0$ 或 $\xi = \delta_T/\delta = 0$，于是由式（7-41）可得 $C = -\frac{13}{14Pr}x_0^{3/4}$，将所得到的积分常数值代入式（7-41），整理可得

$$\xi = \frac{\delta_T}{\delta} = \frac{1}{1.026Pr^{1/3}}\left[1 - \left(\frac{x_0}{x}\right)^{3/4}\right]^{1/3} \tag{7-42}$$

进一步可得到温度边界层厚度的表达式

$$\delta_T = 4.64\,Re_x^{-1/2}\frac{1}{1.026\,Pr^{1/3}}\left[1 - \left(\frac{x_0}{x}\right)^{3/4}\right]^{1/3} \tag{7-43}$$

（2）若传热自平板前缘即已开始，亦即整个平板与流体都有传热时，此时 $x_0 = 0$，式（7-42）可简化为

$$\xi = \delta_T/\delta = \frac{1}{1.026Pr^{1/3}} \approx Pr^{-1/3} \tag{7-44}$$

该结果与精确解所得到的推论是一致的。

需要指出的是，由于在上述推导过程中设定 $\xi < 1$，因此严格说来，所得的结果只能用于 $Pr > 1$ 的流体。对于气体，一般 $Pr < 1$，但因为气体的 Pr 数最小值在 0.65 左右，相应的 $\xi = 1.12$，引起的误差并不大，因此对大多数气体，上述结果仍能适用。对 Pr 数很小的流体，如液态金属，式（7-42）、式（7-44）就不再适用，需用其他方法处理。

C　对流传热系数

将式（7-43）和式（7-39）代入对流传热系数 α 的定义式中，可得局部对流传热系数

$$\alpha_x = -\frac{\lambda}{T_w - T_0}\frac{\mathrm{d}T}{\mathrm{d}y}\bigg|_{y=0} = \frac{3}{2}\frac{\lambda}{\delta_T} = 0.332\frac{\lambda}{x}Re_x^{1/2}Pr^{1/3}\left[1 - \left(\frac{x_0}{x}\right)^{3/4}\right]^{-1/3} \tag{7-45}$$

相应的努塞尔数表达式为

$$Nu_x = 0.332Re_x^{1/2}Pr^{1/3}\left[1 - \left(\frac{x_0}{x}\right)^{3/4}\right]^{-1/3} \tag{7-46}$$

若 $x_0 = 0$，即传热自平板前缘开始，则以上两式可对应简化为

$$\alpha_x = 0.332\frac{\lambda}{x}Re_x^{1/2}Pr^{1/3} \tag{7-47}$$

$$Nu_x = 0.332Re_x^{1/2}Pr^{1/3} \tag{7-48}$$

对长度为 L 的平板，平均对流传热系数 α_m 可比照式（7-28）、式（7-30）写出，对 $x_0 = 0$ 的情况，所得结果与精确解法所得的结果完全一致，说明这种简便的求解方法是有足够精度的。特别是对于具有加热起始段的传热问题，采用温度边界层的微分分析法求解是十分困难的，甚至是不可能的，此时，采用边界层的积分分析来处理就比较方便。

7.3.2　管内层流传热

管内流动的流体与管壁之间的热量传递，是工程技术中一类很重要的传热问题。如前所述，流体在管内流动时，由于流体内部以及流体和管壁之间黏性力的作用，在管壁上形成边界层，并沿流向逐渐发展。可以预料，边界层的外缘最终将在管中心处相交而停止发展，而管中心则成为管内流动边界层的固定边界。若流体的流速较慢、黏性较大或管道尺寸很小时，则为充分发展的层流边界层，发生层流传热。

7.3.2.1　管内强制层流传热分析

与平壁传热类似，管壁与流体之间进行强制层流传热时，可能有两种情况。一种情况是流体由管的进口即开始被加热或冷却，此时管内速度边界层与温度边界层同时发展，这

种传热由于可以获得较高的对流传热系数，因而具有较为重要的实际意义。但在此情况下，传热进口段的动量传递和热量传递的规律都比较复杂，问题的求解较为困难。另一种情况是流体进管后，经过一很短的速度进口段、速度边界层充分发展后才开始传热。此时速度边界层和温度边界层的进口段并不相等。后一种情况较为简单，研究也比较充分，这里主要介绍这种情况下的传热规律。

不可压缩流体在半径为 r_i（直径 d）的圆管内沿轴向（z 方向）进行稳态流动，假设流体的物性恒定，轴向导热与径向导热量相比很小，可近似忽略。由管壁面输入流体的单位面积的热流密度 q_w 为已知常数，以下对此问题进行分析。

在本章初始的对流传热基本理论部分曾指出，进入传热充分发展段后流体的温度分布沿管道轴向会不断变化，即 $\partial T / \partial z \neq 0$。但特定的无量纲温度差沿轴向是保持不变的，即

$$\frac{\partial}{\partial z}\left(\frac{T - T_w}{T_m - T_w}\right) = 0 \tag{7-49}$$

式中，T、T_w 和 T_m 分别是传热充分发展段半径为 r 处，同一截面上的流体温度、管壁面温度和截面平均温度，后者又称为混合温度。

假设 ρ、c_p 为常数，截面平均温度 T_m 的定义式为

$$T_m = \frac{\text{单位时间通过管道某个截面的总热量}}{\text{单位时间通过同一横截面流体的热容量}} = \frac{\int_A \rho u_z c_p T \mathrm{d}A}{\int_A \rho u_z c_p \mathrm{d}A} = \frac{\int_A u_z T \mathrm{d}A}{\int_A u_z \mathrm{d}A} \tag{7-50}$$

对于圆形管道，常物性条件下某一截面处 T_m 的表达式为

$$T_m = \frac{2\int_0^{r_i} r u_z T \mathrm{d}r}{r_i^2 u_m} \tag{7-51}$$

在传热充分发展段 $\dfrac{\partial}{\partial z}\left(\dfrac{T - T_w}{T_m - T_w}\right) = 0$，因此其对流传热系数 α 与 z 无关，沿流向为一常量。

7.3.2.2 管内层流传热的温度分布方程和对流传热系数

对上述系统，选用柱坐标系，并取 z 轴与管轴重合。

无内热源的不可压缩黏性流体能量方程在柱坐标系的表示形式为

$$\frac{\partial T}{\partial \theta'} + u_r \frac{\partial T}{\partial r} + \frac{u_\theta}{r}\frac{\partial T}{\partial \theta} + u_z \frac{\partial T}{\partial z} = a\left[\frac{1}{r}\frac{\partial}{\partial r}\left(r\frac{\partial T}{\partial r}\right) + \frac{1}{r^2}\frac{\partial^2 T}{\partial \theta^2} + \frac{\partial^2 T}{\partial z^2}\right] \tag{7-52}$$

由于在所选坐标系中速度方向处处与 z 轴平行，流动为轴对称稳态流动，且又可以忽略轴向导热，所以式（7-52）可简化为

$$\frac{u_z}{a}\frac{\partial T}{\partial z} = \frac{1}{r}\frac{\partial}{\partial r}\left(r\frac{\partial T}{\partial r}\right) \tag{7-53}$$

边界条件为

$$r = r_i, q_w = \text{常数} = \alpha(T_w - T_m) = \lambda\left.\frac{\partial T}{\partial r}\right|_{r=r_i} \tag{7-54a}$$

$$r = 0, \frac{\partial T}{\partial r} = 0 \tag{7-54b}$$

已知不可压缩黏性流体在充分发展条件下，圆管内层流流动速度分布为

$$u_z = 2u_m \left(1 - \frac{r^2}{r_i^2} \right) \tag{7-55}$$

式中，u_m 为管内平均流速。在式（7-53）中含有 $\partial T/\partial z$ 项，为将该方程化为常微分方程以便求解，下面对方程中的 $\partial T/\partial z$ 项进行分析，以证明其为常量。由于讨论的是管内对流传热充分发展段，故满足式（7-49）。又因流动是稳态的，所以无因次温度差仅与径向坐标 r 有关，即

$$\frac{T - T_w}{T_m - T_w} = F(r) \tag{7-56}$$

将式（7-49）展开，可得

$$\frac{\partial T}{\partial z} = \frac{\partial T_w}{\partial z} + \frac{T - T_w}{T_m - T_w} \left(\frac{\partial T_m}{\partial z} - \frac{\partial T_w}{\partial z} \right) \tag{7-57}$$

因为在充分发展段对流传热系数 α 为常数，又由给定条件 $q_w = \alpha(T_w - T_m) = $ 常数，可知 $T_w - T_m = $ 常数，即 $\partial T_w/\partial z = \partial T_m/\partial z$，将此关系代入式（7-57），得

$$\frac{\partial T}{\partial z} = \frac{\partial T_w}{\partial z} = \frac{\partial T_m}{\partial z} \tag{7-58}$$

通过圆管微分长度 dz 的热流量可由傅里叶定律计算

$$Q = \alpha A(T_w - T_m) = \alpha \pi d(dz)(T_w - T_m) = q_w \pi d(dz) \tag{7-59a}$$

流体经过微分长度 dz 后，其平均温度升高 dT_m，因而有

$$Q = \frac{\pi}{4} d^2 u_m \rho c_p (dT_m) \tag{7-59b}$$

由热量衡算，以上两式相等，所以

$$\frac{\partial T_m}{\partial z} = \frac{4q_w}{\rho u_m d c_p} = \frac{2q_w}{\rho u_m r_i c_p} \tag{7-59c}$$

因 q_w 及流体物性不变，所以 $\dfrac{\partial T_m}{\partial z} = \dfrac{4q_w}{\rho u_m d c_p} = \dfrac{2q_w}{\rho u_m r_i c_p} = $ 常数，结合式（7-58），可知

$$\frac{\partial T}{\partial z} = \frac{\partial T_w}{\partial z} = \frac{\partial T_m}{\partial z} = \frac{4q_w}{\rho u_m d c_p} = \frac{2q_w}{\rho u_m r_i c_p} = \text{常数} \tag{7-60}$$

将上述结果和式（7-55）代入式（7-53）得

$$\frac{1}{r} \frac{\partial}{\partial r} \left(r \frac{\partial T}{\partial r} \right) = \frac{4q_w}{\lambda} \left(\frac{r_i^2 - r^2}{r_i^3} \right) \tag{7-61}$$

该方程中，T 只与 r 有关，故可写成常微分方程形式并直接积分，得

$$r \frac{dT}{dr} = \frac{4q_w}{\lambda r_i^3} \left(\frac{2r_i^2 r^2 - r^4}{4} \right) + C_1 \tag{7-62}$$

式中，C_1 为积分常数。将边界条件式（7-54b）代入，得 $C_1 = 0$，因此式（7-62）可写成

$$r \frac{dT}{dr} = \frac{4q_w}{\lambda r_i^3} \left(\frac{2r_i^2 r^2 - r^4}{4} \right) \tag{7-63}$$

再对式（7-63）进行积分，得

$$T = \frac{4q_w}{\lambda r_i^3} \left(\frac{4r_i^2 r^2 - r^4}{16} \right) + C_2 \tag{7-64}$$

式中，C_2 为积分常数，由于式（7-64）可写成

$$\frac{\partial T}{\partial r}\bigg|_{r=r_i} = \frac{4q_w}{\lambda r_i^3}\left(\frac{2r_i^3 - r_i^3}{4}\right) = \frac{q_w}{\lambda} \qquad (7\text{-}65)$$

可见边界条件 (7-54a) 自动满足, 亦即由此边界条件不能确定积分常数 C_2 的值。为此, 可借助管中心温度来求得 C_2 的值。以 $T_0(z)$ 表示在管中心流体的温度, 即 $r = 0$, $T = T_0(z)$, 将该条件代入式 (7-64), 得 $C_2 = T_0(z)$, 则温度分布方程为

$$T - T_0(z) = \frac{4q_w}{\lambda r_i^3}\left(\frac{r_i^2 r^2}{4} - \frac{r^4}{16}\right) \qquad (7\text{-}66)$$

这里, $T_0(z)$ 仍然是个未知函数。通过下面的分析可知, 在求对流传热系数的过程中可以将其消去。由对流传热系数的定义式 (7-9)

$$\alpha = \frac{\lambda}{T_w - T_m}\frac{\partial T}{\partial r}\bigg|_{r=r_i}$$

在管壁处, $r = r_i, T = T_w$, 由式 (7-66) 可得

$$T_w = T_0(z) + \frac{3q_w r_i}{4\lambda} \qquad (7\text{-}67)$$

将式 (7-55) 和式 (7-66) 代入截面平均温度的定义式 (7-51), 整理得

$$T_m = \frac{2\int_0^{r_i} r u_z T \mathrm{d}r}{r_i^2 u_m} = T_0(z) + \frac{7}{24}\frac{q_w r_i}{\lambda} \qquad (7\text{-}68)$$

将式 (7-67)、式 (7-68) 及式 (7-65) 代入式 (7-9) 中, 消去 $T_0(z)$, 得

$$\alpha = \frac{24}{11}\frac{\lambda}{r_i} = \frac{48}{11}\frac{\lambda}{d} \qquad (7\text{-}69a)$$

$$Nu = (\alpha d)/\lambda = 4.364 \qquad (7\text{-}69b)$$

由式 (7-69) 可见, 对于管内层流传热而言, 当速度边界层和温度边界层均充分发展后, 其对流传热系数为常数。

以上讨论的是壁面恒定热通量的情况, 在圆管内的层流传热还有另一种常见的边界条件, 即壁温恒定。葛雷茨 (Greatz) 对此边界条件进行了推导计算, 在速度边界层和温度边界层均充分发展的情况下, 得到的结果为

$$Nu = (\alpha d)/\lambda = 3.658 \qquad (7\text{-}70)$$

比较两种边界条件下的对流传热系数, 可见在恒壁温条件下, 对流传热系数较小。因此, 在设计传热设备时若采用恒热通量的边界条件, 可提高对流传热系数。

此外, 在工程实际中, 经常涉及到许多圆管外绕流流动的对流传热问题。有关的理论求解很少, 大部分还是半经验的结果。流体在管外绕流流动时其平均传热系数可用如下半经验式表示

$$Nu_d = \frac{\bar{\alpha} d}{\lambda} = CRe_d^m Pr^{1/3} \qquad (7\text{-}71)$$

式中, 下标 d 表示 Nu 和 Re 公式中的特征长度为圆管直径。表 7-1 列出了不同雷诺数下, 式 (7-71) 中的系数 C 和指数 m, 以便应用。

表 7-1　不同 Re_d 下的 C 和 m 值

Re_d	C	m
0.4 ~ 4	0.989	0.330
4 ~ 40	0.911	0.385
40 ~ 4000	0.683	0.466
4000 ~ 40000	0.193	0.618
40000 ~ 400000	0.027	0.805

7.4　湍流传热

在工程实际中，所遇到的多为湍流对流传热。流体在湍流传热时，由于流体微团的相互掺混，使动量传递和热量传递过程得以强化。在湍流场中，流速和温度等物理量均是随机脉动的，因而直接应用解析方法揭示其传热规律尚有困难。湍流传热问题的解决，一种是运用湍流的能量方程，结合湍流理论采用统计学的方法，用数值解法求解湍流的时均化能量方程；另一种是利用动量传递与热量传递的类似性，考虑到湍流中的动量传递和热量传递都是由于流体微团的横向掺混所导致的，因而可以借助动量传递和热量传递的机理及其物理结构的类似，建立起热量传递与动量传递特征参数间的相互关系，但在应用上有一定局限性。限于篇幅，本书仅就平壁湍流边界层的传热计算及类比法进行初步的讨论。

7.4.1　平壁湍流传热的近似解

在前述边界层热流方程的推导过程中曾经指出，边界层热流方程同样适用于湍流边界层的传热计算。但在应用时，方程中的速度项和温度项需要采用湍流时的速度分布方程和温度分布方程。根据前述分析，在稳态传热时，壁面附近的导热速率和流体与壁面之间的对流传热速率相等，因此边界层热流方程又可写成下述形式

$$\rho c_p \frac{\mathrm{d}}{\mathrm{d}x} \int_0^{\delta_T} u_x (T_0 - T) \mathrm{d}y = \lambda \frac{\mathrm{d}T}{\mathrm{d}y} \bigg|_{y=0} = \alpha_x (T_0 - T_w) \tag{7-72}$$

则局部对流传热系数 α_x 可表示为

$$\alpha_x = \rho c_p \frac{\mathrm{d}}{\mathrm{d}x} \int_0^{\delta_T} \frac{T - T_0}{T_w - T_0} u_x \mathrm{d}y \tag{7-73}$$

当流体 $Pr = 1$ 时，速度边界层厚度 δ 与温度边界层的厚度 δ_T 相等，速度分布与温度分布规律相同。采用 1/7 次方定律表达速度分布及温度分布，即 $\dfrac{u_x}{u_0} = \left(\dfrac{y}{\delta}\right)^{1/7}$ 及 $\dfrac{T_w - T}{T_w - T_0} = \left(\dfrac{y}{\delta_T}\right)^{1/7}$，考虑到 $Pr = 1$，$\delta = \delta_T$，故温度分布可做如下变换

$$\frac{T - T_0}{T_w - T_0} = 1 - \frac{T_w - T}{T_w - T_0} = 1 - \left(\frac{y}{\delta}\right)^{1/7} \tag{7-74}$$

将以上关系代入式（7-73），得

$$\alpha_x = \rho c_p u_0 \frac{\mathrm{d}}{\mathrm{d}x} \int_0^{\delta} \left[1 - \left(\frac{y}{\delta}\right)^{1/7} \right] \left(\frac{y}{\delta}\right)^{1/7} \mathrm{d}y = \frac{7}{72} \rho c_p u_0 \frac{\mathrm{d}\delta}{\mathrm{d}x} \tag{7-75}$$

在第 5 章中，曾经推导出湍流速度边界层的厚度见式（5-76）

$$\delta = 0.376 x Re_x^{-1/5}$$

将式（5-76）代入式（7-75）并整理，可得距平板前缘 x 处的局部对流传热系数及相应的努塞尔数

$$\alpha_x = 0.0292\rho c_p u_0 Re_x^{-1/5} \qquad (7\text{-}76a)$$

$$Nu_x = 0.0292 Re_x^{4/5} \qquad (7\text{-}76b)$$

对于长度为 L 的平板，由平均对流传热系数的定义，$\alpha_m = \dfrac{1}{L}\displaystyle\int_0^L \alpha_x \mathrm{d}x$，可得

$$\alpha_m = 0.0365\frac{\lambda}{L} Re_L^{4/5} \qquad (7\text{-}77a)$$

$$Nu_m = 0.0365 Re_L^{4/5} \qquad (7\text{-}77b)$$

上述推导过程中，假定 $Pr = 1$，温度边界层由平板前缘开始与速度边界层同步发展。当 $Pr \neq 1$ 时，速度边界层与温度边界层厚度不等，可令二者之比为 $\delta/\delta_T = Pr^n$，柯尔本认为湍流边界层传热时，仍有 $\delta/\delta_T = Pr^{1/3}$，则经相同的推导过程，得出

$$\alpha_x = 0.0292\frac{\lambda}{x} Re_x^{4/5} Pr^{1/3} \qquad (7\text{-}78a)$$

$$\alpha_m = 0.0365\frac{\lambda}{L} Re_L^{4/5} Pr^{1/3} \qquad (7\text{-}78b)$$

$$Nu_m = 0.0365 Re_L^{4/5} Pr^{1/3} \qquad (7\text{-}78c)$$

实际上流体沿平壁进行流动时，在前一段通常是层流边界层。只有当平壁长度 L 大于临界长度 x_c 时（临界雷诺数 $Re_{xc} \approx 5\times10^5$），边界层才由层流转为湍流。因此，平均对流传热系数应该对应层流和湍流两种不同流动状态进行分段积分。此时，平均对流传热系数可用下述积分式来表达

$$\alpha_m = \frac{1}{L}\left(\int_0^{x_c} \alpha_{x(\text{层流})} \mathrm{d}x + \int_{x_c}^L \alpha_{x(\text{湍流})} \mathrm{d}x\right) \qquad (7\text{-}79)$$

将式（7-27）和式（7-78a）代入式（7-79）积分，经整理可得

$$\alpha_m = 0.0365\frac{\lambda}{L} Pr^{1/3}\left(Re_L^{4/5} - Re_{xc}^{4/5} + 18.19 Re_{xc}^{1/2}\right) \qquad (7\text{-}80)$$

$$Nu_m = 0.0365 Pr^{1/3}\left(Re_L^{4/5} - Re_{xc}^{4/5} + 18.19 Re_{xc}^{1/2}\right) \qquad (7\text{-}81)$$

式（7-80）即为考虑层流边界层段的传热对整个边界层平均对流传热系数的影响，对应不同普朗特数下得到的平均对流传热系数的通用计算式。在以上求算对流传热系数的各公式中，定性温度取平板表面温度和流体主体温度的算术平均值，即 $T_{av} = \dfrac{1}{2}(T_w + T_0)$。

7.4.2 湍流传热的比拟理论

湍流场中的温度随时间不断变化，围绕着时均值脉动。理论上，可借助前述的湍流时均模型和普朗特混合长模型，通过对能量方程进行时均化处理，建立通用的温度分布方程，用以分析湍流传热。但迄今为止，单纯依靠理论分析还不能解决湍流对流传热的计算问题。鉴于流体湍流时动量传递和热量传递在机理上和定量描述上均十分相似，雷诺于 1883 年对这种类似关系进行了定量描述，提出了雷诺类似律。之后许多研究者在此基础上对雷诺类似律进行了修正，陆续提出了新的类似律。本节将介绍这种近似处理湍流对流传热问题的方法，通过动量传递和热量传递的比拟，利用动量传递中易于求得的摩擦系数

来求取湍流对流传热系数。

7.4.2.1　湍流附加能量和湍流普朗特数

根据时均模型，类似于湍流场中瞬时速度 $u = \bar{u} + u'$，瞬时温度 T 也由时均温度 $\bar{T}$ 与脉动温度 T' 两部分组成

$$T = \bar{T} + T' \tag{7-82}$$

由于流体质点的横向掺混，造成流体层与层之间的热量传递除导热外，还有横向掺混引起的附加热量传递。对于湍流传热，在第 1 章传递现象导论中曾仿照分子传热公式写出其热量通量计算式（1-23）。在此，通过普朗特混合长的概念推导该式。

速度脉动导致湍流附加应力，类似地，温度脉动也将产生漩涡附加能量。

$$\bar{q}_{\varepsilon x} = \rho c_p \,\overline{u'_x T'} \tag{7-83a}$$

$$\bar{q}_{\varepsilon y} = \rho c_p \,\overline{u'_y T'} \tag{7-83b}$$

$$\bar{q}_{\varepsilon z} = \rho c_p \,\overline{u'_z T'} \tag{7-83c}$$

考察流体沿 x 方向的一维流动，类似动量传递的普朗特混合长模型，假设距壁面 y 处时均温度为 $\bar{T}_y$ 的流体微团，在 l 距离内移动时，保持原来温度不变，当到达 $y + l$ 处时，才与相邻层温度 $\bar{T}_{y+l}$ 的流体微团发生掺混，则两者温差为

$$\bar{T}_y - \bar{T}_{y+l} = -l \frac{\mathrm{d}\bar{T}}{\mathrm{d}y} \tag{7-84}$$

时均温差即为脉动温度 T'

$$T' = -l \frac{\mathrm{d}\bar{T}}{\mathrm{d}y} \tag{7-85}$$

则 y 方向上的热通量为

$$q_{\varepsilon y} = \rho c_p u'_y (\bar{T} + T') \tag{7-86}$$

将式（7-86）时均化，由 $\bar{u}'_y = 0$ 及时均值化规则，式（7-86）变为

$$\bar{q}_{\varepsilon y} = \rho c_p \,\overline{u'_y T'} \tag{7-87}$$

此即湍流脉动导致的涡流附加能量，将式（7-85）代入式（7-87），得

$$\bar{q}_{\varepsilon y} = -\rho c_p \,\overline{u'_y l} \frac{\mathrm{d}\bar{T}}{\mathrm{d}y} \tag{7-88}$$

类似分子热传导的傅里叶定律 $q = -\lambda \dfrac{\mathrm{d}T}{\mathrm{d}y} = -a\rho c_p \dfrac{\mathrm{d}T}{\mathrm{d}y}$，定义 $\overline{u'_y l} = \varepsilon_H$，称涡流热扩散系数，又称涡流导温系数。由动量传递部分的推导结果，有 $u'_y = l \dfrac{\mathrm{d}\bar{u}_x}{\mathrm{d}y}$，则上式可改写为

$$\bar{q}_{\varepsilon} = -\rho c_p \varepsilon_H \frac{\mathrm{d}\bar{T}}{\mathrm{d}y} \tag{7-89}$$

$$\varepsilon_H = \overline{u'_y l} = l^2 \frac{\mathrm{d}\bar{u}_x}{\mathrm{d}y} \tag{7-90}$$

湍流时总的热通量应包括分子导热热通量和湍流热通量两部分，因此

$$q = -\rho c_p (a + \varepsilon_H) \frac{\mathrm{d}\bar{T}}{\mathrm{d}y} \tag{7-91}$$

该式即为动量传递和热量传递比拟的基本关系式。

ε_H 与涡流动量扩散系数 ε 类似，并非状态函数，而是取决于流动特征的宏观量，是温度场中位置的函数，通常以实验测得。ε_H 和 ε 之比约为 $1\sim1.6$，与雷诺数以及位置有关，仿照普朗特数 $Pr=\nu/a$，定义涡流动量扩散系数 ε 与涡流热扩散系数 ε_H 之比为湍流普朗特数，即

$$Pr_\varepsilon = \frac{\varepsilon}{\varepsilon_H} \tag{7-92}$$

在湍流核心区，存在 $\varepsilon\gg\nu$，$\varepsilon_H\gg a$，因而可忽略分子传递的影响，此时，湍流条件下的速度边界层方程与温度边界层方程在形式上分别与层流条件下完全相同。在前面关于平板层流速度边界层和温度边界层的讨论中曾指出，当 $Pr=1$ 时，在边界层内无量纲速度分布 $\dfrac{u_x}{u_0}$ 与无量纲温度分布 $\dfrac{T-T_w}{T_0-T_w}$ 完全相同。由此可以推断，当 $Pr_\varepsilon=1$ 时，在湍流核心区中动量传递和热量完全相同。以下将以 $Pr_\varepsilon=1$ 为前提进行比拟，实际上可推广到 $Pr_\varepsilon=0.7\sim1.6$。

7.4.2.2 雷诺类似律

雷诺假设湍流流场中只存在湍流核心区，为一层模型。对于稳态传热，这也就意味着湍流核心区和近壁处的 q/τ 完全相同。

则对层流内层，因 $\varepsilon_H=\varepsilon=0$，并且 $\dfrac{\mathrm{d}u_x}{\mathrm{d}y}$ 为正值，所以由动量传递和热量的表达式得

$$\frac{q}{\tau} = \frac{-\rho c_p a \dfrac{\mathrm{d}T}{\mathrm{d}y}}{\rho\,\nu\,\dfrac{\mathrm{d}u_x}{\mathrm{d}y}} = -\frac{c_p a}{\nu}\frac{\mathrm{d}T}{\mathrm{d}u_x} \tag{7-93}$$

假设在层流内层，q/τ 在垂直流动方向上任意处均相等，且等于壁面值 q_w/τ_w，则对式（7-93）进行积分可得

$$\frac{q_w}{\tau_w}\int_0^{u_0}\mathrm{d}u_x = \int_{T_w}^{T_0} -\frac{c_p a}{\nu}\mathrm{d}T$$

即

$$\frac{q_w}{\tau_w} = \frac{c_p a}{\nu}\frac{(T_w-T_0)}{u_0} \tag{7-94}$$

根据前述条件，对于湍流核心区，可不计分子传递作用，且 $Pr_\varepsilon=1$，则有

$$\frac{q}{\tau} = \frac{-\rho c_p \varepsilon_H \dfrac{\mathrm{d}\overline{T}}{\mathrm{d}y}}{\rho\varepsilon\,\dfrac{\mathrm{d}\overline{u}_x}{\mathrm{d}y}} = -c_p\frac{\mathrm{d}\overline{T}}{\mathrm{d}\overline{u}_x} \tag{7-95}$$

根据雷诺假设，对于稳态传热，式（7-95）中的 q/τ 同样应等于壁面处的 q_w/τ_w，将式（7-95）略去上标并积分得

$$\frac{q}{\tau} = \frac{q_w}{\tau_w} = c_p\frac{(T_w-T_0)}{u_0} \tag{7-96}$$

根据一层模型，湍流核心区一直延伸到壁面，则必须湍流核心区的 q/τ 与层流底层的

q_w / τ_w 完全一致。比较式（7-94）和式（7-96），可见，只有当 $a = \nu$，即 $Pr = 1$ 时，二式才完全一致，此即雷诺比拟的限制条件。

因 $q_w = \alpha(T_w - T_0)$，将式（7-96）改写成

$$\alpha = \frac{q_w}{T_w - T_0} = \frac{c_p \tau_w}{u_0} \tag{7-97}$$

将第 3 章流体绕流时切应力表达式 $\tau_w = \dfrac{F_d}{A} = C_D \dfrac{\rho u_0^2}{2}$ 代入式（7-97），得

$$\alpha = \frac{q_w}{T_w - T_0} = \frac{C_D}{2} \rho c_p u_0$$

即

$$\frac{\alpha}{\rho c_p u_0} = \frac{C_D}{2} \tag{7-98}$$

定义斯坦顿数 $St = \dfrac{\alpha}{\rho c_p u_0} = \dfrac{\dfrac{\alpha L}{\lambda}}{\dfrac{\rho u_0 L}{\mu} \dfrac{c_p \mu}{\lambda}} = \dfrac{Nu}{(Re)(Pr)}$，则 $St = \dfrac{C_D}{2}$，$Nu = \dfrac{C_D}{2}(Re)(Pr)$，

当 $Pr = 1$ 时，有

$$Nu = \frac{C_D}{2} Re \tag{7-99}$$

上述推导中，L 为特征尺寸。式（7-99）即为雷诺比拟的解，应用条件为 $Pr = 1$，无论是层流还是湍流均适用。利用这一简单的表达式，就可以根据摩擦阻力系数算出对流传热系数。以绕流流动为例，当流动为层流时，由式（4-38），局部阻力系数 $C_{Dx} = 0.664 Re_x^{-1/2}$，则由式（7-99）可知 $Nu_x = 0.332 Re_x^{1/2}$，即为平板传热的层流雷诺比拟解，该结果与前面的分析解结果式（7-48）是一致的。当流动为湍流时，由式（5-77）可知 $C_{Dx} = 0.0577 Re_x^{-1/5}$，所以由雷诺比拟可得 $Nu_x = 0.0289 Re_x^{4/5}$，与分析解式（7-76b）的结果相比，非常接近。

比拟理论的应用范围并不局限于边界层中的流动，同样可以用于管内流动。此时应将雷诺数表达式中的速度相应改为平均流速，特征尺寸改为圆管内径。因圆管层流运动时 $f = 16/Re$，以管内范宁摩擦系数 f 表示时仍然有 $St = \dfrac{f}{2}$，$Nu = \dfrac{f}{2} Re$；若用沿程阻力系数 λ 表示时，因其与范宁摩擦系数 f 的关系为 $\lambda = 4f$，故用雷诺比拟可得 $Nu = \dfrac{\lambda}{8} Re$，此即管内层流流动时的雷诺比拟解。对于管内湍流而言，由式（5-65），$\lambda = \dfrac{0.3164}{Re^{0.25}}$，或写成 $f = 0.079 Re^{-0.25}$，由此可得 $Nu = 0.0395 Re^{0.75}$。

由雷诺类似律的推导过程可见，该模型过于简化，没有考虑湍流边界层中的层流内层和缓冲层对动量传递和热量传递的影响，导致其应用具有局限性。因而仅适用于 $Pr = 1$ 的流体，并且要求只存在摩擦阻力而无形体阻力。

7.4.2.3　普朗特-泰勒类似律

雷诺类似律忽略了湍流中存在的层流内层，导致其应用具有局限性。普朗特和泰勒对此进行了修正，认为湍流边界层由层流内层和湍流核心区两部分组成，提出了流体流动的

二层模型，如图 7-7 所示。该模型层假设两部分的分界在层流内层的外缘，分界处流体的速度为 u_i，温度为 T_i，层流内层的厚度为 δ_b。湍流主体的温度 T_0 和速度 u_0 均可视为定值。层流内层很薄，流体的流速也很低，故可认为动量传递和热量传递均以分子传递方式进行，层流内层中的速度和温度均为直线分布，$\mathrm{d}u_x/\mathrm{d}y$，$\mathrm{d}T/\mathrm{d}y$ 均等于某常数，所以任意 y 处的 q/τ 均相等且等于壁面处的值。

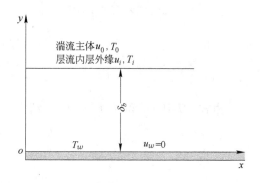

图 7-7 普朗特-泰勒类似律示意图

由此可得层流内层的动量通量和热量通量的表达式

$$\tau = \rho\,\nu\frac{\mathrm{d}u_x}{\mathrm{d}y}$$

$$q = -\rho\,c_p a\frac{\mathrm{d}T}{\mathrm{d}y}$$

将以上两式分离变量，并分别在 $y = 0$ 和 $y = \delta_b$ 区间积分

$$\int_0^{u_i}\mathrm{d}u_x = \frac{\tau}{\rho\,\nu}\int_0^{\delta_b}\mathrm{d}y$$

$$\int_{T_w}^{T_i}\mathrm{d}T = -\frac{q}{\rho c_p a}\int_0^{\delta_b}\mathrm{d}y$$

根据前述分析，由于层流内层很薄，故 $\tau = \tau_w$，因此有

$$\tau = \frac{\rho\,\nu\,u_i}{\delta_b} = \tau_w\ ;\ T_w - T_i = \frac{q\delta_b}{\rho\,c_p a}$$

将二者合并消去 δ_b，得

$$\frac{q}{\tau} = \frac{q_w}{\tau_w} = \frac{\lambda(T_w - T_i)}{\rho\,\nu\,u_i}$$

即

$$T_i = T_w - \frac{q_w}{\tau_w}\frac{\rho\,\nu\,u_i}{\lambda} \tag{7-100}$$

对应地，在湍流核心区则可忽略分子传递，此时的动量和热量传递方程为

$$\tau = \rho\varepsilon\frac{\mathrm{d}u_x}{\mathrm{d}y}$$

$$q = -\rho c_p \varepsilon_H\frac{\mathrm{d}T}{\mathrm{d}y}$$

在层流内层外缘和湍流核心区之间可应用雷诺类比，前提仍为 $Pr_\varepsilon = 1$，于是有

$$\frac{q}{\tau} = \frac{-\rho c_p \varepsilon_H\dfrac{\mathrm{d}T}{\mathrm{d}y}}{\rho\varepsilon\dfrac{\mathrm{d}u_x}{\mathrm{d}y}} = -c_p\frac{\mathrm{d}T}{\mathrm{d}u_x}$$

将上式从层流内层外缘到主流区进行积分，有

$$\int_{u_i}^{u_0}\frac{q}{\tau}\mathrm{d}u_x = -c_p\int_{T_i}^{T_0}\mathrm{d}T$$

q/τ 取层流内层外缘处的值，则

$$\frac{q}{\tau} = -c_p \frac{T_0 - T_i}{u_0 - u_i} = \frac{q_w}{\tau_w}$$

即

$$T_i = T_0 + \frac{q_w}{\tau_w} \frac{u_0 - u_i}{c_p} \tag{7-101a}$$

由式（7-100）和式（7-101a）消去 T_i，则

$$\frac{q_w}{\tau_w} = \frac{c_p(T_w - T_0)}{u_0 - u_i(Pr - 1)} \tag{7-101b}$$

将 $q_w = \alpha(T_w - T_0), \tau_w = C_D \dfrac{\rho u_0^2}{2}$ 及 $St = \dfrac{\alpha}{\rho\, c_p u_0}$ 代入式（7-101b），得

$$St = \frac{C_D/2}{1 + \dfrac{u_i}{u_0}(Pr - 1)} \tag{7-102}$$

$$Nu = \frac{RePr(C_D/2)}{1 + \dfrac{u_i}{u_0}(Pr - 1)} \tag{7-103}$$

以上两式中，u_i 是层流内层外缘处速度。其仍然是个未知量，需要根据具体条件加以确定。

（1）管内湍流传热。由第 5 章的讨论可知，对于管内湍流，层流内层外缘处满足 $u^+ = y^+ = 5$，又因为层流内层很薄，可近似以湍流主体速度代替平均速度 u_m，故有

$$u^* = \sqrt{\frac{\tau_w}{\rho}} = u_0 \sqrt{\frac{f}{2}}$$

则

$$\frac{u_i}{u_0} = 5\sqrt{\frac{f}{2}}$$

将上式代入式（7-102）中，并以范宁摩擦系数表示，得

$$St = \frac{\alpha}{\rho\, u_0 c_p} = \frac{f/2}{1 + 5\sqrt{f/2}\,(Pr - 1)} \tag{7-103a}$$

或

$$Nu_x = \frac{(Re_x)(Pr)(f/2)}{1 + 5\sqrt{f/2}\,(Pr - 1)} \tag{7-103b}$$

式（7-103）即为管内湍流传热时的普朗特-泰勒类似律。式中各物理量的定性温度可取流体进出口主体温度的算术平均值。

（2）平板壁面湍流传热。应用布拉修斯的 1/7 次方定律来描述湍流时的速度分布，可以推导出 $u_i/u_0 = 2.12 Re_x^{-0.1}$，结合第 5 章式（5-77）$C_{Dx} = 0.0577 Re_x^{-1/5}$，则

$$St = \frac{\alpha_x}{\rho\, u_0 c_p} = \frac{C_{Dx}/2}{1 + (2.12/Re_x^{0.1})(Pr - 1)} \tag{7-104a}$$

或表示成

$$St = \frac{\alpha_x}{\rho\, u_0 c_p} = \frac{0.0294 Re_x^{-0.2}}{1 + (2.12/Re_x^{0.1})(Pr - 1)} \tag{7-104b}$$

当 $Pr = 1$ 时，普朗特-泰勒类似律则还原为雷诺类似律。

普朗特-泰勒类似律可用于 $Pr \neq 1$ 的情况，与雷诺类似律相比有了明显的改进。但是

由于假定流体在 $y^+ = 5$ 处由完全的层流突然过度到完全的湍流，没有考虑到缓冲层对动量传递和热量传递的影响，故它仍然是近似的。

7.4.2.4　冯·卡门类似律

卡门对普朗特的假设进行了改进，认为湍流边界层由湍流主体、缓冲层和层流内层组成，提出了一个边界层的 3 层模型，并应用湍流的通用速度方程，分别求得层流内层、缓冲层和湍流主体的温差表达式。然后再将这些表达式加和，从而得到由湍流中心到壁面的总温差表达式，最终由总的温差表达式得到斯坦顿数

$$St = \frac{f/2}{1 + 5\sqrt{f/2}\left[(Pr - 1) + \ln\left(\frac{5Pr + 1}{6}\right)\right]} \tag{7-105}$$

该式对圆管和平壁均适用，但应注意两者阻力系数的定义有所不同。该式的具体推导可参见相关文献，卡门类似和普朗特类似在 $Pr > 1$ 时，可以得到精确的结果，所受的限制条件同样为不发生边界层分离，即无形体阻力的场合。当 $Pr = 1$ 时，卡门类似同样可以还原为雷诺类似。

7.4.2.5　柯尔本类似律

契尔顿和柯尔本采用实验方法，关联了对流传热系数和摩擦系数之间的关系，对雷诺类比进行了修正，得到了以实验数据为基础的类似律，由平板层流温度边界层的精确解推导出了柯尔本比拟公式。

由平板壁面层流温度边界层的分析可得

$$Nu = 0.332Re_x^{0.5}Pr^{1/3}$$

将上式两边同时除以 $Re_xPr^{1/3}$，得

$$\frac{Nu}{Re_xPr^{1/3}} = \frac{0.332Re_x^{0.5}Pr^{1/3}}{Re_xPr^{1/3}}$$

即　　　　　　　　$$St(Pr)^{2/3} = 0.332Re_x^{-0.5} \tag{7-106}$$

对于平板层流，由式（4-38）可知，其摩擦阻力系数见式（4-38）

$$C_{Dx} = 0.664Re_x^{-0.5}$$

比较式（7-106）和式（4-38），可得

$$(St)(Pr)^{2/3} = \frac{C_{Dx}}{2} \tag{7-107}$$

式（7-107）即为柯尔本类似，$(St)(Pr)^{2/3}$ 常称为传热 j 因子，用 j_H 表示，则式（7-107）可写成

$$j_H = (St)(Pr^{2/3}) = \frac{C_{Dx}}{2} \tag{7-108}$$

将上式中的 C_{Dx} 用管内流动时的范宁摩擦系数 f 代替，即可用于管内湍流。

同样地，当 $Pr = 1$ 时，柯尔本类似律则还原为雷诺类似。柯尔本类似律既适用于层流，又适用于湍流，不仅可用于平板，还可用于各种各样几何形状的物体，只要满足 $0.5 < Pr < 50$，无形体阻力，则所得结果均是可靠的。

习　题

1. 试述层流边界层和湍流边界层流体与固体壁面之间的传热机理（不计自然对流的影响），并分析两种边界层流体与壁面之间传热机理的异同点。

2. 常压和30℃的空气，以10m/s的均匀流速流过一薄平面表面。试用精确解求距平板前缘10cm处的边界层厚度及距壁面为边界层厚度一半距离时的 u_x、u_y、$\partial u_x / \partial y$、壁面局部阻力系数 C_{Dx}、平均阻力系数 C_D 的值。设临界雷诺数 $Re_{xc} = 5 \times 10^5$。

3. 常压和303K的空气以20m/s的均匀流速流过一宽度为1m、长度为2m的平面表面，板面温度维持373K，试求整个板面与空气之间的热交换速率。设 $Re_{xc} = 5 \times 10^5$。

4. 温度为333K的水，以35kg/h的质量流率流过内径为25mm的圆管。管壁温度维持恒定，为363K。已知水进入圆管时，流动已充分发展。水流过4m管长并被加热，测得水的出口温度为345K，试求水在管内流动时的平均对流传热系数 α_m。

5. 温度为 T_0，速度为 u_0 的不可压缩牛顿型流体进入一半径为 r_i 的光滑圆管与壁面进行稳态对流传热，设管截面的速度分布均匀为 u_0、热边界层已在管中心汇合且管壁面热通量恒定，试推导流体与管壁间对流传热系数的表达式。

6. 水以2m/s的平均流速流过直径为25mm、长2.5m的圆管。管壁温度恒定，为320K。水的进、出口温度分别为292K和295K，试求柯尔本因数 j_H 的值。

8 质量传递过程概论

在含有两种或两种以上组分的物系中，如果其中某一组分存在浓度梯度，则将发生该组分由高浓度区域向低浓度区域的转移，这种转移过程称为质量传递，简称传质。质量传递的基本方式可分为分子传质（分子扩散）和对流传质（对流扩散）两种方式。分子传质是依靠分子的随机运动所引起的质量传递，其与导热现象类似；对流传质则是运动流体与固体壁面之间、或互不相溶的两种运动流体之间所发生的质量传递，类似于对流换热，其求解涉及到流体流动状况以及速度分布等因素。严格地讲，质量传递是一个动力学速率过程，过程的推动力应为化学位差，包括浓度差、温度差、压力差等。由压力梯度、温度梯度或混合物中各组分受力不同所导致的质量传递，分别称为压力扩散、热扩散和强制扩散。工业过程中最常见的传质过程都是由浓度差所引起的，相应的过程推动力为浓度梯度。本书主要讨论这种由浓度梯度所引起的质量传递现象。

质量传递是一种广泛存在的传递现象，在化工、冶金、电子工业、环境工程、空间技术及生物工程等领域，质量传递均是很重要的过程。化工过程中的许多单元操作，如蒸馏、吸收、吸附、萃取、干燥和增（减）湿等无不涉及到质量传递。质量传递可以在单一相内进行，也可在相际之间进行。作为传递现象中的一个主要分支，质量传递与动量传递和热量传递一起构成了统一的传递现象理论。三种传递现象具有类似的运动规律和相应的数学表达形式。因此，在动量传递和热量传递中所建立的基本概念、基本定律以及一些解析方法，均有助于质量传递过程的研究和讨论。

质量传递过程中要解决的主要问题仍然是确定物理量的分布和过程速率，即确定浓度分布并由此确定传质速率。对于发生在混合物中的传质过程而言，由于涉及到物系中的组分迁移，因而其定量描述要比单纯的动量传递和热量传递更为复杂。为定量描述质量传递过程，需要首先了解传质过程的基本概念，以便在此基础上建立质量传递的物理模型和数学模型。

8.1 混合物组成的表示方法

在多组分混合物中，各组分的浓度可以用多种形式来表达，常用的有如下几种。

8.1.1 质量浓度和质量分数

单位体积中所含混合物的质量称为混合物的质量浓度，以符号 ρ 表示，单位为 kg/m^3。若混合物由 N 个组分组成，则其中某一组分 i 的质量浓度可表示为

$$\rho_i = G_i/V \tag{8-1}$$

式中，G_i 为混合物中 i 组分的质量，kg；V 为混合物的体积，m^3。

混合物的总质量浓度 ρ 可表示为

$$\rho = \sum_{i=1}^{N} \rho_i \tag{8-2}$$

另外，混合物中各组分的浓度还常采用质量分数 w 来表示，它代表各组分质量在混合物质量中的相对值。质量分数的表示式为

$$w_i = \frac{\rho_i}{\rho} \tag{8-3}$$

质量分数满足如下的关系

$$\sum_{i=1}^{N} w_i = 1 \tag{8-4}$$

8.1.2　物质的量浓度和摩尔分数

单位体积中所含物质的量称为混合物的物质的量浓度，以符号 c 表示，单位为 $kmol/m^3$。若混合物由 N 个组分组成，则其中某一组分 i 的物质的量浓度为

$$c_i = n_i/V \tag{8-5}$$

式中，n_i 为混合物中 i 组分的物质的量，$kmol$；V 为混合物的体积，m^3。

混合物的总物质的量浓度 c 可表示为

$$c = \sum_{i=1}^{N} c_i \tag{8-6}$$

混合物中各组分的浓度还常采用摩尔分数 x 来表示，它代表各组分物质的量与混合物的物质的量之比。如对 i 组分，其摩尔分数可表示为

$$x_i = \frac{n_i}{n} \tag{8-7}$$

对于由 N 个组分组成的混合物，摩尔分数满足如下的关系

$$\sum_{i=1}^{N} x_i = 1 \tag{8-8}$$

一般常以 x_i 来表示液相中的摩尔分数，以 y_i 来表示气相中的摩尔分数。根据道尔顿分压定律，对气体可表示为

$$y_i = \frac{c_i}{c} = \frac{p_i}{p} \tag{8-9}$$

对于理想气体，还常用分压来表示浓度，即

$$c_i = \frac{n_i}{V} = \frac{p_i}{RT}, \quad c = \frac{p}{RT} \tag{8-10}$$

质量浓度和物质的量浓度之间，存在如下关系

$$\rho_i = c_i M_i, \quad \rho = cM \tag{8-11}$$

式中，M_i 为组分 i 的相对分子质量，M 为混合物的相对分子质量。

质量分数和摩尔分数的关系为

$$w_i = \frac{x_i M_i}{\sum\limits_{i=1}^{N} x_i M_i} \tag{8-12a}$$

$$x_i = \frac{w_i/M_i}{\sum_{i=1}^{N} w_i/M_i} \tag{8-12b}$$

8.2 多组分系统的运动速度

在多组分系统的传质过程中，各组分由于扩散等原因而具有不同的运动速度，组分的移动是由分子扩散和宏观流动两者的合效应所导致的。若以体系外部的静止坐标为参考，则表现为两者的叠加移动速度；若以体系内部的动坐标作参考，则整体是静止的，所观察到的仅仅是分子的扩散运动。可见运动速度与所选的参考坐标有关。

混合物的平均速度又称为总体流动速度。为表达混合物的总体流动，需要引入平均速度的概念。对于一个多组分的扩散体系，可以根据各个组分的运动速度来定义混合物的平均速度。与浓度的表示方法相对应，常用的混合物平均速度有质量平均速度 u 和摩尔平均速度 u_M 两种。二者均代表了混合物总体的移动速度，即所谓的主体流动速度或总体流动速度。

（1）相对于静止坐标的运动速度。以 u_i 表示组分 i 相对于静止坐标系的绝对速度，则混合物的质量平均速度 u 和摩尔平均速度 u_M 可分别用绝对速度表示如下

$$u = \frac{1}{\rho} \sum_{i=1}^{N} \rho_i u_i \tag{8-13a}$$

$$u_M = \frac{1}{c} \sum_{i=1}^{N} c_i u_i \tag{8-13b}$$

对于常见的双组分混合物，以 u_A 和 u_B 分别表示组分 A 和 B 的速度，当 $u_A \neq u_B$ 时，则混合物流体的质量平均速度 u 和摩尔平均速度 u_M 可分别表示如下

$$u = \frac{1}{\rho}(\rho_A u_A + \rho_B u_B) = w_A u_A + w_B u_B \tag{8-14a}$$

$$u_M = \frac{1}{c}(c_A u_A + c_B u_B) = x_A u_A + x_B u_B \tag{8-14b}$$

（2）相对于平均速度的运动速度。以平均速度为参考基准时，所观察到的是组分相对于平均速度下的运动速度。组分 i 相对于质量平均速度的运动速度为 $(u_i - u)$；相对于摩尔平均速度的运动速度则为 $(u_i - u_M)$。

当混合物以一定的速度运动时，扩散组分因分子扩散而具有相对于混合物的运动速度，亦即相对运动速度表达了组分相对于总体流动速度的运动速度，其是由分子的无规则热运动所引起的，又称为扩散速度。组分的绝对速度则等于扩散速度和总体流动速度之和。

8.3 传质通量

混合物中，某个组分在单位时间内通过垂直于传质方向上单位面积的物质量称为传质通量，传质通量又称传质速率，其方向与该组分的速度方向一致。与速度表示方法相对应，传质通量常用质量通量或摩尔通量表示，它们都是浓度与速度的乘积。

8.3.1 组分的质量通量

混合物中组分的质量通量单位为 $kg/(m^2 \cdot s)$，根据参考坐标的不同，组分的质量通量

有以下几种表示方法：

（1）相对于静止坐标，以绝对速度表示时，i 组分的质量通量为 $n_i = \rho_i u_i$；

（2）相对于质量平均速度，以相对速度或扩散速度表示，则有 $j_i = \rho_i(u_i - u)$；

（3）相对于摩尔平均速度，以相对速度或扩散速度表示，则可写成 $j_i = \rho_i(u_i - u_M)$。

混合物的总质量通量为 $n = \sum_{i=1}^{N} \rho_i u_i = \rho u$

8.3.2　组分的摩尔通量

混合物中组分的摩尔通量的单位为 $kmol/(m^2 \cdot s)$，其同样因参考坐标的不同而有不同的表示方法。

（1）相对于静止坐标，以绝对速度表示时，i 组分的摩尔通量为 $N_i = c_i u_i$；

（2）相对于质量平均速度，以相对速度或扩散速度表示的摩尔通量为 $J_i = c_i(u_i - u)$；

（3）相对于摩尔平均速度，以相对速度或扩散速度表示的摩尔通量为 $J_i = c_i(u_i - u_M)$。

混合物的总摩尔通量为 $N = \sum_{i=1}^{N} c_i u_M = c u_M$

在以上各种定义式中，N 和 n 常用于工程计算，此时选择固定在设备内的静止坐标作为运动参照系统。在研究扩散问题时习惯于采用相对摩尔平均速度的摩尔扩散通量 J_i；而在热扩散、离子扩散问题的研究中则较多采用相对于质量平均速度的质量扩散通量 j_i。

8.3.3　几种传质通量之间的关系

对于由组分 A、B 所组成的二元混合物，常用的几种传质通量的定义式见表8-1。

表8-1　双组分混合物的传质通量

相对于静止坐标		
质量通量 $n_A/kg \cdot (m^2 \cdot s)^{-1}$ A 组分 $n_A = \rho_A u_A$	B 组分 $n_B = \rho_B u_B$	混合物 $n = n_A + n_B$ $= \rho_A u_A + \rho_B u_B = \rho u$
摩尔通量 $N_A/kmol \cdot (m^2 \cdot s)^{-1}$ A 组分 $N_A = c_A u_A$	B 组分 $N_B = c_B u_B$	混合物 $N = N_A + N_B = c u_M$
相对于质量平均速度		
质量扩散通量 A 组分 $j_A = \rho_A(u_A - u)$	B 组分 $j_B = \rho_B(u_B - u)$	混合物：$j = j_A + j_B = 0$
相对于摩尔平均速度		
摩尔扩散通量 A 组分 $J_A = c_A(u_A - u_M)$	B 组分 $J_B = c_B(u_B - u_M)$	混合物 $J = J_A + J_B = 0$

根据表8-1，结合前面所给出的关系，可见，对双组分混合物有

$$n = n_A + n_B = \rho_A u_A + \rho_B u_B = \rho u \tag{8-15a}$$

$$N = N_A + N_B = c_A u_A + c_B u_B = c u_M \tag{8-15b}$$

由表 8-1 还可以得到如下关系式

$$j_A = \rho_A u_A - \rho_A u = n_A - \rho_A u \qquad (8\text{-}16a)$$

$$j_B = \rho_B u_B - \rho_B u = n_B - \rho_B u \qquad (8\text{-}16b)$$

即

$$n_A = j_A + \rho_A u \qquad (8\text{-}16c)$$

$$n_B = j_B + \rho_B u \qquad (8\text{-}16d)$$

同理，由 $J_A = c_A(u_A - u_M)$ ，可知 $c_A u_A = J_A + c_A u_M$ ，因此

$$N_A = c_A u_A = J_A + c_A u_M \qquad (8\text{-}17a)$$

$$N_B = J_B + c_B u_M \qquad (8\text{-}17b)$$

式中，$\rho_A u$ 与 $c_A u_M$ 为双组分混合物的总体流动所引起的组分 A 的传递速率，其与由浓度梯度而引起的组分 A 的扩散速率无关。而 j_A 与 J_A 则是在无总体流动或静止流体中因浓度差所引起的分子扩散，它们可以用费克（Fick）定律表示。

根据费克第一定律，如果扩散仅沿着 z 轴方向进行，在等温等压下，以质量为基准，则由浓度梯度所引起的质量扩散通量可表示为

$$j_A = -D_{AB}\frac{d\rho_A}{dz} \qquad (8\text{-}18a)$$

若以物质的量浓度为基准，则摩尔扩散通量可表示为

$$J_A = -D_{AB}\frac{dc_A}{dz} \qquad (8\text{-}18b)$$

式中，D_{AB} 是组分 A 在组分 B 中的扩散系数。

一般情况下，混合物的总浓度 c 或总密度 ρ 为常量，此时以上两式可用摩尔分数 x_A 或质量分数 w_A 表示成下述更为普遍的形式

$$j_A = -D_{AB}\rho\frac{dw_A}{dz} \qquad (8\text{-}19a)$$

$$J_A = -D_{AB}c\frac{dx_A}{dz} \qquad (8\text{-}19b)$$

结合式（8-15），将式（8-19a）代入式（8-16c）、式（8-19b）代入式（8-17a）中，可得

$$n_A = -D_{AB}\rho\frac{dw_A}{dz} + w_A(n_A + n_B) = -D_{AB}\rho\frac{dw_A}{dz} + w_A n \qquad (8\text{-}20a)$$

$$N_A = -D_{AB}c\frac{dx_A}{dz} + x_A(N_A + N_B) = -D_{AB}c\frac{dx_A}{dz} + x_A N \qquad (8\text{-}20b)$$

式（8-20a）、式（8-20b）为费克第一定律的普遍表达式。可见，相对于静止坐标，组分的总传质通量由两部分组成，一部分是由质量分数梯度或摩尔分数梯度所引起的扩散通量，另一部分是由于混合物总体流动的存在，使组分由一处被携带到另一处而产生的对流通量。组分的移动是分子扩散和宏观流动两者的合效应。据此可得

$$组分的总传质通量 = 分子扩散通量 + 总体流动通量$$

可以证明，扩散系数 D_{AB} 对于 Fick 定律的各种表达式都是相同的。

8.4 质量传递微分方程

在多组分系统中，因为浓度及扩散通量都具有不同的表达形式，与之相应的质量传

递微分方程也有多种不同的形式。

8.4.1　质量传递通用微分方程

当混合物总浓度 ρ（$\rho = \rho_A + \rho_B$）为常数时，第 2 章曾推导出了以质量分数表示的双组分混合物中组分 A 的质量传递微分方程，其表达式（2-35）

$$\frac{D\rho_A}{D\theta} + \rho_A \nabla \cdot \boldsymbol{u} = D_{AB} \nabla^2 \rho_A + r_A$$

式中，r_A 为单位体积中 A 组分的质量生成速率，kg/（m^3 · s）。

该式即为以质量平均速度 u 为基准，双组分系统的通用质量传递微分方程。将上述方程的下标改为 B，即为组分 B 的质量传递微分方程。对双组分系统，由质量守恒原理可知，$r_A = -r_B$。

若混合物浓度采用物质的量浓度来表达，改用摩尔平均速度 u_M 和摩尔扩散通量来推导时，则可得到混合物总浓度 c（$c = c_A + c_B$）为常数、伴有化学反应时的组分 A 的质量传递微分方程

$$\frac{Dc_A}{D\theta} + c_A \nabla \cdot \boldsymbol{u}_M = D_{AB} \nabla^2 c_A + \dot{R}_A \tag{8-21}$$

式中，$\dot{R}_A$ 为单位体积中 A 组分的摩尔生成速率，kmol/（m^3 · s）。该式为通用传质微分方程的另一种表达形式。

8.4.2　传质微分方程的特定形式

传质微分方程在特定条件下，可以进一步简化成较为简单的形式。以下结合具体情况加以讨论。

（1）不可压缩流体的传质微分方程。对于不可压缩流体，设混合物总浓度恒定且扩散系数不变，由连续性方程 $\nabla \cdot \boldsymbol{u} = 0$，可将通用传质微分方程可简化为如下形式

$$\frac{D\rho_A}{D\theta} = D_{AB} \nabla^2 \rho_A + r_A \tag{8-22a}$$

$$\frac{Dc_A}{D\theta} = D_{AB} \nabla^2 c_A + \dot{R}_A \tag{8-22b}$$

或展开写成

$$\frac{\partial \rho_A}{\partial \theta} + u_x \frac{\partial \rho_A}{\partial x} + u_y \frac{\partial \rho_A}{\partial y} + u_z \frac{\partial \rho_A}{\partial z} = D_{AB} \left(\frac{\partial^2 \rho_A}{\partial x^2} + \frac{\partial^2 \rho_A}{\partial y^2} + \frac{\partial^2 \rho_A}{\partial z^2} \right) + r_A \tag{8-23a}$$

$$\frac{\partial c_A}{\partial \theta} + u_{Mx} \frac{\partial c_A}{\partial x} + u_{My} \frac{\partial c_A}{\partial y} + u_{Mz} \frac{\partial c_A}{\partial z} = D_{AB} \left(\frac{\partial^2 c_A}{\partial x^2} + \frac{\partial^2 c_A}{\partial y^2} + \frac{\partial^2 c_A}{\partial z^2} \right) + \dot{R}_A \tag{8-23b}$$

式中，u_{Mx}、u_{My}、u_{Mz} 分别为摩尔平均速度 u_M 在 x、y、z 三个方向上的分量。式（8-22）、式（8-23）即为双组分系统不可压缩流体的质量传递微分方程。由于考虑了总体流动的影响，因此又称作对流扩散方程。若不存在化学反应，则 $r_A = 0$，$\dot{R}_A = 0$；在稳态传质时，则有 $\frac{\partial c_A}{\partial \theta} = 0$，$\frac{\partial \rho_A}{\partial \theta} = 0$。

（2）分子扩散传质微分方程。对于固体或静止流体中的扩散过程，因参与传质的介质不运动，u 或 u_M 为零，则式（8-22）中随体导数的全部速度项为零，随体导数变为偏导数，方程式（8-22）可简化为

$$\frac{\partial \rho_A}{\partial \theta} = D_{AB} \, \nabla^2 \rho_A + r_A \tag{8-24a}$$

$$\frac{\partial c_A}{\partial \theta} = D_{AB} \, \nabla^2 c_A + \dot{R}_A \tag{8-24b}$$

若不存在化学反应，$r_A = 0$ 或 $\dot{R}_A = 0$，则又可简化为

$$\frac{\partial \rho_A}{\partial \theta} = D_{AB} \, \nabla^2 \rho_A \tag{8-25a}$$

$$\frac{\partial c_A}{\partial \theta} = D_{AB} \, \nabla^2 c_A \tag{8-25b}$$

式（8-25）即为无化学反应时的分子扩散传质微分方程，又称费克第二定律。该方程与非稳态热传导方程（傅里叶第二定律）在形式上完全一致，数学上统称为传导方程。其适用于总浓度不变时，在固体及无总体流动时的静止或层流流体中进行分子传质的场合。

作为描述质量传递规律的基本方程，费克第一定律描述了稳态扩散传质的基本特征，确定了分子扩散传质通量与浓度梯度之间的关系；费克第二定律则表达了非稳态扩散传质的基本特征，说明了在分子扩散过程中浓度随时间的变化与浓度梯度变化率之间的关系。

稳态传质时，式（8-25）可进一步简化为以浓度表示的拉普拉斯方程

$$\nabla^2 \rho_A = 0 \tag{8-26a}$$

$$\nabla^2 c_A = 0 \tag{8-26b}$$

式（8-26）可用以描述静止介质内的稳态浓度分布。

费克第二定律在直角坐标系中的展开式为

$$\frac{\partial \rho_A}{\partial \theta} = D_{AB} \left(\frac{\partial^2 \rho_A}{\partial x^2} + \frac{\partial^2 \rho_A}{\partial y^2} + \frac{\partial^2 \rho_A}{\partial z^2} \right) \tag{8-27a}$$

$$\frac{\partial c_A}{\partial \theta} = D_{AB} \left(\frac{\partial^2 c_A}{\partial x^2} + \frac{\partial^2 c_A}{\partial y^2} + \frac{\partial^2 c_A}{\partial z^2} \right) \tag{8-27b}$$

在柱坐标系中的表示式为

$$\frac{\partial \rho_A}{\partial \theta'} = D_{AB} \left[\frac{1}{r} \frac{\partial}{\partial r} \left(r \frac{\partial \rho_A}{\partial r} \right) + \frac{1}{r^2} \frac{\partial^2 \rho_A}{\partial \theta^2} + \frac{\partial^2 \rho_A}{\partial z^2} \right] \tag{8-28a}$$

$$\frac{\partial c_A}{\partial \theta'} = D_{AB} \left[\frac{1}{r} \frac{\partial}{\partial r} \left(r \frac{\partial c_A}{\partial r} \right) + \frac{1}{r^2} \frac{\partial^2 c_A}{\partial \theta^2} + \frac{\partial^2 c_A}{\partial z^2} \right] \tag{8-28b}$$

式（8-28）中，θ' 为时间，r 为径向坐标，θ 为方位角。

在球坐标系中的表示式为

$$\frac{\partial \rho_A}{\partial \theta'} = D_{AB} \left[\frac{1}{r^2} \frac{\partial}{\partial r} \left(r^2 \frac{\partial \rho_A}{\partial r} \right) + \frac{1}{r^2 \sin\theta} \frac{\partial}{\partial \theta} \left(\sin\theta \frac{\partial \rho_A}{\partial \theta} \right) + \frac{1}{r^2 \sin^2\theta} \frac{\partial^2 \rho_A}{\partial \varphi^2} \right] \tag{8-29a}$$

$$\frac{\partial c_A}{\partial \theta'} = D_{AB} \left[\frac{1}{r^2} \frac{\partial}{\partial r} \left(r^2 \frac{\partial c_A}{\partial r} \right) + \frac{1}{r^2 \sin\theta} \frac{\partial}{\partial \theta} \left(\sin\theta \frac{\partial c_A}{\partial \theta} \right) + \frac{1}{r^2 \sin^2\theta} \frac{\partial^2 c_A}{\partial \varphi^2} \right] \tag{8-29b}$$

式（8-29）中，θ' 为时间，r 为径向坐标，θ 为余纬度，φ 为方位角。

8.4.3　质量传递微分方程的定解条件

质量传递微分方程为二阶偏微分方程，求解时需要应用初始条件及边界条件以确定积分常数。在质量传递过程中所用的初始条件或边界条件，类似于热量传递中所用的定解条件。

8.4.3.1　初始条件

初始条件给出扩散组分在初始时刻浓度分布与空间坐标之间的关系，一般可表示为

$$\theta = 0, \quad \rho_A = \rho_A(x,y,z) \tag{8-30a}$$

或
$$\theta = 0, \quad c_A = c_A(x,y,z) \tag{8-30b}$$

通常给定的条件为初始浓度为常数，即 $\theta = 0$ 时，$\rho_A = \rho_{A0}$，$c_A = c_{A0}$。稳态传质时，因浓度场不随时间而发生变化，故不需要初始条件。

8.4.3.2　边界条件

边界条件可通过传质过程的具体情况来确定。在质量传递问题的定解过程中，常见的边界条件一般有如下几类。

（1）给定边界（$z=0$）处的浓度值。最简单的情况为边界上的浓度保持常数，如 $c_{Aw} = c_{A0}$。

（2）给定边界处的质量通量或摩尔通量。在工程计算中有实际意义的情况为相界面上的扩散通量保持定值

$$J_A = J_{Aw} = - D_{AB} \frac{\partial c_A}{\partial z} \bigg|_{z=0} = 常数 \tag{8-31a}$$

若相界面对组分不可渗透，如固体壁面，有

$$J_{Aw} = 0, \quad 或 \frac{\partial c_A}{\partial z} \bigg|_{z=0} = 0 \tag{8-31b}$$

（3）给定边界上物体与周围流体间的对流传质系数 k，以及周围主体流体中组分 A 的浓度 c_{A0}。此时边界方程为

$$N_{Aw} = k_c(c_{Aw} - c_{A0}) \tag{8-32}$$

式中，k_c 为与物质的量浓度相对应的对流传质系数，c_{Aw} 为组分 A 在界面处的浓度。

（4）给定化学反应速率。例如，若组分 A 经过一级化学反应在边界上消失，则 $N_{Aw} = - k_1 c_{Aw}$，其中 k_1 为一级反应速率常数。当扩散组分 A 在边界上的反应是快速反应，即反应在瞬间完成时，可假设在边界上组分 A 的浓度为零。

习　题

1. 试写出费克第一定律的四种表达式，并证明对同一系统，四种表达式中的扩散系数 D_{AB} 为同一数值，讨论各种形式费克定律的特点和在什么情况下使用。

2. 试证明组分 A、B 组成的双组分系统中，在一般情况（存在主体流动，$N_A \neq N_B$）下进行分子扩散时，在总浓度 c 恒定条件下，$D_{AB} = D_{BA}$。

3. 在容器内装有等摩尔分率的氧气、氮气和二氧化碳，它们的质量分率各为多少？若为等质量分率，则它们的摩尔分率各为多少？

9 分子传质

分子传质又称分子扩散，是质量传递的一种方式。当在单一相内存在组分的化学位梯度时，由分子的无规则热运动而引起的质量传递称之为分子扩散，一般简称为扩散。分子扩散传质与热传导传递机理相似，两者均是由于分子的无规则热运动所引起的，当不存在总体流动时，方程的形式也类似，因此求解导热问题的方法对于分子扩散的求解也是适用的。但应指出的是，分子传质时，系统处于动态平衡之中，组分分子沿扩散方向转移后所留下的相应空位，需由其他分子填补，这一点和导热不同。

本章主要分析不可压缩流体的传质过程，通过扩散速率方程得到以分子扩散方式所传递的物质通量，结合质量传递微分方程求得介质内部的浓度分布。

9.1 稳态分子传质

在工业生产过程中，广泛存在着稳态分子传质过程。研究稳态分子传质问题的模型方程为传质通量的定义式和质量传递微分方程。

9.1.1 一维稳态分子传质

一维二元体系中，若混合物的总浓度 c 恒定，传质通量采用摩尔通量，则式（8-20b）可以写成

$$N_A = -D_{AB} \frac{dc_A}{dz} + (N_A + N_B) \frac{c_A}{c} \tag{9-1a}$$

对于等分子反方向扩散，由于 $N_A = -N_B$，流体总体运动引起的对流扩散通量等于零，只有分子扩散项，则上式可写成

$$N_A = -D_{AB} \frac{dc_A}{dz} = J_A \tag{9-1b}$$

等温等压下，$N_A = -D_{AB} \dfrac{dc_A}{dz}$，该方程与导热中的傅里叶方程 $q = -\lambda \dfrac{dT}{dz}$ 相似。

对于不存在化学反应的一维稳态传质，$\dfrac{\partial c_A}{\partial \theta} = 0$，$R_A = 0$。若传质只沿 z 方向进行，则传质微分方程式（8-27b）可简化为

$$\frac{dN_A}{dz} = 0 \tag{9-2a}$$

式（9-2a）表明，A 组分的摩尔通量为定值，与扩散距离 z 无关。

同理，对于 B 组分，有

$$\frac{dN_B}{dz} = 0 \tag{9-2b}$$

设 D_{AB} 为定值，则可对式（9-1a）分离变量积分

$$\int_{c_{A1}}^{c_{A2}} \frac{-\mathrm{d}c_A}{N_A c - (N_A + N_B)c_A} = \frac{1}{cD_{AB}}\int_0^z \mathrm{d}z \tag{9-3}$$

整理可得

$$N_A = \frac{N_A}{N_A + N_B} \cdot \frac{cD_{AB}}{z}\ln\frac{N_A/(N_A + N_B) - c_{A2}/c}{N_A/(N_A + N_B) - c_{A1}/c} \tag{9-4}$$

式（9-4）即为双组分系统一维稳定分子扩散时扩散通量的通用积分方程。

对于气体混合物，若符合理想气体定律，则有

$$c = \frac{p}{RT} \tag{9-5a}$$

$$\frac{c_A}{c} = \frac{p_A}{p} \tag{9-5b}$$

式中，p 为气体的总压；p_A 为组分 A 的分压；c 为气体混合物的总浓度；T 为绝对温度；R 为气体常数。

将式（9-5）代入式（9-4），可得

$$N_A = \frac{N_A}{N_A + N_B} \cdot \frac{pD_{AB}}{RTz}\ln\frac{[N_A/(N_A + N_B)]p - p_{A2}}{[N_A/(N_A + N_B)]p - p_{A1}} \tag{9-6}$$

式（9-4）和式（9-6）都是扩散通量的一般积分形式，在特定的条件下可以简化。

9.1.1.1 等分子反方向扩散

在由组分 A 和 B 组成的双组分混合物中，设不存在化学反应，且其中某一组分的摩尔通量与另一种组分的摩尔通量大小相等，方向相反，这种扩散称为等分子反方向扩散。等分子反方向扩散主要发生在组分摩尔潜热相等的二元混合物的蒸馏过程，此时 $N_A = -N_B$，或 $N_A + N_B = 0$，亦即相对于静止坐标的总摩尔通量等于零。

（1）扩散通量。由于 $N_A + N_B = 0$，因此不能直接应用式（9-4）的积分结果。为得到该情况下的扩散速率，可将式（9-1b）直接积分，得

$$N_A = \frac{D_{AB}}{z}(c_{A1} - c_{A2}) \tag{9-7a}$$

当系统压力较低时，对气相可按理想气体混合物进行处理，此时

$$N_A = \frac{D_{AB}}{RTz}(p_{A1} - p_{A2}) \tag{9-7b}$$

可见，在稳态等分子反方向扩散时，组分的浓度或分压沿扩散方向呈直线变化，浓度梯度保持不变。上述结果与一维稳态导热相类似，因此一维稳态导热的结果均可应用于这种传质过程。

对于组分 A 在固体或静止介质中的扩散过程，若 $c_A \ll 1$，$N_B \approx 0$，物质在介质内无化学反应，这时的一维稳态传质问题也可以用式（9-7a）来求解。

（2）浓度分布。将式（9-1b）代入式（9-2a）中可得到浓度分布方程

$$\frac{\mathrm{d}^2 c_A}{\mathrm{d}z^2} = 0 \tag{9-8}$$

方程的边界条件为 $z = 0, c_A = c_{A1}$；$z = z, c_A = c_{A2}$。据此可得 A 组分的浓度分布为

$$c_A = \frac{c_{A2} - c_{A1}}{z} + c_{A1} \tag{9-9}$$

可见，组分 A 的浓度分布为直线关系，同样可得 B 组分的浓度分布也为直线。

9.1.1.2　单向扩散

单向扩散系指组分 A 通过静止或不发生扩散的 B 组分的稳态扩散过程，在气体吸收、液液萃取、增湿以及吸附等工业实际过程中经常遇到。

（1）扩散通量。单向扩散时，$N_A \neq 0$，$N_B = 0$。因此 $\dfrac{N_A}{N_A + N_B} = 1$，将此关系代入式（9-4）和式（9-6），可分别得到液相和气相的扩散通量表达式

$$N_A = \frac{cD_{AB}}{z}\ln\frac{1 - c_{A2}/c}{1 - c_{A1}/c} = \frac{cD_{AB}}{z}\ln\frac{1 - x_{A2}}{1 - x_{A1}} \tag{9-10a}$$

$$N_A = \frac{pD_{AB}}{RTz}\ln\frac{p - p_{A2}}{p - p_{A1}} \tag{9-10b}$$

式中，c 代表溶液的平均总浓度，$kmol/m^3$；x 表示液相摩尔分数。

在系统总压 p 和溶液的平均总浓度 c 一定的情况下，对双组分系统，上式可以写成

$$N_A = \frac{cD_{AB}}{zx_{BM}}(x_{A1} - x_{A2}) = \frac{D_{AB}}{zx_{BM}}(c_{A1} - c_{A2}) \tag{9-11a}$$

$$N_A = \frac{pD_{AB}}{RTz}\left(\frac{p_{B2} - p_{B1}}{p_{BM}}\right) = \frac{D_{AB}}{RTz}\left(\frac{p}{p_{BM}}\right)(p_{A1} - p_{A2}) \tag{9-11b}$$

式中

$$x_{BM} = \frac{x_{B2} - x_{B1}}{\ln(x_{B2}/x_{B1})} \tag{9-12a}$$

$$p_{BM} = \frac{p_{B2} - p_{B1}}{\ln(p_{B2}/p_{B1})} \tag{9-12b}$$

x_{BM}、p_{BM} 分别代表停滞组分 B 的摩尔分数和分压的对数平均值。比较式（9-11）和式（9-7）两式可以看出，由于 $\dfrac{p}{p_{BM}} > 1$，$\dfrac{1}{x_{BM}} > 1$，因此在相同的分压差或浓度差下，单向扩散的扩散通量要大于等分子反方向扩散的扩散通量。这是由于对组分 A 来说，沿其扩散方向上存在着混合物的总体流动，从而产生对流扩散通量，相当于顺水行舟。组分 B 相对于平均摩尔速度同样也发生分子扩散，但其通量和总体流动所导致的组分 B 的对流通量数值相等，方向相反，这种情况等同于逆水行舟，船速和水流速度相等，所以 B 组分是停滞的。这里，$\dfrac{p}{p_{BM}}$ 或 $\dfrac{1}{x_{BM}}$ 又称作漂流因数，表示由于总体流动所导致的扩散通量增加比例。若漂流因数 ≈ 1，则表示总体流动可以忽略。对于稀溶液，$\dfrac{1}{x_{BM}}$ 接近于 1，总体流动的影响很小。

（2）浓度分布。单向扩散时，$N_B = 0$，式（9-1a）可表示为

$$N_A = -\frac{cD_{AB}}{c - c_A}\frac{dc_A}{dz} \tag{9-13}$$

将式（9-13）代入式（9-2a），得

$$\frac{d}{dz}\left[-\frac{D_{AB}}{1-c_A/c}\frac{dc_A}{dz}\right]=0 \qquad (9-14)$$

在等温等压条件下，c 和 D_{AB} 均是常数，因此有

$$\frac{d}{dz}\left[\frac{d\ln(1-c_A/c)}{dz}\right]=0 \qquad (9-15)$$

对式（9-15）进行两次积分可得

$$\ln(1-c_A/c)=C_1z+C_2 \qquad (9-16)$$

式中，C_1 和 C_2 为积分常数，可通过下列边界条件得到

$$z=z_1,c_A=c_{A1}$$

$$z=z_2,c_A=c_{A2}$$

代入积分常数，并整理可得 A 组分的浓度分布方程为

$$\frac{1-c_A/c}{1-c_{A1}/c}=\left(\frac{1-c_{A2}/c}{1-c_{A1}/c}\right)^{\frac{z-z_1}{z_2-z_1}} \qquad (9-17)$$

式（9-17）表明，单向扩散时，扩散组分的浓度分布为对数关系。

等分子反方向扩散和单向扩散是工程中常见的两种典型扩散过程，在涉及到传质问题的许多单元操作中均会遇到。如蒸馏过程属于等分子反方向扩散；气体吸收、液液萃取、蒸发和干燥等则为单向扩散。在上述推导过程中，没有考虑扩散系数的变化。一般说来，对于完全气体及稀溶液，在一定的温度和压力下，D_{AB} 与浓度无关；但对非完全气体、浓溶液及固体，D_{AB} 则是浓度的函数。在常温常压下，气体扩散系数的数量级为 $10^{-5}\text{m}^2/\text{s}$，液体扩散系数的数量级约为 $10^{-9}\text{m}^2/\text{s}$，而固体扩散系数的数量级则为 $10^{-10}\sim10^{-15}\text{m}^2/\text{s}$。在本书附录中给出了常见物系的扩散系数，可供参考。

9.1.1.3 组分由圆球表面向周围气体中的扩散

组分由圆球表面扩散进入周围介质的情况在实际应用中较为常见。如液滴的汽化，樟脑球的升华，生物工程中培养液内基质向圆球形微生物的扩散等。由于是通过球体的径向扩散，扩散所通过的截面将随半径而改变，因此 N_A 也是随半径变化的。稳态扩散时，单位时间内经过球表面的组分 A 的扩散量 $\overline{N}_A$ 保持为定值，这里 $\overline{N}_A=4\pi r^2N_A$，单位为 kmol/s。

圆球外面的气体可看作是静止的组分 B，扩散过程为沿径向的单向扩散。当理想气体定律适用时，利用式（9-5）所给出的关系，式（9-1a）可写成

$$N_A=\frac{p_A}{p}N_A-\frac{D_{AB}}{RT}\frac{dp_A}{dr} \qquad (9-18a)$$

$$N_A=\frac{\overline{N}_A}{4\pi r^2}=-\frac{D_{AB}}{RT}\cdot\frac{1}{(1-p_A/p)}\frac{dp_A}{dr} \qquad (9-18b)$$

在球半径 r_1 至外围气体某处的 r_2 间分离变量积分，可得

$$\frac{\overline{N}_A}{4\pi}\left(\frac{1}{r_1}-\frac{1}{r_2}\right)=\frac{D_{AB}p}{RT}\ln\frac{p-p_{A2}}{p-p_{A1}} \qquad (9-19)$$

为计算方便，选取 r_2 时，可使 r_2 远远大于 r_1，即 $r_2 \gg r_1$，$\dfrac{1}{r_2} \approx 0$。引入 p_{BM}，则

$$\frac{\overline{N}_A}{4\pi r_1^2} = N_A = \frac{D_{AB}p}{RTr_1} \cdot \frac{p_{A1} - p_{A2}}{p_{BM}} \tag{9-20}$$

若气相中组分 A 的浓度很低，则 $p_{A2} \ll p$，$p \approx p_{BM}$，$c_A = p_A/RT$。以圆球直径 d_1 代替半径 r_1，式（9-20）可进一步简化成如下形式

$$\frac{\overline{N}_A}{4\pi r_1^2} = N_A = \frac{2D_{AB}}{d_1}(c_{A1} - c_{A2}) \tag{9-21}$$

9.1.1.4　组分在固相中的稳态扩散传质

溶质组分（包括气体、液体或固体）在固体中的分子扩散是工程上很重要的传质过程。固-液浸取、固体物料的干燥以及固相催化反应一直是固相扩散研究的重点内容。近几年来，聚合物中的扩散研究业已成为比较活跃的领域，如通过聚合物膜进行物质的富集、分离和提纯，纺织品的干燥和染色等过程均与组分在聚合物中的扩散有关。此外，冶金工程中，金属脱气、钢的渗碳、渗氮、磷化也都属于固相扩散问题。

一般情况下，组分在固体中的扩散可分为两种类型，一类是与固体内部结构无关的扩散；另一类是与固体内部结构有关的多孔介质中的扩散。两者均可按一维扩散进行分析。

A　与固体内部结构无关的扩散

这种扩散多发生在扩散组分在固体内部溶解形成均匀溶液的场合。例如用水进行固-液萃取时，溶质组分将溶解到浸入固体物料内部的水当中，在水溶液中进行扩散；某些情况下粮食内部的水分的扩散过程、金属内部物质的相互渗入等均属此类扩散过程。这种扩散过程的机理较为复杂，并且因物系不同而有所差异。但总体说来，扩散过程仍遵循费克定律。其扩散通量仍然可用前述的式（9-1a）来描述

$$N_A = -D_{AB}\frac{dc_A}{dz} + (N_A + N_B)\frac{c_A}{c}$$

一般情况下，固体扩散时，扩散组分的浓度都很低，c_A/c 很小可以忽略，因此有

$$N_A = -D_{AB}\frac{dc_A}{dz} \tag{9-22}$$

B　多孔介质中的稳态扩散

对于催化、吸附和膜分离等过程，流体混合物在多孔介质中的扩散是决定过程性能的重要因素。例如在催化反应中，为了强化表面效应，提高化学反应速率，催化剂常常制成多孔型。当催化剂孔道的直径很小，孔道的长度比孔道直径大得多时，则可假设在孔道径向同一截面上各点的浓度相等，扩散过程可视为沿孔道的轴向方向所进行的一维扩散。

因固体孔道结构的大小及形状不同，组分在孔道内的扩散可以分为费克型扩散、纽特逊（Kundsen）扩散和表面扩散三种不同类型的扩散。费克型扩散时，相对于分子与孔道壁面之间的碰撞，分子与分子之间的碰撞是主要的；纽特逊（Kundsen）扩散时，分子的平均自由程要远大于孔径，因而分子与壁面之间的碰撞占主导地位；表面扩散时，被吸附的组分分子则沿孔道壁面的表面进行扩散。一般说来，表面扩散与物质表面的吸附有关，对扩散的总贡献较小，在此不再展开讨论。

固体内部的扩散类型可由纽特逊数 K_n 的大小来判断，定义

$$K_n = \bar{\lambda}/2\bar{r} \tag{9-23}$$

式中，$\bar{\lambda}$ 为分子运动的平均自由程，m；$\bar{r}$ 为孔道的平均半径，m。

当 $K_n \geqslant 10$ 时，扩散主要为纽特逊型；当 $K_n \leqslant 0.01$ 时，孔道尺寸远远大于分子自由程，孔道内的扩散则为费克型扩散；若 $0.01 < K_n < 10$，则表示孔道直径与流体分子运动的平均自由程相当，分子之间的碰撞和分子与孔道壁面之间的碰撞同等重要，此类扩散称作过渡区扩散。

（1）费克型扩散。当液体或密度较大的气体在多孔固体介质中扩散时，一般发生费克型扩散。此时 $K_n \leqslant 0.01$，扩散规律仍遵循费克定律，但溶质组分 A 的扩散面积是多孔介质的自由截面积（孔道截面积）而非多孔介质的总表面积，扩散路径是曲折的毛细孔道，其长度大于垂直扩散距离 z。这种费克型扩散的扩散通量方程可表示为

$$N_A = -D_{AB,e} \frac{dc_A}{dz} \tag{9-24}$$

式中，$D_{AB,e}$ 为组分在孔道内的有效扩散系数，m^2/s。其大小与扩散路径的曲折程度和孔道的自由截面有关，与双组分混合物的扩散系数 D_{AB} 之间有如下关系

$$D_{AB,e} = \frac{D_{AB} \cdot \varepsilon}{\tau} \tag{9-25}$$

式中，ε 为多孔介质的孔隙率或自由截面积，m^3/m^3，由试验测定；τ 为曲折因数，与固体内部结构有关，其值一般也需要由试验测定。对于惰性固体，τ 的大约范围在 $1.5 \sim 5$ 之间；对于某些松散的固体床层，如玻璃球床、沙床、盐床等，在不同的孔隙率下，τ 值可如下近似选取：$\varepsilon = 0.2$，$\tau = 2.0$；$\varepsilon = 0.4$，$\tau = 1.75$；$\varepsilon = 0.6$，$\tau = 1.65$。

（2）纽特逊扩散。低压下气体在多孔固体中扩散时，由于孔道尺寸小于分子自由程，因此一般发生纽特逊扩散。此时，$K_n \geqslant 10$。在这类扩散过程中，碰撞主要发生在分子与壁面之间。显然，纽特逊扩散不遵循费克定律。

在纽特逊扩散中，由于没有足够的分子数，分子之间的相互作用较小，流体的黏性效应可以忽略。

纽特逊扩散通量方程可写成与费克定律相同的形式

$$N_A = -D_{AK} \frac{dc_A}{dz} \tag{9-26}$$

式中，D_{AK} 为纽特逊扩散系数，由气体分子运动论有

$$D_{AK} = \frac{2}{3} \bar{V}_A \bar{r} \tag{9-27a}$$

这里，$\bar{V}_A$ 为组分 A 的分子平均运动速度，m/s；$\bar{r}$ 为孔道的平均半径，m。

根据气体分子运动学说，组分 A 的分子平均运动速度 $\bar{V}_A = \sqrt{(8RT)/(\pi M_A)}$，其中 M_A 为组分 A 的相对分子质量。则对于圆直孔道，由式（9-27a）可得

$$D_{AK} = 97.0\bar{r} \left(\frac{T}{M_A} \right)^{1/2} \tag{9-27b}$$

可见，D_{AK} 不受压力的影响，是孔道的平均半径 $\bar{r}$ 的函数，与孔的大小成正比。

（3）过渡区扩散。当孔道直径与流体分子的平均自由程相当，分子之间的碰撞和分子与孔道壁面之间的碰撞同等重要时，所发生的扩散称为过渡区扩散。此时纽特逊数的范

围为 $0.01 < K_n < 10$ 。

引入有效扩散系数的概念，对纽特逊扩散，有

$$D_{AK,e} = D_{AK} \frac{\varepsilon}{\tau} \tag{9-28}$$

过渡区扩散时的扩散系数 $D_{AB,P}$ 可通过纽特逊扩散和费克型扩散的阻力加和来得出

$$\frac{1}{D_{AB,P}} = \frac{1}{D_{AB,e}} + \frac{1}{D_{AK,e}} \tag{9-29}$$

9.1.2 二维稳态分子扩散

描述一维稳态分子扩散的传质微分方程是只含一个空间变量的常微分方程，而在二维稳态分子扩散时，其浓度分布则是两个独立空间坐标的函数，相应的传质微分方程为偏微分方程。从方程的形式上来看，二维稳态分子扩散和二维稳态导热问题一样，模型方程均为拉普拉斯方程，因此，在方程边界条件类似的情况下，可根据导热问题的分析结果来直接得到其解。一般来说，分析解只能解决比较简单的问题，更多的问题要依赖于数值求解。

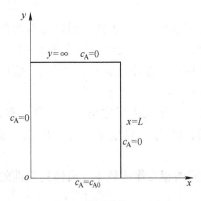

图 9-1　二维扩散模型示意图

如图 9-1 所示，考察一个矩形催化剂通道，设 x 方向宽为 L，y 方向一侧有界，一侧为无界，z 方向可以理解为无穷大，也可以理解为非常小，总之可以认为 $\partial c/\partial z = 0$，即该方向的浓度为一常数。

组分 A 在底面的浓度分布为 $c_A = c_{A0}$，组分通过通道底面在通道里面进行扩散，当到达通道的左右两个表面时，立即发生瞬时化学反应，生成产物 B，也就是说在这 2 个表面上，组分 A 的浓度为零。另外，由于通道在 y 方向无界，可以认为在无穷远处，组分的浓度也为零。若通道内没有总体流动，则有 $N_A = -N_B$。在上述条件下，当扩散系数为常数时，扩散过程为二维稳态扩散传质。质量传递微分方程简化为

$$\frac{\partial^2 c_A}{\partial x^2} + \frac{\partial^2 c_A}{\partial y^2} = 0 \tag{9-30}$$

边界条件为

$$x = 0, c_A = 0 \tag{9-31a}$$
$$x = L, c_A = 0 \tag{9-31b}$$
$$y = 0, c_A = c_{A0} \tag{9-31c}$$
$$y = \infty, c_A = 0 \tag{9-31d}$$

将式（9-30）及其边界条件与二维稳态导热问题的方程式（6-27）及边界条件进行对比

$$\frac{\partial^2 T}{\partial x^2} + \frac{\partial^2 T}{\partial y^2} = 0$$

稳态导热时，齐次边界条件见式（6-34a）、式（6-34b）、式（6-34c）、式（6-34d）

$$x = 0, T = 0$$
$$x = L, T = 0$$
$$y = 0, T = T_0$$
$$y = \infty, T = 0$$

可见，两种过程的方程及边界条件相似，因而解的形式也相同。可直接引用第 6 章得到的二维稳态导热的温度分布结果，得到无总体流动的二维稳态传质的浓度分布为

$$c_A(x,y) = \frac{2c_{A0}}{\pi} \sum_{n=0}^{\infty} \frac{(-1)^{n+1}+1}{n} e^{-\frac{n\pi}{L}y} \sin\left(\frac{n\pi}{L}x\right) \tag{9-32}$$

对应不同的边界条件所得到的解也不相同。

二维稳态扩散问题的求解，也可采用数值方法，其求解过程可参照二维稳态导热部分的内容，在此不再展开讨论。

9.2 非稳态分子传质

与稳态扩散不同，在非稳态扩散时，组分的浓度分布不仅与位置有关，而且随时间变化，扩散通量也随时间而改变。例如，间歇操作中的浓度分布自始至终都随时间改变；木材干燥过程中，木材内部的水分含量将随时间和位置发生变化，这些问题均属于非稳态质量传递问题。此外在稳态操作过程的初期，一般也都存在一个非稳态阶段。非稳态分子传质问题的求解，一般是从传质微分方程出发，结合初始条件及边界条件，求出浓度随时间和位置的分布。然后利用费克定律计算扩散传质通量。

从现象上来看，非稳态分子传质和非稳态导热有类似之处，因而可套用非稳态导热问题的求解方法。非稳态传质的微分方程为 $\frac{Dc_A}{D\theta} = D_{AB}\nabla^2 c_A + R_A$，一般说来，该偏微分方程的求解是比较困难的。只有在几何形状简单、边界条件也简单以及 D_{AB} 为常数的情况下才能求解，并且也都局限于无总体流动、没有化学反应的条件下，满足费克第二定律的一维非稳态传质问题。在这种条件下，描述非稳态分子传质的偏微分方程具有如下形式

$$\frac{\partial c_A}{\partial \theta} = D_{AB}\nabla^2 c_A \tag{9-33}$$

第 6 章给出的无内热源的非稳态热传导方程式（2-96）为

$$\frac{\partial T}{\partial \theta} = a\nabla^2 T$$

进一步可以写出描述一维非稳态问题的微分方程

$$\frac{\partial c_A}{\partial \theta} = D_{AB}\frac{\partial^2 c_A}{\partial z^2} \tag{9-34a}$$

$$\frac{\partial T}{\partial \theta} = a\frac{\partial^2 T}{\partial z^2} \tag{9-34b}$$

比较上述方程可以看出，非稳态传质微分方程与非稳态导热微分方程完全类似，在类似的对应边界条件下，可以直接应用非稳态导热问题的求解结果。只需将浓度 c_A 代替温度 T，以扩散系数 D_{AB} 代替导温系数 a，则在一维非稳态导热中所得到的解可直接应用于一维非稳态分子扩散过程。与非稳态分子传质过程相关的相似准数，也可以直接由非稳态

导热的两个基本准数引申而来。对应导热的傅里叶数 $Fo = \dfrac{a\theta}{l^2}$，在质量传递时有传质傅里叶数 $Fo^* = \dfrac{D_{AB}\theta}{l^2}$；对应导热的毕渥数 $Bi = \dfrac{\alpha l}{\lambda}$，在质量传递时则有传质毕渥数 $Bi^* = \dfrac{kl}{D_{AB}}$，其中 k 为对流传质系数。这两个准数的物理意义可由非稳态导热类推，在此不再重复讨论。

习　题

1. 在总压力为 p，温度为 T 的条件下，直径为 r_0 的萘球在空气中进行稳态分子扩散。设萘在空气中的扩散系数为 D_{AB}，在温度 T 下，萘球表面的饱和蒸气压为 p_{Aw}，试推导萘球表面的扩散通量为 $N_A = -\dfrac{D_{AB}p}{RTr_0}\ln\dfrac{p - p_{Aw}}{p}$。

2. 水在恒定温度 293K 下，由细管底部通过在直立的细管向干空气中蒸发。干空气的总压为 $1.013 \times 10^5 Pa$，温度为 293K。水蒸气在细管内由液面到顶部的扩散距离为 $\Delta z = 15cm$，在上述条件下，水蒸气在空气中的扩散系数为 $D_{AB} = 0.250 \times 10^{-4} m^2/s$，试求稳态扩散时水蒸气的摩尔通量及浓度分布方程。

3. 某球形颗粒含有微量的可溶性物质 A，将其浸没在大量溶剂当中，相距球远处溶质 A 的浓度为零。假设溶解过程中球的大小可视为不变，并且溶质很快溶解于周围的溶剂当中，在球的表面上溶质浓度达到饱和浓度 c_{Aw}。试求溶质 A 的溶解速率及球粒周围的溶质浓度分布。

10 对 流 传 质

对流传质是在流体流动条件下所发生的传质过程。对流传质又称对流扩散，指的是运动流体与固体壁面之间，或互不相溶的两种运动流体之间所发生的物质传递过程。在对流传质过程中，除了因分子扩散产生质量传递外，还伴随有流体质点或微团的宏观运动而产生的质量传递。相对于分子传质，对流传质可以得到较高的传质速率。一般说来，工业传质设备和反应器中的流体总是流动的，因此，工程上的质量传递过程主要是对流传质。

根据质量传递的范围，可将对流传质分为单相对流传质和相际对流传质。在单相对流传质过程中，质量传递仅在组分自身所在的运动流体（气相或液相）中发生。根据流体运动的原因，又分为自然对流传质和强制对流传质，前者一般在化工中应用较少，后者按流体运动状态还可分为层流对流传质和湍流对流传质。在相际对流传质过程中，质量传递发生于两相之间，这种传质过程在均相混合物分离操作时最为常见，在非均相反应器中，相际传质也起着重要作用。

流体流动是对流传质发生的前提条件，因此，对流传质过程与流体的运动特征密切相关。流体性质、流动的起因（强制流动与自然流动）、流动状态（层流还是湍流）以及流场几何特性等都对传质过程有着重要的影响。对流传质现象与对流传热现象非常类似，并且与动量传递过程有着密切的依存关系，因此，在动量传递部分和对流传热部分所应用的一些解析方法以及所导出的一些基本结论，对于对流传质过程同样适用。

本章主要侧重于讨论强制对流传质过程。运用边界层理论和湍流理论，解释对流传质机理，揭示对流传质过程的主要影响因素，解决对流传质系数的计算问题。

10.1 对流传质的基本理论

10.1.1 对流传质机理

对流传质是由于流体的运动所引起的，流体的运动状态对对流传质有着重要的影响。层流状况下，各层流体只是相对地滑动，相邻的流体层之间不发生混合，所以在垂直于流动方向上，质量传递只能依靠分子扩散。这时，仍然可以应用费克定律来计算组分的扩散通量。但在壁面附近，流体内的浓度梯度会因流体运动而增大，强化了传质，所以此时壁面处的扩散通量比流体静止时要大。

在工业实际中，流体的运动状态常常是湍流。湍流状况下，流体质点的真实速度无法明确地描述，流体内存在大量的漩涡，以毫无秩序的方式快速运动，在垂直于主流方向上造成流体的强烈混合。这种混合称为涡流扩散或湍流扩散。

沿固体壁面作湍流运动的流体，其内部存在 3 个不同的区域，它们依照距离壁面的次序分别是层流内层（或称黏性底层）、缓冲层（又称过渡层）和湍流核心。在这三个区域中，流体的流动型态各不相同，因而质量传递的机理也彼此不同。

紧贴着壁面的层流内层很薄，流体沿壁面方向平行流动，沿壁面的法线方向上，只有分子的无规则热运动，质量传递的方式主要依靠分子扩散。由于分子扩散速率很慢，因此层流内层中的浓度梯度很大。这种情况下的传质速率可用费克第一定律描述。

过渡层也称缓冲层，在这里有一定数量的漩涡，物质的传递将是分子扩散和涡流扩散的总和，浓度梯度比层流内层要小得多。在湍流核心区，质量传递主要依靠涡流扩散，分子扩散的作用则很小，常可以忽略不计。在这个区域内大量的漩涡运动使流体的横截面上浓度变得比较均匀，浓度梯度很小。

相际传质时，质量传递发生在相互接触的两相流体之间，各相主体与相界面之间的传质仍是决定性的步骤。其传质机理与上述流体流过固体壁面时的传质相似。但由于流动流体相界面处的情况十分复杂，因此，只能用一些简化模型来描述两流体相间的相际传质。

10.1.2　传质边界层的形成和发展

当流体流过固体壁面时，在壁面附近会出现厚度为 δ 的流动边界层。若流体在流动的同时，与固体壁面发生质量传递，则会在壁面附近出现明显的浓度梯度，离开壁面一定距离后，组分浓度基本上不再变化。由此可见，在壁面附近的浓度场可以划分为浓度显著变化和浓度基本不变的两个区域。可以认为质量传递的全部阻力集中在固体表面附近具有浓度梯度的流体层当中，该流体区域称为浓度边界层或传质边界层。因此，当发生对流传质时，在固体壁面上会同时形成两种边界层，即速度边界层和浓度边界层。图 10-1a 和图 10-1b 分别表示了在平板壁面上和圆管内壁面上形成边界层的情况。

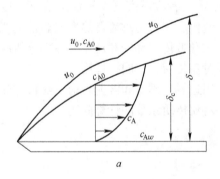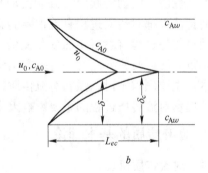

图 10-1　浓度边界层与速度边界层

a—平板壁面；b—圆管内壁面

如图 10-1a 所示，流体沿壁面流动，组分 A 在壁面处的浓度为 c_{Aw}，边界层外流体主体的平均浓度为 c_{A0}，边界层内沿壁面外法线方向上任一处的浓度为 c_A。由于存在浓度差，流体进入平板后，与壁面之间发生质量传递，在壁面附近形成浓度梯度。规定当 $\left[(c_{Aw} - c_A)/(c_{Aw} - c_{A0}) \right] = 0.99$ 时，与壁面之间的垂直距离为平板壁面上的浓度边界层厚度 δ_c。可见浓度边界层越薄，层内的浓度梯度越大，传质通量越大。显然，浓度边界层、速度边界层和温度边界层三者的定义是类似的，它们均为沿流动方向的距离的函数。

当流体流过圆管进行传质时，管内浓度边界层的形成与发展过程与管内温度边界层的形成与发展过程相类似。如图 10-1b 所示，当流体以均匀浓度和速度进入管内时，由于流体中组分 A 的浓度与管壁浓度不同而发生质量传递，浓度边界层的厚度由管前沿处的零值逐渐增厚，经过一段距离后，在管中心处汇合，此后浓度边界层厚度即等于管半径并维持不变，进入传质充分发展段。由管进口前缘至汇合点之间，沿管子轴向的距离 L_{ec} 称为传质进口段长度。

流体的流动状态不同，其传质进口段的长度也不同，层流条件下，传质进口段长度为

$$L_{ec} = 0.05dReSc \tag{10-1}$$

湍流流动时，传质的进口段长度为

$$L_{ec} = 50d \tag{10-2}$$

式中，d 为圆管内径，m；无因次数群 $Sc = \nu / D_{AB}$ 为施密特数，表示运动黏度与扩散系数之比，反映了速度分布和浓度分布之间的关系，相当于对流传热中的普朗特数。

传质边界层厚度和速度边界层厚度一般并不相等，它们之间的关系取决于由黏度和扩散系数所组成的施密特数的大小。类似于对流传热时传热边界层和速度边界层之间的联系，传质边界层厚度和速度边界层厚度之间存在如下关系

$$\delta / \delta_c = Sc^{1/3} \tag{10-3}$$

在对流传热部分曾经指出，当 $Pr = 1$ 时，速度边界层厚度与温度边界层厚度相等，即 $\delta = \delta_T$。同样，在浓度边界层中，当 $\nu = D_{AB}$，即施密特数 $Sc = \nu / D_{AB} = 1$ 时，速度边界层厚度与浓度边界层厚度相等，即 $\delta = \delta_c$。在浓度边界层内存在对流扩散和分子扩散，两种扩散的相对大小可用贝克来（Peclet）数 Pe 来表示

$$Pe = Re \cdot Sc \tag{10-4}$$

Pe 数很小，表示在质量传递过程中以分子扩散为主；若 Pe 数很大，则表示以对流扩散为主。

10.1.3 对流传质系数

如前所述，在湍流运动的流体内存在分子扩散和涡流扩散。对于二元混合物，可以仿照费克定律式 9-1a 的形式，写出组分的传质通量表达式

$$N_A = - (D_{AB} + \varepsilon_M) \frac{dc_A}{dz} + x_A (N_A + N_B) \tag{10-5}$$

式中，ε_M 为涡流质量扩散系数，m^2/s。

由该方程可见，若直接采用扩散系数来解决传质过程的计算问题，则不失为一种较为简捷的方法。但实际上，扩散距离 z 却是一个极难确定的数值。此外，在实际传质过程中，流体的流动状况十分复杂，分子扩散和涡流扩散在传质过程中所起的作用常常是未知的。因此，工程上为了简化，一般把 D_{AB}、ε_M 和扩散距离 z 合并在一起作为传质系数来处理。为此，类似于对流传热，将对流传质时的传质速率方程以牛顿冷却定律的形式来表示，即

$$N_A = k_c \Delta c_A \tag{10-6}$$

式中，N_A 为组分 A 的传质通量（即单位面积的传质速率），$kmol/ (m^2 \cdot s)$。Δc_A 为组分 A 在相界面（固体表面或流体界面）处的浓度与流体主体平均浓度差，$kmol/m^3$；k_c 是以 Δc_A 为基准的对流传质系数，m/s。

式（10-6）即为对流传质系数的定义式。这种处理方法是将一相中的浓度与界面处浓度差作为对流传质的推动力，而将所有影响对流传质的其他因素概括在传质系数当中。经过这种转换，对流传质系数的确定便成了对流传质计算和研究中的关键问题。

对流传质系数同对流传热系数 α 一样，也和系统的几何形状及流体流动状态、物性、流动产生的原因等有密切关系。需要指出，由于混合物的组成有多种表示方法，与之相应的传质速率方程和传质系数也有多种形式，表 10-1 给出了各种形式的传质速率方程及其对应的传质系数。

表 10-1　传质系数的定义和单位

气相传质通量方程与传质系数				
等分子反方向扩散		单 向 扩 散		传质系数的单位
传质通量	传质系数	传质通量	传质系数	
$N_A = k_c^0(c_{A1} - c_{A2})$	$k_c^0 = D_{AB}/z$	$N_A = k_c(c_{A1} - c_{A2})$	$k_c = \dfrac{pD_{AB}}{zp_{BM}}$	kmol/[(m² · s) · (kmol/m³)]
$N_A = k_G^0(p_{A1} - p_{A2})$	$k_G^0 = \dfrac{D_{AB}}{RTz}$	$N_A = k_G(p_{A1} - p_{A2})$	$k_G = \dfrac{pD_{AB}}{RTzp_{BM}}$	kmol/(m² · s · Pa)
$N_A = k_y^0(y_{A1} - y_{A2})$	$k_y^0 = \dfrac{pD_{AB}}{RTz}$	$N_A = k_y(y_{A1} - y_{A2})$	$k_y = \dfrac{p^2 D_{AB}}{RTzp_{BM}}$	kmol/(m² · s · Δy)
液相传质通量方程与传质系数				
等分子反方向扩散		单 向 扩 散		传质系数的单位
传质通量	传质系数	传质通量	传质系数	
$N_A = k_L^0(c_{A1} - c_{A2})$	$k_L^0 = \dfrac{D_{AB}}{z}$	$N_A = k_L(c_{A1} - c_{A2})$	$k_L = \dfrac{D_{AB}}{zx_{BM}}$	kmol/[(m² · s) · (kmol/m³)]
$N_A = k_x^0(x_{A1} - x_{A2})$	$k_x^0 = \dfrac{cD_{AB}}{z}$	$N_A = k_x(x_{A1} - x_{A2})$	$k_x = \dfrac{cD_{AB}}{zx_{BM}}$	kmol/(m² · s · Δx)

由表 10-1 可见，各种不同定义的传质系数之间存在如下关系：

对于液相有

$$k_x^0 = ck_L^0 = \frac{\rho}{M}k_L^0 = k_x x_{BM} = ck_L x_{BM} \tag{10-7}$$

式中，M 为溶液的总平均摩尔质量，kg/kmol；ρ 为溶液的密度，kg/m³。

对于气相，则

$$\frac{pk_c^0}{RT} = pk_G^0 = k_y^0 = p_{BM}k_G = \frac{p_{BM}}{p}k_y \tag{10-8}$$

表 10-1 中所给出的各表达式，并未揭示影响对流传质系数的各种因素与对流传质系数的关系，只是给出了对流传质系数的定义式。研究对流传质的基本目的，主要是用理论分析或实验方法求得各种情况下对流传质系数的关系式。但目前关于对流传质问题的理论研究仍不够成熟，还只能解决一些简单的问题，对于复杂的实际问题仍有很大的难度。

10. 1. 4　相际间的对流传质模型

工业过程中所遇到的质量传递多属物质通过相界面由一相到另一相的转移过程。这种相际间的质量传递过程，界面浓度是不连续的。由于界面极薄，很难不受干扰地进行直接观察和测定，因此，对这种复杂的界面现象至今还缺乏清晰的描述。为确定对流传质系数的主要影响因素及其定量关系，解决传质速率的计算问题，多年来，许多研究者从已知的基本事实出发，通过对传质过程做出一定的假定，提出了一些对流传质的数学模型，试图对这种尚未建立系统理论的传递过程，进行机理分析和求解，以得到所需的对流传质系数的计算式。这些理论正在逐步取得进展，但还远远没有完善。下面分别介绍几个主要的传质模型。

10. 1. 4. 1　双膜模型

1923 年惠特曼（Whitman）首次提出了双膜模型，该模型的建立使传质问题的分析和计算，由基本凭经验到有一定的理论指导。前面所提出的对流传质系数就是以该模型为依据定义的。双膜模型又称作停滞膜模型。它的基本论点是：互不混溶的两相流体在进行传质时，在流体界面两侧分别存在一个层流膜，传质阻力全部集中在膜内，在膜内只有垂直于流体流动方向的稳态分子扩散；在相界面上，两相处于平衡状态，不存在传质阻力；流体主体的运动速度影响着层流膜的厚度，在层流膜外，由于强烈的湍流脉动而使膜外的主体浓度均匀，传质阻力很小，可忽略不计。通过这种对复杂真实过程的简化处理，相际传质过程即可用费克定律加以描述。

由于假定传质阻力所在的区域可用两个虚拟的停滞膜来代替，因而，双膜模型仅适用于建立浓度梯度所需时间大大小于传质所需时间，或双膜内所拥有的溶质量可忽略不计的传质过程。这时，膜内无溶质积累，浓度梯度呈线性关系，传质过程为稳态的分子扩散，两相的扩散通量相等。根据费克定律，两相中单位面积的传质速率（扩散通量）分别为

$$N_A = \frac{D_{AB}}{\delta_1}(c_{A10} - c_{A1w}) = k_{c1}(c_{A10} - c_{A1w}) \tag{10-9a}$$

$$N_A = \frac{D_{AB}}{\delta_2}(c_{A2w} - c_{A20}) = k_{c2}(c_{A2w} - c_{A20}) \tag{10-9b}$$

式中，δ_1、δ_2 分别为两层停滞膜的厚度；c_{A10}、c_{A20} 分别为两相流体的主体的平均浓度；c_{A1w}、c_{A2w} 分别为两相流体在相界面上的浓度，两者呈平衡。

这种处理方法是将其他因素的影响，如流体的黏度、流速及搅拌条件等，全部归并在未知膜厚度 δ 之内。若能求出膜厚 δ，则可以求出传质系数。双膜模型为传质理论的建立奠定了初步基础，但由于其对相界面附近的情况作了较多简化，因而不完全符合实际情况。根据双膜模型，传质系数 $k_c \propto D_{AB}$。但实际上 $k_c \propto D_{AB}^n$，n 值在 $0.5 \sim 1.0$ 之间，一般认为 $k_c \propto D_{AB}^{2/3}$ 更接近实际情况，实验也证实了这一点。

10. 1. 4. 2　溶质渗透模型

希格比（Higbie）在 1935 年提出了溶质渗透模型，试图说明溶质由气相通过界面向液相转移过程的传质机理。该模型考虑了双膜模型所忽略的、形成浓度梯度的过渡时间，认为相际传质过程是两相之间反复而短暂的接触过程，由于接触时间很短，流体内尚未能形成稳态的浓度分布，溶质在液相中的扩散也不可能达到稳定状态。在该接触时间内，存在溶质由相界面向液膜深度方向逐步渗透的不稳定阶段。因此，需要根据非稳态扩散模型来处理这类问题。

根据溶质渗透模型，当气液两相以湍流状态相互接触时，液相主体中的某一个液体漩涡（或液面微元）运动至界面停滞下来，在时间 $\theta \le 0$ 时，气液两相尚未接触，漩涡中溶

质的浓度与液相主体浓度相等，即 $c_A = c_{A0}$。一旦液体漩涡与气体接触后，其在界面处的浓度立即与气相浓度达到平衡，此时，$c_A = c_{Aw}$。由于液体漩涡在两相界面处停留的时间很短，气相中的溶质 A 尚来不及传递至此漩涡的另一侧面，随即被新的液体漩涡所置换，故可认为漩涡的另一侧是无限的，在两相接触的时间内，该侧面处溶质的浓度仍等于原来液相主体的浓度，即 $c_A = c_{A0}$。在两相接触的一段时间内，溶质 A 通过非稳态扩散方式不断地向液体漩涡中渗透，时间越长，渗透越深。假定所有漩涡暴露的时间 θ_c 均相同，液体漩涡在界面处暴露 θ_c 时间后，这批漩涡随即被另一批新漩涡所置换，返回到液相主体中。

按照希格比的假设，漩涡在时间 θ_c 内，其内部的流体是静止的，宏观运动速度为零。假设无化学反应发生，溶质进入液体中的传递方式为一维非稳态分子扩散，则其质量传递过程可由费克第二定律式（8-25b）描述

$$\frac{\partial c_A}{\partial \theta} = D_{AB} \frac{\partial^2 c_A}{\partial z^2}$$

边界条件为

$$\theta = 0 , 0 < z < \infty , c_A = c_{A0}$$
$$\theta > 0 , z = 0 , c_A = c_{Aw}$$
$$\theta > 0 , z = \infty , c_A = c_{A0}$$

式中，c_{A0} 是流体主体中初始浓度，c_{Aw} 是溶质 A 在界面上的平衡浓度。

该方程与式（6-49）类似，因而可相仿式（6-61）写出其解，从而得到浓度分布方程

$$\frac{c_{Aw} - c_A}{c_{Aw} - c_{A0}} = \mathrm{erf}\left(\frac{z}{\sqrt{4D_{AB}\theta}}\right) = \mathrm{erf}(\eta) \tag{10-10}$$

式中，$\eta = \dfrac{z}{\sqrt{4D_{AB}\theta}}$，$\mathrm{erf}(\eta)$ 为误差函数，可由书末附录 B 中查取。

根据费克第一定律，在相界面上溶质 A 的传质通量为

$$N_A \big|_{z=0} = - D_{AB} \frac{\partial c_A}{\partial z}\bigg|_{z=0} \tag{10-11}$$

参考第 6 章导热部分的处理方法，对浓度分布方程式（10-10）进行微分并整理可得浓度梯度

$$\frac{\partial c_A}{\partial z}\bigg|_{z=0} = \frac{c_{A0} - c_w}{\sqrt{\pi D_{AB}\theta}} \tag{10-12}$$

将式（10-12）代入式（10-11）中，即得任一瞬时组分 A 通过界面的扩散通量

$$N_A \big|_{z=0} = (c_{Aw} - c_{A0}) \sqrt{D_{AB}/(\pi\theta)} \tag{10-13}$$

在时间 θ_c 内，总的平均传质速率为

$$N_{Am} = (c_{Aw} - c_{A0}) \sqrt{D_{AB}/\pi} \frac{1}{\theta_c} \int_0^{\theta_c} \frac{\mathrm{d}\theta}{\theta^{1/2}}$$

$$= 2(c_{Aw} - c_{A0}) \sqrt{D_{AB}/(\pi\theta_c)} \tag{10-14}$$

由式（10-13）和式（10-14）中还可得出，在 θ 时刻的对流传质系数 $k_{c\theta}$ 和在 $0 \sim \theta_c$

之间的平均对流传质系数 k_{cm} 分别为

$$k_{c\theta} = \sqrt{D_{AB}/(\pi\theta)} \qquad (10\text{-}15a)$$

$$k_{cm} = 2\sqrt{D_{AB}/(\pi\theta_c)} \qquad (10\text{-}15b)$$

由式（10-15a、b）可以看出，对流传质系数与扩散系数的平方根成正比。舍伍德等人在填料塔及湿壁塔中所得到的实验结果也证实了这一结论。式（10-15b）还说明了暴露时间对传质系数的影响，θ_c 越短，传质速率越大。表明溶质的逐渐渗入使界面处的浓度梯度随暴露时间的延长而不断减小。

溶质渗透模型仍然是以膜模型为基础，只不过是考虑了形成浓度梯度的过渡阶段。与双膜模型相比，溶质渗透模型能更准确地描述气液间的对流传质过程。但在实际工业装置中，一般尚不能精确地定出 θ_c 的值，导致该模型的模型参数求算较为困难，其应用受到一定限制。

10.1.4.3 表面更新模型

溶质渗透模型认为所有漩涡暴露的时间 θ_c 均相同，或者每个液体微元在表面和气相接触的时间都是一样的，这是不可能的。实际情况应该是每个微元都有长短不同的接触时间。因此，整个气液界面是由许多暴露时间长短各不相同的微元所组成。由于溶质渗透的速率与暴露时间有关，所以整个相界面上的平均传质速率应等于所有微元的数值之和。基于以上考虑，丹克沃茨（Danckwerts）在 1951 年对希格比的溶质渗透模型进行了修正，提出了表面更新模型。其基本论点可通过图 10-2 来说明。气液进行相际传质时，液相可以分成"界面"和"主体"两个区域。在界面区，质量传递按渗透理论进行，但与渗透模型不同的是界面上的微元并不固定，而是不断地和主体区发生交换而使得表面不断更新。在主体区，液体浓度均匀一致。丹克沃茨认为由涡流带到界面上的液体微元，暴露时间并不相等，而是存在一个随机的年龄分布，界面上各种不同年龄的液面单元都存在，只是年龄越大者，占据的比例越小。针对液面单元的年龄分布，丹克沃茨假定了一个表面年龄分布函数 $f(\theta)$，其定义为：年龄由 θ 至 $(\theta + d\theta)$ 这段时间的液面单元所覆盖的界面积占液面总

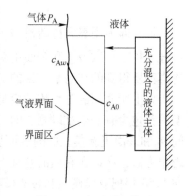

图 10-2　表面更新模型

积的分数为 $f(\theta)d\theta$，若液面总面积以 1 单位面积为基准，则年龄由 θ 至 $(\theta + d\theta)$ 的液面单元所占的表面积即为 $f(\theta)d\theta$，对所有年龄的液面单元加和，可得

$$\int_0^\infty f(\theta)d\theta = 1 \qquad (10\text{-}16)$$

同时，丹克沃茨还假定，界面上所有液面单元被置换的概率是均等的，即更新频率与年龄无关。单位时间内表面被置换的分数称为表面更新率，用符号 S 表示，则任何年龄的液面单元在 $d\theta$ 时间内被置换的分数均为 $Sd\theta$。

根据年龄分布函数的定义，若总的表面积为 1 时，年龄在 θ 至 $(\theta + d\theta)$ 间的液面单元的表面积为 $f(\theta)d\theta$，再经过 $d\theta$ 时间，被更新的表面为 $f(\theta)d\theta \cdot Sd\theta$，而未被更新的表面积为 $f(\theta)d\theta(1 - Sd\theta)$，在此时刻，液面的表面亦可用 $f(\theta + d\theta)d\theta$ 表示，故得

$$f(\theta + d\theta)d\theta = f(\theta)d\theta(1 - Sd\theta)$$

或
$$\frac{f(\theta + \mathrm{d}\theta) - f(\theta)}{\mathrm{d}\theta} = -Sf(\theta)$$

上式可近似写成
$$\frac{\mathrm{d}f(\theta)}{\mathrm{d}\theta} = -Sf(\theta)$$

积分得
$$f(\theta) = Ce^{-S\theta}$$

式中，C 为积分常数，可由式（10-16）确定
$$1 = \int_0^\infty f(\theta)\mathrm{d}\theta = C\int_0^\infty e^{-S\theta}\mathrm{d}\theta = \frac{C}{S}$$

由此得年龄分布函数 $f(\theta)$ 与表面更新率 S 之间的关系为
$$f(\theta) = Se^{-S\theta} \tag{10-17}$$

设在某瞬时 θ，具有年龄 θ 的那一部分表面积的瞬间传质通量为 $N_{A\theta}$，则液体表面上的平均传质通量 N_{Am} 为
$$N_{Am} = \int_0^\infty N_{A\theta}f(\theta)\mathrm{d}\theta = \int_0^\infty (c_{Aw} - c_{A0})\sqrt{D_{AB}/(\pi\theta)}f(\theta)\mathrm{d}\theta$$

将式（10-17）代入上式，并积分得
$$N_{Am} = (c_{Aw} - c_{A0})\sqrt{D_{AB}S} \tag{10-18}$$

由此可知，平均传质系数为
$$k_{cm} = \sqrt{D_{AB}S} \tag{10-19}$$

该式即为用表面更新模型导出的对流传质系数计算式。可见，对流传质系数 k_{cm} 可通过分子扩散系数 D_{AB} 和表面更新率 S 计算。根据表面更新模型，$k_c \propto \sqrt{D_{AB}}$，这与溶质渗透模型所得到的结论是一致的。

以上所介绍的三种传质模型虽都简单明了，并都有可以接受的物理概念，但每一个模型中都包含有一个难以测定的参数，如双膜模型中的膜厚度 δ、溶质渗透模型中的暴露时间 θ_c 和表面更新模型中的表面更新率 S 等。不过，这些模型理论毕竟指出了解决问题的思想方法，所以在它们的基础上，陆续出现了许多新的理论和模型。如 Toor and Marchello 在 1958 年把双膜模型和渗透模型相结合，提出了膜 - 渗透模型。认为传质阻力主要发生在相界面的层流膜中，但传质过程是一个非稳态过程，当暴露时间较短时，物质扩散不会离界面太远，这个过程就相当于渗透模型所描述的过程。当暴露时间长，膜内已建立起稳定的浓度梯度，这个过程相当于双膜模型所描述的过程。在此不再赘述，可参考有关专著。

对流传质模型的建立，不仅使对流传质系数的确定得以简化，还可据此对传质过程及设备进行分析，确定适宜的操作条件，并对设备的强化、新型高效设备的开发等做出指导。但是由于工程上应用的传质设备类型繁多，传质机理又极其复杂，所以至今尚未建立一种普遍化的比较完善的传质模型。

10.2　层流状态下的对流传质

层流状态下的对流传质过程，与相同流动条件下的对流传热相类似。在一定条件下，不仅可以采用相同的数学处理方法进行解析，而且所得到的结果也有完全类似的表达形

式。

10.2.1 平板层流传质

如前所述，流体在平板壁面上进行对流传质时，质量传递的全部阻力可视为集中在平板表面上一层具有浓度梯度的流体层内，该流体层称为浓度边界层。在浓度边界层内，组分以分子扩散方式进行传质。当壁面浓度 c_{Aw} 和流体主体的浓度 c_{A0} 维持恒定时，设为等分子反方向扩散，则在平板壁面浓度边界层中，固体壁面与流体之间的传质通量可写成如下形式

$$N_A = k_c^0 (c_{Aw} - c_{A0}) \tag{10-20}$$

由于在壁面处的质量传递为分子扩散，并且壁面浓度 c_{Aw} 维持恒定，因此传质通量又可以采用费克第一定律来表达

$$N_A = -D_{AB} \frac{dc_A}{dy}\bigg|_{y=0} = -D_{AB} \frac{d(c_A - c_{Aw})}{dy}\bigg|_{y=0} \tag{10-21}$$

由式（10-20）和式（10-21）可得

$$N_A = k_c^0 (c_{Aw} - c_{A0}) = -D_{AB} \frac{d(c_A - c_{Aw})}{dy}\bigg|_{y=0} \tag{10-22}$$

则传质系数可以表示为

$$k_c^0 = D_{AB} \frac{d[(c_A - c_{Aw})/(c_{A0} - c_{Aw})]}{dy}\bigg|_{y=0} \tag{10-23}$$

将式（10-23）写成无量纲形式

$$\frac{k_c^0 L}{D_{AB}} = Sh = \frac{d(c_A - c_{Aw})/dy|_{y=0}}{(c_{A0} - c_{Aw})/L} \tag{10-24}$$

式中，无量纲准数 Sh 称为舍伍德数（Sherwood number），$Sh = \dfrac{k_c^0 L}{D_{AB}}$。表示对流传质时分子扩散阻力与对流扩散阻力之比，类似于对流传热中的努塞尔数（$Nu = \alpha L/\lambda$）。

采用式（10-23）求解传质系数 k_c^0 时，关键在于根据浓度分布求取壁面的浓度梯度，而浓度分布则需要运用边界层对流扩散方程来求解。求解过程与对流传热系数的求解相类似。

10.2.1.1 平板壁面层流传质的精确解

A　边界层对流扩散方程及其精确解

如图 10-3 所示，不可压缩流体沿无限大平板作二维流动，图中表示出了浓度边界层内的发展情况。在本书第 4 章和第 7 章，曾采用数量级分析方法，推导出了层流状况下，平板壁面二维流动和二维传热时的边界层动量方程（4-13）和边界层能量方程（7-14），它们分别为

$$u_x \frac{\partial u_x}{\partial x} + u_y \frac{\partial u_x}{\partial y} = \nu \frac{\partial^2 u_x}{\partial y^2}$$

$$u_x \frac{\partial T}{\partial x} + u_y \frac{\partial T}{\partial y} = a \frac{\partial^2 T}{\partial y^2}$$

对于双组分混合物沿平板作层流流动的情况，采用类似的方法，同样可以由对流传质微分方程，推导出稳态条件下浓度边界层对流扩散方程

$$u_x \frac{\partial c_A}{\partial x} + u_y \frac{\partial c_A}{\partial y} = D_{AB} \frac{\partial^2 c_A}{\partial y^2} \tag{10-25}$$

可以看出，以上 3 个方程完全类似。由于在边界层能量方程和边界层对流扩散方程中存在速度项，因此在求解这两个方程时，需要运用奈维-斯托克斯方程和连续性方程确定速度分布。如果在层流边界层中同时发生传热和传质，并且此时 ν、a 和 D_{AB} 可以看作是常量，则动量传递、热量传递和质量传递可各自分别求解。即先由连续性方程及式（4-13）求出速度分布，然后将速度分布代入式（7-14）和式（10-25）中，求出温度分布和浓度分布。但严格说来，ν、a 和 D_{AB} 均与温度相关，而且质量传递不仅与浓度梯度有关，还与温度梯度及压力梯度相关。因此，只能近似认为三种传递互不影响，进行简化处理。

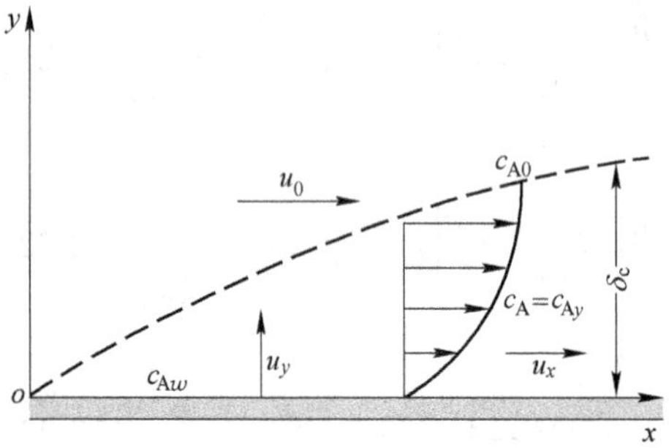

结合不可压缩黏性流体在平板边界层内进行二维动量传递时的连续性方程和运动方程，可得到描述平板边界层内二维流动和二维质量传递的边界层微分方程组

图 10-3　平板层流传质

$$u_x \frac{\partial c_A}{\partial x} + u_y \frac{\partial c_A}{\partial y} = D_{AB} \frac{\partial^2 c_A}{\partial y^2} \tag{10-25}$$

$$u_x \frac{\partial u_x}{\partial x} + u_y \frac{\partial u_x}{\partial y} = \nu \frac{\partial^2 u_x}{\partial y^2} \tag{4-13}$$

$$\frac{\partial u_x}{\partial x} + \frac{\partial u_y}{\partial y} = 0 \tag{10-26}$$

上述方程组的边界条件为

$$y = 0, u_x = 0, u_y = u_{yw}, c_A = c_{Aw} \tag{10-27a}$$

$$y \to \infty, u_x = u_0, c_A = c_{A0} \tag{10-27b}$$

边界条件中的 u_y 是由传质所引起的。它可正可负，正值代表组分 A 由平板表面向流体传递，负值代表组分 A 由流体向平板表面传递。为将偏微分方程式（10-25）化成常微分方程以便求解，先将未知量无量纲化。设无因次浓度 $c_A^* = \dfrac{c_{Aw} - c_A}{c_{Aw} - c_{A0}}$，以无因次位置变量 η 来代替 x、y，采用与动量传递和热量传递相类似的处理方法，令 $\eta = y\sqrt{\dfrac{u_0}{\nu x}} = \dfrac{y}{x}$ $\sqrt{\dfrac{u_0 x}{\nu}} = \dfrac{y}{x} Re_x^{1/2}$，$f(\eta) = \dfrac{\psi}{\sqrt{\nu u_0 x}}$，其中，$u_0$ 为边界层外流体沿 x 方向的流速，ψ 是流函数，ν 为运动黏度。

按照第 3 章流函数的定义，有

$$u_x = \frac{\partial \psi}{\partial y} = u_0 f'(\eta) \tag{10-28a}$$

$$u_y = -\frac{\partial \psi}{\partial x} = \frac{\left[\eta f'(\eta) - f(\eta)\right]}{2} \sqrt{\frac{\nu u_0}{x}} \tag{10-28b}$$

则 x 方向和 y 方向的浓度梯度可分别表示为

$$\frac{\partial c_{\mathrm{A}}}{\partial x} = -(c_{\mathrm{A}w} - c_{\mathrm{A}0})\frac{\mathrm{d}c_{\mathrm{A}}^{*}}{\mathrm{d}\eta}\frac{\mathrm{d}\eta}{\mathrm{d}x} = \frac{1}{2}(c_{\mathrm{A}w} - c_{\mathrm{A}0})\left(\frac{y}{x^{2}}\sqrt{\frac{u_{0}x}{\nu}}\right)\frac{\mathrm{d}c_{\mathrm{A}}^{*}}{\mathrm{d}\eta}$$

$$(10\text{-}29a)$$

$$\frac{\partial c_{\mathrm{A}}}{\partial y} = -(c_{\mathrm{A}w} - c_{\mathrm{A}0})\frac{\mathrm{d}c_{\mathrm{A}}^{*}}{\mathrm{d}\eta}\frac{\mathrm{d}\eta}{\mathrm{d}y} = -(c_{\mathrm{A}w} - c_{\mathrm{A}0})\frac{1}{x}\sqrt{\frac{u_{0}x}{\nu}}\frac{\mathrm{d}c_{\mathrm{A}}^{*}}{\mathrm{d}\eta} \qquad (10\text{-}29b)$$

二阶导数可写成

$$\frac{\partial^{2}c_{\mathrm{A}}}{\partial y^{2}} = -(c_{\mathrm{A}w} - c_{\mathrm{A}0})\frac{u_{0}}{x\nu}\frac{\mathrm{d}^{2}c_{\mathrm{A}}^{*}}{\mathrm{d}\eta^{2}} \qquad (10\text{-}30)$$

将式（10-28）~式（10-30）代入式（10-25），整理得

$$\frac{\mathrm{d}^{2}c_{\mathrm{A}}^{*}}{\mathrm{d}\eta^{2}} + \frac{1}{2}f(\eta)\frac{\nu}{D_{\mathrm{AB}}}\frac{\mathrm{d}c_{\mathrm{A}}^{*}}{\mathrm{d}\eta} = 0 \qquad (10\text{-}31a)$$

或写成

$$\frac{\mathrm{d}^{2}c_{\mathrm{A}}^{*}}{\mathrm{d}\eta^{2}} + \frac{1}{2}f(\eta)Sc\frac{\mathrm{d}c_{\mathrm{A}}^{*}}{\mathrm{d}\eta} = 0 \qquad (10\text{-}31b)$$

该式即为无因次边界层对流扩散方程。式中，$Sc = \dfrac{\nu}{D_{\mathrm{AB}}}$ 为施密特数。下面对方程的边界条件做进一步分析。平板层流传质时，在壁面处，$y = 0$（即 $\eta = 0$），$c_{\mathrm{A}}^{*} = 0$。由于壁面附近流体无滑移现象，必有 $u_{x} = 0$ 成立。此外，当流体流过可溶性壁面时，若溶质 A 在流体中的溶解度较大，则其在溶解过程中会带动壁面处的流体沿 y 方向运动，此时壁面处 $u_{yw} \neq 0$，称 u_{yw} 为壁面喷出速度。考虑到一般情况下溶质在流体中的溶解度较小，为方便分析，在此不考虑 y 方向因传质所引起的速度变化，即当 $y = 0$ 时，近似认为 $u_{yw} = 0$。则方程的边界条件化为

$$\eta = 0, c_{\mathrm{A}}^{*} = 0 \qquad (10\text{-}32a)$$

$$\eta \to \infty, c_{\mathrm{A}}^{*} = 1 \qquad (10\text{-}32b)$$

为便于比较分析，下面将第 7 章所推导出的无因次边界层能量方程及相应的边界条件也一并对应列出，见式（7-20）

$$\frac{\mathrm{d}^{2}T^{*}}{\mathrm{d}^{2}\eta} + \frac{1}{2}Prf(\eta)\frac{\mathrm{d}T^{*}}{\mathrm{d}\eta} = 0$$

边界条件见式（7-20a）、式（7-20b）

$$\eta = 0, T^{*} = 0$$
$$\eta \to \infty, T^{*} = 1$$

比较可知，在壁面喷出速度 $u_{yw} = 0$ 的条件下，边界层质量传递方程式（10-31）和边界层能量方程式（7-20）形式类似，边界条件也类似。亦即这时对流传质问题的数学描述与对流换热问题的数学描述完全相同，故可直接利用对流传热的解来求解对流传质问题。式（10-31）的解可根据第 7 章所得出的传热的波尔豪森解类比写出，表 10-2 给出了传热的波尔豪森解和与之对应的传质的类比解。

由此可见，$u_{yw} = 0$ 是个重要的简化，它使得这一类对流传质问题的数学描述及边界条件完全与对流传热问题类似，因而可直接引用对流换热的解来求解质量传递问题。一般说来，在质量浓度比较低，传质速率较小的场合都可以近似认为 $u_{yw} = 0$。

表 10-2　平板层流对流传热和对流传质的类比解

层流对流传热	层流对流传质
$\delta/\delta_T = Pr^{1/3}$	$\delta/\delta_c = Sc^{1/3}$
$\left.\dfrac{dT^*}{d\eta}\right\|_{\eta=0} = 0.332 Pr^{1/3}$	$\left.\dfrac{dc_A^*}{d\eta}\right\|_{\eta=0} = 0.332 Sc^{1/3}$
$\left.\dfrac{dT^*}{dy}\right\|_{y=0} = 0.332 \dfrac{1}{x} Re_x^{1/2} Pr^{1/3}$	$\left.\dfrac{dc_A^*}{dy}\right\|_{y=0} = 0.332 \dfrac{1}{x} Re_x^{1/2} Sc^{1/3}$

B　对流传质系数

不难证明，当 $u_{yw} = 0$ 时，等分子反方向扩散时的对流传质系数 k_c^0 和单向扩散的对流传质系数 k_c 大小相等。以下对传质系数 k_c^0 进行分析计算。流体沿平板壁面层流流动进行传质时，k_c^0 或 Sh 随着流动距离 x 的不同而不同，将表 10-2 中浓度梯度 $\left.\dfrac{dc_A^*}{dy}\right\|_{y=0}$ 的表达式代入式（10-23），可得距平板前沿 x 处的局部对流传质系数 k_{cx}^0 的计算式

$$k_{cx}^0 = 0.332 \frac{D_{AB}}{x} Re_x^{1/2} Sc^{1/3} \tag{10-33a}$$

对于长度为 L 的平板，平均对流传质系数的定义为 $k_{cm}^0 = \dfrac{1}{L}\displaystyle\int_0^L k_{cx}^0 dx$，则平板表面上平均对流传质系数为

$$k_{cm}^0 = 0.664 \frac{D_{AB}}{L} Re_L^{1/2} Sc^{1/3} \tag{10-33b}$$

对流传质系数的大小也常用舍伍德数 Sh 来表述，根据舍伍德数的定义可得局部舍伍德数和平均舍伍德数分别为

$$Sh_x = k_{cx}^0 x/D_{AB} = 0.332 Re_x^{1/2} Sc^{1/3} \tag{10-34a}$$

$$Sh_m = k_{cm}^0 L/D_{AB} = 0.664 Re_L^{1/2} Sc^{1/3} \tag{10-34b}$$

以上各式中，$Re_x = \dfrac{xu_0}{\nu}$，$Re_L = \dfrac{Lu_0}{\nu}$。对照式（10-33）～式（10-34），可以看出，对于长度为 L 的平板，其对流质系数或舍伍德数的平均值为局部值的两倍，即有 $k_{cm}^0 = 2k_{cx}^0$，$Sh_m = 2Sh_x$。

C　速度边界层厚度和浓度边界层厚度的关系

结合第 4 章中所得到的普朗特边界层方程的精确解，可以推导出速度边界层和浓度边界层（传质边界层）厚度之间的关系。在前面的分析中曾指出，类似于对流传热时传热边界层和流动边界层之间的联系，传质边界层厚度和流动边界层厚度之间的关系可近似用 $\dfrac{\delta}{\delta_c} = Sc^{1/3}$ 来表示，以下通过理论分析对该关系式进行推导。

由表 10-2，$\left.\dfrac{dc_A^*}{d\eta}\right\|_{\eta=0} = 0.332 Sc^{1/3}$，式中的无因次浓度梯度，在边界层内可以近似地认为是恒定值。以下标 0 和 w 分别表示边界层外缘和壁面，根据无因次浓度的定义，类似于第 7 章对流传热部分的处理方法，对该式进行变换

$$\left.\frac{dc_A^*}{d\eta}\right|_{\eta=0} \approx \frac{c_{A0}^* - c_{Aw}^*}{\eta_0 - \eta_w} = \frac{\dfrac{c_{Aw} - c_{A0}}{c_{Aw} - c_{A0}} - \dfrac{c_{Aw} - c_{Aw}}{c_{Aw} - c_{A0}}}{\delta_c \sqrt{\dfrac{u_0}{\nu x}} - 0} = \frac{1}{\delta_c \sqrt{\dfrac{u_0}{\nu x}}} = 0.332 Sc^{1/3} \qquad (10-35)$$

由式 (7-33) 得

$$\frac{1}{\delta \sqrt{\dfrac{u_0}{\nu x}}} = 0.332$$

比较式 (10-35) 和式 (7-33)，可得 $\dfrac{\delta}{\delta_c} = Sc^{1/3}$。当 $Sc = 1$ 时，则 $\delta = \delta_c$，此时无因

次浓度分布 $(c_{Aw} - c_A)/(c_{Aw} - c_{A0})$ 与无因次速度分布 $\dfrac{u_x}{u_0}$ 完全相同。

例 10.1　常压下，0℃的空气以 10m/s 的速度掠过一块厚度为 10mm、长为 200mm 的萘板，考虑到萘在空气中的扩散速率很低，可近似认为壁面喷出速度为零。试求萘向空气蒸发过程中的平均对流传质系数。已知在上述条件下，空气-萘系统的扩散系数为 $D_{AB} = 5.14 \times 10^{-6} m^2/s$；固体萘的密度为 $\rho_A = 1152 kg/m^3$；空气的密度为 $\rho = 1.293 kg/m^3$；黏度为 $\mu = 1.75 \times 10^{-5} N \cdot s/m^2$；临界雷诺数为 $Re_{xc} = 3 \times 10^5$。

解：由题设条件，可得

$$Sc = \frac{\mu}{\rho D_{AB}} = \frac{1.75 \times 10^{-5}}{(1.293) \times (5.14 \times 10^{-6})} = 2.63$$

$$Re_L = \frac{Lu_0\rho}{\mu} = \frac{0.2 \times 10 \times 1.293}{1.75 \times 10^{-5}} = 1.478 \times 10^5 < Re_{xc}$$

由此可知，流体流动为层流。平均对流传质系数可由式 (10-33b) 得出

$$k_{cm}^0 = k_{cm} = 0.664 \frac{D_{AB}}{L} Re_L^{1/2} Sc^{1/3} = (0.664) \frac{5.14 \times 10^{-6}}{0.2} (1.478 \times 10^5)^{1/2} (2.63)^{1/3}$$

$$= 0.0136 m/s$$

10. 2. 1. 2　平板壁面上层流传质的近似解

在上述系统中，类似于速度边界层中的卡门动量积分方程、温度边界层中的热流方程的建立方法，同样也可以对浓度边界层采用卡门积分，得到浓度边界层积分方程，然后求此方程的近似解，即可得到对流传质系数的计算式。这种方法较为简单，所得到的浓度边界层积分方程对层流边界层、湍流边界层的传质计算均适用，具有足够的精确性，并可应用于几何形状较为复杂的壁面。

A　浓度边界层积分方程

参照推导边界层动量积分方程或边界层能量积分方程的推导方法，利用质量守恒原理建立浓度边界层的积分关系，可以得到边界层质量积分方程。

如图 10-4 所示，不可压缩流体在平板壁面上沿 x、y 方向进行稳态流动和稳态传质。在浓度边界层内任取控制体 1234，该控制体长为 dx，高为浓度边界层厚度 δ_c，在垂直纸面方向上的厚度为一个单位长度，现对此控制体进行物料衡算。

单位时间组分 A 通过 1-2 面进入控制体的物质量（摩尔流率）为

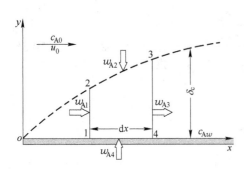

图 10-4　浓度边界层积分方程的推导

$$w_{A1} = \int_0^{\delta_c} c_A u_x \mathrm{d}y \qquad (10\text{-}36a)$$

通过 2-3 面，组分 A 由流体主体带入控制体的物质量为

$$w_{A2} = c_{A0} \frac{\mathrm{d}}{\mathrm{d}x} \left[\int_0^{\delta_c} u_x \mathrm{d}y \right] \mathrm{d}x \qquad (10\text{-}36b)$$

组分 A 由 1-4 面通过分子扩散传递进入控制体的物质量为

$$w_{A3} = k_c (c_{Aw} - c_{A0}) \mathrm{d}x \times 1$$
$$= -D_{AB} \frac{\mathrm{d}c_A}{\mathrm{d}y} \bigg|_{y=0} \mathrm{d}x + c_{Aw} u_{yw} \mathrm{d}x$$

若 $u_{yw} = 0$ ，则

$$w_{A3} = -D_{AB} \frac{\mathrm{d}c_A}{\mathrm{d}y} \bigg|_{y=0} \qquad (10\text{-}36c)$$

通过 3-4 面带出控制体的物质量为

$$w_{A4} = \int_0^{\delta_c} c_A u_x \mathrm{d}y + \frac{\mathrm{d}}{\mathrm{d}x} \left[\int_0^{\delta_c} c_A u_x \mathrm{d}y \right] \mathrm{d}x \qquad (10\text{-}36d)$$

根据物料衡算，有

$$w_{A1} + w_{A2} + w_{A3} = w_{A4} \qquad (10\text{-}37)$$

将式（10-36a）～式（10-36d）代入式（10-37）中整理，得

$$\frac{\mathrm{d}}{\mathrm{d}x} \int_0^{\delta_c} (c_{A0} - c_A) u_x \mathrm{d}y = D_{AB} \frac{\mathrm{d}c_A}{\mathrm{d}y} \bigg|_{y=0} \qquad (10\text{-}38)$$

式（10-38）即为浓度边界层积分传质方程。由于在推导过程中，并没有对流体的流动型态作任何限制，故该方程对层流边界层和湍流边界层的传质计算均适用。

B　层流传质的近似解

由于浓度边界层积分方程中含有速度项 u_x 和浓度项 c_A 两个未知量，因此需要给出浓度分布方程和速度分布方程才能求解。在第 4 章中曾经假设边界层内速度分布为幂函数形式，采用三次多项式来表达速度分布方程。当流体层流流动时，浓度边界层的发展总慢于速度边界层的发展，即 $\delta_c < \delta$ ，因此，浓度分布方程同样也可以用三次多项式的形式来表达。在流体物性一定的条件下，可先由边界层动量积分方程求出速度分布，确定速度场。浓度边界层积分传质方程的求解步骤和能量积分方程或动量积分方程的求解步骤大体相同。

由于 $\delta_c < \delta$ ，因此在浓度边界层内流体的速度分布可用式（4-50）表示

$$\frac{u_x}{u_0} = \frac{3}{2} \frac{y}{\delta} - \frac{1}{2} \left(\frac{y}{\delta} \right)^3$$

仿照速度分布，设浓度分布可以用三次多项式的形式表示为

$$c_A = a_0 + a_1 y + a_2 y^2 + a_3 y^3 \qquad (10\text{-}39)$$

式中，a_0、a_1、a_2、a_3 为待定常数。该式的边界条件为

$$y = 0, \quad c_A = c_{Aw} \qquad (10\text{-}39a)$$

$$y = \delta_c, c_A = c_{A0}, \frac{dc_A}{dy} = 0 \tag{10-39b}$$

$$y = 0, \frac{d^2 c_A}{dy^2} = 0 \tag{10-39c}$$

与速度分布多项式中待定常数的确定相仿，将以上条件代入式（10-39），求得各待定常数，由此得到边界层内浓度分布方程的表达式为

$$\frac{c_A - c_{Aw}}{c_{A0} - c_{Aw}} = \frac{3}{2} \frac{y}{\delta_c} - \frac{1}{2} \left(\frac{y}{\delta_c} \right)^3 \tag{10-40}$$

式中浓度边界层厚度 δ_c 是依赖于 x 的未知函数。比照可见，边界层内浓度分布方程的形式与相应的无量纲速度分布方程或无量纲温度分布方程完全一致，因此，其求解过程也类似。只要知道浓度边界层厚度 δ_c 的表达式，即可完全确定浓度分布。

设 $\xi = \delta_c/\delta$ ，如前所述，由于 $\delta_c < \delta$ ，故 $\xi < 1$ 。经过与第 7 章层流传热时边界层能量积分方程类似的推导，可得

$$\left. \frac{dc_A}{dy} \right|_{y=0} = \frac{3}{2} \frac{(c_{A0} - c_{Aw})}{\delta_c} = \frac{3}{2} \frac{(c_{A0} - c_{Aw})}{\xi\delta} \tag{10-41}$$

$$\xi^3 = \frac{13}{14Sc} + Cx^{-3/4} \tag{10-42}$$

式（10-42）中 C 为积分常数，可通过由浓度边界层的起始位置来确定边界条件求取。

（1）若流动起始段不发生传质，浓度边界层由 $x = x_0$ 开始发展，此时对应的边界条件为 $x = x_0$ ，$\delta_c = 0$ 或 $\xi = \delta_c/\delta = 0$ ，则由式（10-42）可得 $C = -\frac{13}{14Sc}x_0^{3/4}$ ，将所得到的积分常数值代入式（10-42），并整理可得

$$\xi = \frac{\delta_c}{\delta} = \frac{1}{1.026Sc^{1/3}} \left[1 - \left(\frac{x_0}{x} \right)^{3/4} \right]^{1/3} \tag{10-43}$$

利用在第 4 章边界层动量积分方程的推导过程中所得到的关系式（4-54）

$$\delta = 4.64 \sqrt{\nu x/u_0}$$

进一步可得到浓度边界层厚度的表达式

$$\delta_c = 4.64 Re_x^{-1/2} \frac{1}{1.026Sc^{1/3}} \left[1 - \left(\frac{x_0}{x} \right)^{3/4} \right]^{1/3} \tag{10-44}$$

（2）若传质自平板前缘即已开始，亦即整个平板与流体都有传质时，则因 $x_0 = 0$ ，所以式（10-43）简化为

$$\xi = \delta_c/\delta = \frac{1}{1.026Sc^{1/3}} \approx Sc^{-1/3} \tag{10-45}$$

该结果与前面精确解所得到的推论是一致的。

C　对流传质系数

根据平板壁面处传质关系，将式（10-41）代入对流传质系数的定义式中，则

$$N_A \mid_{y=0} = k_{cx}^0 (c_{Aw} - c_{A0}) = -D_{AB} \left. \frac{dc_A}{dy} \right|_{y=0} = -D_{AB} \frac{3}{2} \frac{(c_{A0} - c_{Aw})}{\delta_c} \tag{10-46}$$

或表示为

$$k_{cx}^0 = \frac{3}{2} \frac{D_{AB}}{\delta_c} \tag{10-47}$$

将式（10-44）代入，得到局部对流传质系数的具体表达式为

$$k_{cx}^0 = \frac{3}{2} \frac{D_{AB}}{4.64 Re_x^{-1/2} \dfrac{1}{1.026 Sc^{1/3}}} \left[1 - \left(\frac{x_0}{x} \right)^{3/4} \right]^{-1/3}$$

$$= 0.332 \frac{D_{AB}}{x} Re_x^{1/2} Sc^{1/3} \left[1 - \left(\frac{x_0}{x} \right)^{3/4} \right]^{-1/3} \tag{10-48}$$

若 $x_0 = 0$ ，即传质自平板前缘开始，上式可简化为

$$k_{cx}^0 = 0.332 \frac{D_{AB}}{x} Re_x^{1/2} Sc^{1/3} \tag{10-49a}$$

对于长为 L 的整块平板，其平均对流传质系数为

$$k_{cm}^0 = 0.664 \frac{D_{AB}}{L} Re_L^{1/2} Sc^{1/3} \tag{10-49b}$$

相应的舍伍德数表达式为

$$Sh_x = 0.332 Re_x^{1/2} Sc^{1/3} \tag{10-50a}$$

$$Sh_L = 0.664 Re_L^{1/2} Sc^{1/3} \tag{10-50b}$$

这个结果和精确解所得结果完全一样，由此可以看出积分法同样具有很高的准确性。由于积分方程是从质量衡算出发的，因此，它既可用于层流，也可用于湍流，同样也可用于带有化学反应的传质，以及 u_{yw} 不为零的情况。对壁面的几何形状也没有特殊要求。根据推导过程的假设条件可知，所得结果只能用于 $\delta_c < \delta$ 的情况。一般说来，气体的施密特数范围为 $1.0 \leqslant Sc \leqslant 2.0$ ，液体的施密特数范围为 $100 \leqslant Sc \leqslant 1000$ ，而液态金属的施密特数范围则在 1000 左右，因此，各类流体的施密特数均在 1.0 以上，均具备 $\delta_c < \delta$ 的条件，可见上述由近似解所确定的对流传质系数计算式，有着较宽的使用范围。

10.2.2　圆管内的层流对流传质

为简化分析，假设流体进入管内流动并与管壁进行层流对流传质时，流体温度与管壁温度相同，流体与管壁之间仅存在对流传质。这时，由于速度边界层和传质边界层都在发展，两者的厚度及进口段长度通常也不相等，因此，与管内层流对流传热类似，可能有两种情况。一种情况是流体由管的进口即开始进行传质，此时在管的进口段，速度边界层与浓度边界层同时发展。但在此情况下，进口段的动量传递和质量传递的规律都比较复杂，问题的求解较为困难。另一种情况是流体进管后，经过一个很短的速度进口段、速度边界层充分发展后才开始传质，此时速度边界层和浓度边界层的进口段并不相等。后一种情况较为简单，研究也比较充分，这里主要介绍这种情况下的稳态层流对流传质。

设不可压缩流体在半径为 r_i（直径 d ）的圆管内，沿轴向（ z 方向）作一维稳态层流流动。流体的物性恒定，忽略轴向扩散，组分 A 沿径向进行轴对称的稳态传质，并且流动及传质均已充分发展。这时，柱坐标下的质量传递微分方程（2-40）可简化为

$$u_z \frac{\partial c_A}{\partial z} = D_{AB} \left[\frac{1}{r} \frac{\partial}{\partial r} \left(r \frac{\partial c_A}{\partial r} \right) \right] \tag{10-51}$$

对于充分发展的管内层流，式（3-33）已经给出了其速度分布

$$u_z = 2u_m (1 - r^2/r_i^2)$$

将式（3-33）代入式（10-51），可得

$$2u_m (1 - r^2/r_i^2) \frac{\partial c_A}{\partial z} = D_{AB} \left[\frac{1}{r} \frac{\partial}{\partial r} \left(r \frac{\partial c_A}{\partial r} \right) \right] \tag{10-52}$$

类似于管内层流对流换热，式（10-52）的边界条件可分为两类。一类为恒传质通量的情况，即组分 A 在管壁处的传质通量 N_{Aw} 维持恒定，如多孔性管壁，组分 A 以恒定速率通过整个管壁进入流体当中；另一类则为恒壁面浓度的情况，即组分 A 在管壁处的浓度 c_{Aw} 维持恒定，如管壁覆盖着某种可溶性物质。

综合上述对边界条件的分析，式（10-52）的边界条件可表示如下

$$r = 0, \frac{\partial c_A}{\partial r} = 0 \tag{10-52a}$$

$$r = r_i, N_{Aw} = 常量 \ 或 \ c_{Aw} = 常量 \tag{10-52b}$$

对照式（7-54）所给出的管内层流传热的能量方程，可见管内层流传质时的数学描述及其边界条件和层流传热的情况类似，二者的解也必然类似。因此，式（10-52）的解可类比于对流传热写出。

当圆管内浓度边界层和速度边界层均已充分发展，并且传质速率较低时，管壁处传质通量 N_{Aw} 维持恒定条件下的解为

$$Sh = \frac{k_c^0 d}{D_{AB}} = 4.36 \tag{10-53a}$$

或

$$k_{cr}^0 = \frac{24}{11} \frac{D_{AB}}{r_i} \tag{10-53b}$$

当管壁处组分 A 的浓度 c_{Aw} 维持恒定时，有

$$Sh = \frac{k_c^0 d}{D_{AB}} = 3.66 \tag{10-54a}$$

或

$$k_{cr}^0 = \frac{11}{6} \frac{D_{AB}}{r_i} \tag{10-54b}$$

式中，传质系数 k_{cr}^0 的下标 r 表示沿径向传质。可见，对于管内层流传质而言，当速度边界层和浓度边界层均充分发展后，其对流传质系数或舍伍德数为常数。

10.3 湍流传质

在工程实际中，所遇到的流动多为湍流，因此研究湍流传质有重要的实际意义。湍流

理论是湍流传质分析的基础。在湍流传质时，由于流体微团的相互掺混，使动量传递和质量传递过程得以强化。本书将就平壁湍流边界层的传质计算及类比法进行初步的讨论。

10.3.1　平板壁面湍流传质的近似解

如前所述，浓度边界层积分方程既可用于层流边界层的计算，也可应用于湍流边界层的计算，两者的区别在于速度分布 u_x 的不同。根据前述分析，在稳态对流传质时，壁面附近的分子扩散通量和流体与壁面之间的对流传质速率相等，因此结合对流传质系数的定义和费克第一定律，浓度边界层积分方程式（10-38）又可写成下述形式

$$\frac{\mathrm{d}}{\mathrm{d}x}\int_0^{\delta c} u_x(c_A - c_{A0})\mathrm{d}y = -D_{AB}\frac{\mathrm{d}c_A}{\mathrm{d}y}\bigg|_{y=0} = k_{cx}^0(c_{Aw} - c_{A0}) \tag{10-55a}$$

流体在平板壁面上进行对流传质时，质量传递的全部阻力可视为集中在平板表面上的浓度边界层内。则局部对流传质系数 k_{cx}^0 可表示为

$$k_{cx}^0 = -D_{AB}\frac{\mathrm{d}\big[(c_A - c_{Aw})/(c_{Aw} - c_{A0})\big]}{\mathrm{d}y}\bigg|_{y=0} = \frac{\mathrm{d}}{\mathrm{d}x}\int_0^{\delta c}\frac{c_A - c_{A0}}{c_{Aw} - c_{A0}}u_x\mathrm{d}y \tag{10-55b}$$

当流体 $Sc = 1$ 时，速度边界层厚度 δ 与浓度边界层厚度 δ_c 相等，速度分布与浓度分布规律相同。采用 $1/7$ 次方定律表达速度分布及温度分布，即 $\frac{u_x}{u_0} = \left(\frac{y}{\delta}\right)^{1/7}$ 及 $\frac{c_{Aw} - c_A}{c_{Aw} - c_{A0}} = \left(\frac{y}{\delta_c}\right)^{1/7}$，并对浓度分布作如下变换

$$\frac{c_A - c_{A0}}{c_{Aw} - c_{A0}} = 1 - \left(\frac{y}{\delta}\right)^{1/7} \tag{10-56}$$

将式（10-56）和 u_x/u_0 代入式（10-55b），得

$$\frac{\mathrm{d}}{\mathrm{d}x}\int_0^{\delta c}\frac{c_A - c_{A0}}{c_{Aw} - c_{A0}}u_x\mathrm{d}y = u_0\frac{\mathrm{d}}{\mathrm{d}x}\int_0^\delta\big[1 - (y/\delta)^{1/7}\big](y/\delta)^{1/7}\mathrm{d}y = \frac{7}{72}u_0\frac{\mathrm{d}\delta}{\mathrm{d}x} \tag{10-57}$$

在第 5 章中，曾经推导出湍流速度边界层的厚度为式（5-76）

$$\delta = 0.376x(Re_x)^{-1/5}$$

代入式（10-57）并整理，结合式（10-55b），可得距平板前缘 x 处的局部对流传质系数及相应的舍伍德数

$$k_{cx}^0 = 0.0292u_0 Re_x^{-1/5} \tag{10-58}$$

$$Sh_x = 0.0292 Re_x^{4/5} \tag{10-59}$$

对于长度为 L 的平板，若传质从平壁前缘（$x = 0$）开始，则平均对流传质系数和平均舍伍德数分别为

$$k_{cm}^0 = 0.0365\frac{D_{AB}}{L}Re_L^{4/5} \tag{10-60a}$$

$$Sh_m = 0.0365 Re_L^{4/5} \tag{10-60b}$$

上述推导过程中，假定 $Sc = 1$，浓度边界层由平板前缘开始与速度边界层同步发展。当 $Sc \neq 1$ 时，速度边界层与浓度边界层厚度不等，可令二者之比为 $\delta/\delta_c = Sc^n$，则经相同的推导过程，可得

$$k_{cx}^0 = 0.0292u_0 Re_x^{-1/5} Sc^{1/3} \tag{10-61a}$$

$$Sh_x = 0.0292Re_x^{4/5}Sc^{1/3} \tag{10-61b}$$

$$k_{cm}^0 = 0.0365\frac{D_{AB}}{L}Re_L^{4/5}Sc^{1/3} \tag{10-61c}$$

$$Sh_m = 0.0365Re_L^{4/5}Sc^{1/3} \tag{10-61d}$$

实际上，流体沿平壁进行流动时，在前一段通常是层流边界层。只有当平壁长度 L 大于临界长度 x_c 时（临界雷诺数 $Re_{xc} \approx 5 \times 10^5$），边界层才由层流转为湍流。因此，平均对流传质系数应该对应层流和湍流两种不同流动状态分段进行积分。此时，平均对流传质系数可用下述积分式来校正

$$k_{cm}^0 = \frac{1}{L}\Big(\int_0^{x_c} k_{cx(\text{层流})}^0 \mathrm{d}x + \int_{x_c}^L k_{cx(\text{湍流})}^0 \mathrm{d}x\Big) \tag{10-62}$$

将式（10-49a）和式（10-59a）代入式（10-62）积分，经整理可得

$$k_{cm}^0 = 0.0365\frac{D_{AB}}{L}Sc^{1/3}(Re_L^{4/5} - Re_{xc}^{4/5} + 18.19Re_{xc}^{1/2}) \tag{10-63a}$$

或 $$Sh_m = 0.0365Sc^{1/3}(Re_L^{4/5} - Re_{xc}^{4/5} + 18.19Re_{xc}^{1/2}) \tag{10-63b}$$

式（10-63）即为考虑层流边界层段的传质对整个边界层平均对流传质系数的影响，所得到的平均对流传质系数的计算式。比照可知，上述结果与第 7 章式（7-76）～式（7-80）完全类似，说明对流传热和对流传质具有类似性。

10.3.2 湍流传递的比拟理论

在工程实际传质设备中，流体大多处于湍流状态，因此湍流传质问题的研究更为重要。湍流运动时存在着强烈的速度脉动，若湍流场浓度不均匀，则浓度也将随时间和空间不断变化，围绕着时均值脉动。理论上，可借助前述的湍流时均模型和普朗特混合长模型，通过质量微分方程的时均化来分析湍流传质。但由于湍流传质的复杂性，迄今为止，单纯依靠理论分析还不能解决湍流对流传质的计算问题。由于流体湍流时质量传递与动量传递和热量传递在机理上和定量描述上均十分相似，因此对流传质系数的求取往往采取类比的方法。

10.3.2.1 涡流质量扩散系数

根据时均模型，类似于湍流场中瞬时速度 $u = \bar{u} + u'$，瞬时浓度 c_A 也由时均浓度 $\bar{c}_A$ 与脉动浓度 c_A' 两部分组成

$$c_A = \bar{c}_A + c_A' \tag{10-64}$$

速度脉动导致湍流附加应力，类似地，流体微团脉动也将产生湍流扩散通量，其与湍流附加应力有相似的形式

$$J_{A\varepsilon} = -\overline{u_x'c_A'} \tag{10-65}$$

考察流体沿 x 方向的一维流动，类似动量传递和热量传递的普朗特混合长模型，假设距壁面 y 处时均浓度为 $\bar{c}_A$ 的流体微团，在 l 距离内移动时，保持原来浓度不变，当到达 $y + l$ 处时，才与相邻层浓度 $\bar{c}_{A,y+l}$ 的流体微团发生掺混，类似于对流传热部分涡流热扩散系数的推导，可得

$$J_{A\varepsilon} = -l^2 \frac{d\overline{u}_x}{dy} \frac{dc_A}{dy} = -\varepsilon_M \frac{dc_A}{dy} \qquad (10\text{-}66)$$

式中，$\varepsilon_M = l^2 \dfrac{d\overline{u}_x}{dy}$，为涡流质量扩散系数；$\dfrac{dc_A}{dy}$ 为垂直于主流方向的时间平均浓度梯度。湍流时 A 组分的总摩尔通量 J_A 可以看成是分子扩散通量和涡流扩散通量两者之和，即

$$J_A = -(D_{AB} + \varepsilon_M) \frac{dc_A}{dy} \qquad (10\text{-}67)$$

如果不考虑浓度等因素对 D_{AB} 的影响，则对于一定体系，D_{AB} 为一状态参数；而涡流扩散系数则与湍流强度和离开壁面的距离有关。在紧靠壁面的区域 ε_M 值很小，分子扩散占支配地位；在湍流核心区，ε_M 远大于 D_{AB}，因而可忽略分子扩散的影响。

从形式表征上来看，湍流流动时，涡流动量扩散系数（涡流黏度）ε、涡流热扩散系数 ε_H 和涡流质量扩散系数 ε_M 三者大小相等，但实际上，在一般情况下，它们仅属同一数量级，数值上并不相等。

10.3.2.2　湍流传递的类似律

动量、热量和质量三种传递过程之间存在许多类似之处，如传递机理的类似、传递过程的数学模型及其边界条件的类似、模型的求解方法和求解结果的类似、传递的动力学物性的类似等。根据三传的类似性，通过类比，可建立不同传递过程的一些物理量之间的定量关系，并有助于进一步理解三种传递过程的机理。在缺乏传热或传质数据时，在一定条件下，可由易于实现的流体力学实验来代替传热或传质实验，用范宁摩擦系数来推测传热系数和传质系数。

类似于 Pr 和 Sc，将热量扩散系数和质量扩散系数之比称为路易斯数，即

$$Le = \frac{a}{D_{AB}} \qquad (10\text{-}68)$$

路易斯数 Le 表达了温度分布和浓度分布的对比关系。

当 $Le = 1$，即 $a = D_{AB}$，且两者的边界条件也一致时，则温度分布和浓度分布将完全一致。此时

$$Sh_x = Nu_x$$

即

$$\frac{k_c^0 x}{D_{AB}} = \frac{\alpha x}{\lambda}$$

因设定 $a = D_{AB}$，所以有

$$k_c^0 = \frac{\alpha D_{AB}}{\lambda} = \frac{a\alpha}{\lambda} = \frac{\alpha}{\rho C_p} \qquad (10\text{-}69)$$

式（10-69）表明，对流传质系数 k_c^0 与对流传热系数 α 之间存在一个简单关系，这个关系式称为路易斯关系式。其是在 $Le = 1$ 的条件下导出的，既适用于层流也适用于湍流。

根据三种传递过程的类似性，前述的热量与动量传递的类似理论也可对应推广到质量传递，由此可建立摩擦阻力系数、对流换热系数和对流传质系数之间的关系。

A　雷诺类似律

雷诺类似律在热量传递中仅适用于 $Pr = 1$ 的系统，相应地，在质量传递中也仅适用于 $Sc = 1$ 的系统。当 $Pr = 1$、$Sc = 1$ 时，三种传递过程完全类似，相应的无量纲速度场、

温度场和浓度场也完全一致。

流体绕过平板流动时，由式（10-69）和式（7-98），可得如下关系式

$$k_c^0 = \frac{\alpha}{\rho c_p} = \frac{C_D}{2} u_0 \tag{10-70a}$$

或

$$\frac{k_c^0}{u_0} = \frac{\alpha}{\rho c_p u_0} = \frac{C_D}{2} \tag{10-70b}$$

令

$$St^* = \frac{Sh}{ReSc} = \frac{k_c^0}{u_0} \tag{10-71}$$

式中，St^* 称为传质的斯坦顿（Stan ton）数，其与传热的斯坦顿数 $St = \dfrac{Nu}{RePr}$ 类似，则由式（10-70b）可得

$$St^* = St = \frac{C_D}{2} \tag{10-72}$$

此即沿平板流动的雷诺类似解。该式同样也适用于圆管内的传递过程，但要注意管内摩擦阻力系数的定义与平板的定义不同。将不同情况下阻力系数的值代入式（10-72），即可得到对流传质系数的计算式。

如对于平板层流传质，有

$$Sh = 0.323 \sqrt{Re_x} \tag{10-73a}$$

对于圆管内湍流传质，则为

$$Sh = 0.0395 Re_d^{0.75} \tag{10-73b}$$

式中，$Re_d = (u_m d)/\nu$；u_m 为管内平均流速；d 为管内径。

在以下的推导结果中，将所得式中的 C_D 用范宁摩擦系数 f 代替，即可用于管内湍流，不再一一说明。

B　普朗特-泰勒类似律

若流体的施密特数 $Sc \neq 1$，则类似于 $Pr \neq 1$ 的情况，需要考虑湍流边界层中层流内层的影响。质量传递中的普朗特-泰勒类似律的推导与热量传递类似，这里不进行详细推导，只给出最后结果。

$$St^* = \frac{k_c^0}{u_0} = \frac{C_D/2}{1 + 5(Sc - 1)\sqrt{\dfrac{C_D}{2}}} \tag{10-74}$$

对于 $Sc = 0.5 \sim 2.0$ 的介质，普朗特-泰勒类似律与实验结果相当吻合。

C　冯·卡门类似律

冯·卡门考虑到湍流边界层系由湍流核心区、过渡区和层流内层组成，提出了一个边界层的 3 层模型，在 $Sc \neq 1$ 时，根据 3 层模型，对质量传递过程进行了分析，得到了与热量传递过程相类似的结果，该结果为

$$St^* = \frac{C_D/2}{1 + 5\left\{Sc - 1 + \ln\left[1 + \dfrac{5}{6}(Sc - 1)\right]\right\}\sqrt{\dfrac{C_D}{2}}} \tag{10-75}$$

D　柯尔本类似律

对流传质系数与摩擦系数之间的柯尔本类似为

$$St^* Sc^{2/3} = \frac{k_c^0}{u_0} Sc^{2/3} = \frac{C_D}{2} \tag{10-76}$$

式中，$St^* Sc^{2/3}$ 称为传质 j 因子，用 j_D 表示，即

$$j_D = \frac{C_D}{2}$$

该式适用范围为 $0.6 < Sc < 2500$，对于气体和多种液体的湍流质量传递均适用。

考虑到传热 j_H 因子与摩擦系数的关系式，可得

$$j_H = j_D = \frac{C_D}{2} \tag{10-77}$$

柯尔本类似律又称作契尔顿-柯尔本（Chilton-Colburn）类似，表示摩擦阻力系数 C_D 与对流传质系数 k_c^0 以及对流换热系数 α 三者之间的关系，集"三传"于一身，是动量、热量和质量传递的广义类似律。它对于平板流动是准确的，而对于其他没有形体阻力存在的物体也是适用的。根据此关系，可以利用较易求取的 C_D 或 f 来近似估算 k_c^0 及 α，但是对于有形体阻力的物体，则 $j_H = j_D \neq \dfrac{C_D}{2}$。

在热、质传递同时存在，且 $j_H = j_D$ 时，有

$$\frac{k_c^0}{u_0} Sc^{2/3} = \frac{\alpha}{\rho u_0 c_p} Pr^{2/3}$$

移项，得

$$k_c^0 = \frac{\alpha}{\rho c_p Le^{2/3}} \tag{10-78}$$

式（10-78）即为 $Le \neq 1$ 时，α 与 k_c^0 之间的普遍关系式，可以看出当 $Le = 1$ 时，柯尔本类似律就转化为雷诺类似律。

式（10-78）还说明，即使存在形体阻力，在对流传热和对流传质之间也允许用已知的某一过程传递系数去估计过程的另一未知传递系数，该式在 $0.6 < Sc < 2500$ 和 $0.6 < Pr < 1000$ 范围内均有效。

例 10.2　已知圆管内湍流流动时，范宁摩擦系数可用式（5-65b）表示，即 $f = 0.046 Re^{-1/5}$，试由雷诺类比求取圆管内湍流时的对流传热系数和对流传质系数。

解：根据雷诺类比，湍流传热时，斯坦顿数和阻力系数的关系由式（7-98）给出，即

$$St = \frac{\alpha}{\rho c_p u_0} = \frac{Nu}{(Re)(Pr)} = \frac{f}{2} = 0.023 Re^{-1/5}$$

$$Nu = 0.023 Re^{0.8} Pr$$

或写成

$$\alpha = 0.023 \frac{\lambda}{d} Re^{0.8} Pr$$

将 $\alpha = 0.023 \dfrac{\lambda}{d} Re^{0.8} Pr$ 与流体被加热时对流传热的经验公式 $\alpha = 0.023 \dfrac{\lambda}{d} Re^{0.8} Pr^{0.4}$ 比较可知，在 $Pr = 1$ 时，所得结果完全相同，说明雷诺类似仅适用于普朗特数等于 1 的情况。一般说来，气体的普朗特数比较接近于 1，而液体则偏差较大，因此，雷诺类比只能近似用于气体。

同理，湍流传质时，传质的斯坦顿数和阻力系数的关系由式（10-72）给出，即

$$St^* = \frac{Sh}{ReSc} = \frac{k_c^0}{u_0} = \frac{f}{2} = 0.023Re^{-1/5}$$

或写成

$$Sh = 0.023Re^{0.8}Sc$$

$$k_c^0 = 0.023\frac{D_{AB}}{d}Re^{0.8}Sc$$

将 $Sh = 0.023Re^{0.8}Sc$ 与传质时的经验表达式 $Sh = 0.023Re^{0.8}Sc^{0.44}$ 比较，同样说明雷诺类似仅适用于施密特数等于 1 的情况。

文献中报道的类比还有很多，到目前为止，仍然缺乏一个描述湍流的较为完善的理论，各种类似律理论根据不足，且均有其局限性，工程上应用较多的仍然是经验或半经验公式。

习　　题

1. 试利用以通量表示的传质速率方程和扩散速率方程，对下列各传质系数进行转换：
（1）将 k_G^0 转化为 k_c 和 k_y^0；（2）将 k_x 转化为 k_L 和 k_x^0。

2. 试应用有关的微分方程说明"精确解"方法求解平板层流边界层中稳态二维流动和二维传质时传质系数 k_c^0 的步骤，并与求解对流传热系数 α 的步骤进行对比，指出各方程和边界条件的相似之处和相异之处。

3. 平板壁面上的层流边界层中发生传质时，组分 A 的浓度分布方程可采用下式表示

$$c_A = a + by + cy^2 + dy^3$$

试应用适当的边界条件求出 a、b、c 和 d 的值。

4. 温度为 26℃的水，以 0.1m/s 的流速流过长度为 1m 的固体苯甲酸平板，试求距平板前缘 0.3m 及 0.6m 两处的浓度边界层厚度 δ_c，局部传质系数 k_{cx} 及整块平板的传质通量 N_A。

5. 温度为 298K 的水以 0.1m/s 的流速流过内径为 10mm、长 2m 的苯甲酸圆管。已知苯甲酸在水中的扩散系数为 $1.24 \times 10^{-9}cm^2/s$，在水中的饱和溶解度为 $0.028kmol/m^3$，试求平均传质系数 k_{cm}、出口浓度及全管的传质速率。

6. 试列表写出在圆管内进行动量传递、热量传递与质量传递时三者相类似的传递速率方程（以通量表示）、通量、传递系数和推动力，并标明各通量、传递系数和推动力的单位。

7. 试简述双膜模型、溶质渗透模型和表面更新模型的主要论点，各模型所得的传质系数与扩散系数的关系。并分析双膜模型为什么假定为稳态扩散模型，而后两种模型假定为非稳态扩散模型？

8. 试证明，当喷出速度为零时，等分子反方向扩散时的对流传质系数 k_c^0 与单向扩散时的对流传质系数 k_c 大小相等。

附　　录

附录 A　常见物系的扩散系数

1. 气相扩散系数（标准大气压下）

系　统	温度/K	扩散系数 $D_{AB}/m^2 \cdot s$	系　统	温度/K	扩散系数 $D_{AB}/m^2 \cdot s$
空气 – CO_2	317.2	1770	He—O_2	298	7290
空气 – C_2H_5OH	313	1450	He—异 C_3H_7OH	423	6770
空气 – He	317.2	7650	He—H_2O	307.1	9020
空气—正 C_6H_{14}	328	930	H_2—C_2H_3 $\overset{\displaystyle O}{\underset{\displaystyle OH}{\diagup}}$	296	4240
空气—正 C_5H_{12}	294	710			
空气—H_2O	313	2880	H_2—NH_3	298	7830
Ar—NH_3	333	2530	H_2—NH_3	358	10930
Ar—CO_2	276.2	1330	H_2—NH_3	473	18600
Ar—He	298	7290	H_2—NH_3	533	21490
Ar—H_2	242.2	5620	H_2—C_6H_6	311.3	4040
Ar—H_2	448	17600	H_2—环己烷	288.6	3190
Ar—H_2	806	48600	H_2—CH_4	288	6940
Ar—H_2	1069	81000	H_2—N_2	298	7840
Ar—CH_4	298	2020	H_2—N_2	573	21470
Ar—SO_2	263	770	H_2—SO_2	473	12300
CO_2—He	298	1620	H_2—H_2O	328.5	11210
CO_2—N_2	298	1670	CH_4—H_2O	352.3	3560
CO_2—NO	312.8	1280	N_2—NH_3	298	2300
CO_2—O_2	293.2	1530	N_2—NH_3	358	3280
CO_2—SO_2	263	640	N_2—环己烷	288.6	731
CO_2—H_2O	307.2	1980	N_2—SO_2	263	1040
CO_2—H_2O	352.3	2450	N_2—H_2O	307.5	2560
CO—N_2	373	3180	N_2—H_2O	352.1	3590
He—C_2H_6	423	6100	N_2—C_6H_6	311.3	1020
He—C_2H_5OH	423	8210	O_2—C_6H_6	311.3	1010
He—CH_3OH	423	10320	O_2—CCl_4	296	749
He—CH_4	298	6750	O_2—环己烷	288.6	746
He—N_2	298	6870	O_2—H_2O	352.3	3520

2. 稀溶液中扩散系数的实验值

溶质 A	溶剂 B	温度/K	扩散系数 $D_{AB}/m^2 \cdot s$	溶质 A	溶剂 B	温度/K	扩散系数 $D_{AB}/m^2 \cdot s$
醋　酸	丙　酮	298	3.31×10^9	二氧化碳	乙　醇	208	3.42×10^9
苯甲酸	丙　酮	298	2.62×10^9	甘　油	乙　醇	293	0.51×10^9
二氧化碳	戊　醇	298	1.91×10^9	吡　啶	乙　醇	293	1.10×10^9
水	苯　胺	298	0.70×10^9	尿　素	乙　醇	285	0.54×10^9
醋　酸	苯	298	2.09×10^9	水	乙　醇	298	1.132×10^9
四氯化碳	苯	298	1.92×10^9	水	乙二醇	293	0.18×10^9
肉桂酸	苯	298	1.12×10^9	水	甘　油	293	0.0083×10^9
乙　醇	苯	280.6	1.77×10^9	二氧化碳	庚　烷	298	6.03×10^9
氯乙烯	苯	288	2.25×10^9	四氯化碳	正己烷	298	3.70×10^9
甲　醇	苯	298	3.82×10^9	甲　苯	正己烷	298	4.21×10^9
萘	苯	280.6	1.19×10^9	二氧化碳	煤　油	298	2.50×10^9
二氧化碳	异丁醇	298	2.20×10^9	锡	汞	303	1.60×10^9
丙　酮	四氯化碳	293	1.86×10^9	水	正戊烷	288	0.87×10^9
苯	氯　苯	293	1.25×10^9	水	1,2 - 丙二醇	293	0.0075×10^9
丙　酮	氯　仿	288	2.36×10^9	醋　酸	甲　苯	298	2.26×10^9
苯	氯　仿	288	2.51×10^9	丙　酮	甲　苯	293	2.93×10^9
乙　醇	氯　仿	288	2.20×10^9	苯甲酸	甲　苯	293	1.74×10^9
四氯化碳	环己烷	298	1.49×10^9	氯　苯	甲　苯	293	2.06×10^9
偶氮苯	乙　醇	293	0.74×10^9	乙　醇	甲　苯	288	3.00×10^9
樟　脑	乙　醇	293	0.70×10^9	二氧化碳	白节油	298	2.11×10^9
二氧化碳	乙　醇	290	3.20×10^9				

3. 固体中的扩散系数

溶质 A	固体 B	温度/K	扩散系数 $D_{AB}/m^2 \cdot s$
H_2	硫化橡胶	298	0.850×10^9
O_2	硫化橡胶	298	0.210×10^9
N_2	硫化橡胶	298	0.150×10^9
CO_2	硫化橡胶	298	0.110×10^9
H_2	硫化氯丁橡胶	298	0.103×10^9
H_2	硫化氯丁橡胶	300	0.180×10^9
He	SiO_2	293	$2.4 \sim 5.5 \times 10^4$
He	Fe	293	2.59×10^5
Al	Cu	293	1.3×10^{16}

附录 B　误 差 函 数 表

η	erf (η)	η	erf (η)	η	erf (η)	η	erf (η)
0.00	0.00000	0.66	0.64938	1.32	0.93807	1.98	0.99489
0.02	0.02256	0.68	0.66378	1.34	0.94191	2.00	0.99532
0.04	0.04511	0.70	0.67780	1.36	0.94556	2.02	0.99572
0.06	0.06762	0.72	0.69143	1.38	0.94902	2.04	0.99609
0.08	0.09008	0.74	0.70468	1.40	0.95229	2.06	0.99642
0.10	0.11246	0.76	0.71754	1.42	0.95538	2.08	0.99673
0.12	0.13476	0.78	0.73001	1.44	0.95830	2.10	0.99702
0.14	0.15695	0.80	0.74210	1.46	0.96105	2.12	0.99728
0.16	0.17901	0.82	0.75381	1.48	0.96365	2.14	0.99753
0.18	0.20094	0.84	0.76514	1.50	0.96611	2.16	0.99775
0.20	0.22270	0.86	0.77610	1.52	0.96841	2.18	0.99795
0.22	0.24430	0.88	0.78669	1.54	0.97059	2.20	0.99814
0.24	0.26570	0.90	0.79691	1.56	0.97263	2.22	0.99831
0.26	0.28690	0.92	0.80677	1.58	0.97455	2.24	0.99846
0.28	0.30788	0.94	0.81627	1.60	0.97635	2.26	0.99861
0.30	0.32863	0.96	0.82542	1.62	0.97804	2.28	0.99874
0.32	0.34913	0.98	0.83423	1.64	0.97962	2.30	0.99886
0.34	0.36936	1.00	0.84270	1.66	0.98110	2.32	0.99897
0.36	0.38933	1.02	0.85084	1.68	0.98249	2.34	0.99906
0.38	0.40901	1.04	0.85865	1.70	0.98379	2.36	0.99915
0.40	0.42839	1.06	0.86614	1.72	0.98500	2.38	0.99924
0.42	0.44747	1.08	0.87333	1.74	0.98613	2.40	0.99931
0.44	0.46623	1.10	0.88021	1.76	0.98719	2.42	0.99938
0.46	0.48466	1.12	0.86679	1.78	0.98817	2.44	0.99944
0.48	0.50275	1.14	0.89308	1.80	0.98909	2.46	0.99950
0.50	0.52050	1.16	0.89910	1.82	0.98994	2.48	0.99955
0.52	0.53790	1.18	0.90484	1.84	0.99074	2.50	0.99959
0.54	0.55494	1.20	0.91031	1.86	0.99147	2.60	0.99976
0.56	0.57162	1.22	0.91553	1.88	0.99216	2.70	0.99987
0.58	0.58792	1.24	0.92051	1.90	0.99279	2.80	0.99992
0.60	0.60386	1.26	0.92524	1.92	0.99338	2.90	0.99996
0.62	0.61941	1.28	0.92973	1.94	0.99392	3.00	0.99998
0.64	0.63459	1.30	0.93401	1.96	0.99443	∞	1.00000

注：$\mathrm{erf}(\eta) = \dfrac{2}{\sqrt{\pi}}\displaystyle\int_0^\eta e^{-\eta^2}\mathrm{d}\eta。$

参 考 文 献

1　浅野康一. 物质移动の基础と応用. 东京：丸善株式会社，2004

2　Bird R B, Stewart W E, Lightfood E N. Transport phenomena. New York：Wiley, 2002

3　R. B. 伯德等著. 传递现象. 袁一等译. 北京：化学工业出版社，1990

4　陈涛，张国亮. 化工传递过程基础（第二版）. 北京：化学工业出版社，2002

5　王运东，骆广生，刘谦. 传递过程原理. 北京：清华大学出版社，2002

6　江体乾. 近代传递过程原理. 北京：化学工业出版社，2002

7　戴干策，任德呈，范自晖. 传递现象导论. 北京：化学工业出版社，1996

8　夏光榕，冯权莉. 传递现象相似. 北京：中国石化出版社，1997

9　陈晋南. 传递过程原理. 北京：化学工业出版社，2004

10　Tyn Myint 著. 数学物理方程. 杨年钧等译. 沈阳：辽宁科技出版社. 1985

11　邓颂九，李启恩. 传递过程原理. 广州：华南理工大学出版社. 1988

12　J. R. 威尔特等著，动量、热量、质量传递原理. 李卫正等译. 北京：国防工业出版社，1984

13　宝沢光纪等. 扩散と移动现象. 东京：培风馆株式会社，1996

14　吴望一. 流体力学. 北京：北京大学出版社，1998

冶金工业出版社部分图书推荐